D0581095

LA SEMAINE DU CONTRAT

Jean-Marie Poupart

LA SEMAINE
DU CONTRAT

Boréal

Illustration de la couverture: Stéfan Anastasiu

© Les Éditions du Boréal Express
Dépôt légal: 4ᵉ trimestre 1988
Bibliothèque nationale du Québec

Diffusion au Canada: Dimédia
Distribution en Europe: Distique

Données de catalogage avant publication (Canada)

Poupart, Jean-Marie, 1947-
La semaine du contrat
ISBN 2-89052-269-5
I. Titre
TS8581.O96S45 1988   C843'.54   C88-096592-4
TS9581.O96S45 1988   PQ3919.2.P68S45 1988

Arnold Bennett a dit: «Une fois qu'on s'y est entraîné, le pessimisme devient aussi agréable que l'optimisme.»

Je la note, celle-là. Décidément, on ne s'embête pas en écoutant la radio le samedi matin.

Gilles rince promptement son rasoir sous le robinet d'eau chaude et, nu, encore mal réveillé, les joues, le menton et le cou parsemés de résidus de savon, les idées aussi floconneuses que ce gros ciel du mois de novembre, il se dirige vers sa table de travail tandis que grelotte sur les ondes une mélodie de Satie dont, dans sa hâte, il a raté le titre. Je ne me suis pas coupé. Et j'avais une barbe de deux jours.

Bennett, Enoch Arnold (1867-1931). Anglais. «Est surtout considéré comme un maître du roman régionaliste», assure *Robert 2*. Ah...? Jamais lu une ligne de cet auteur.

Gilles sort une fiche et transcrit la pensée entendue tout à l'heure devant le miroir de la salle de bains. «À condition de s'y habituer, le pessimisme peut être aussi suave — non, aussi exquis que l'optimisme.»

Programme de la journée: petit déjeuner au café Gingras; saut chez Isabelle, ma très tendre fille, et sandwich tout-dépend-de-ce-qu'elle-aura-dans-le-frigo; de treize à dix-sept heures, séance de signatures à la librairie Archambault.

Et ce soir, on verra.

Séance de signatures. Dans son agenda, Gilles Dufresne a mis un s. Il se doute pourtant qu'il n'y aura pas beaucoup de monde. Il n'attire pas les foules. Ses romans ont rarement atteint des tirages considérables. Je ne suis pas une vedette. Se rappelle-t-il la fois où (à Rimouski, je crois) personne ne s'était dérangé pour venir le rencontrer? Mélange d'irritation et d'égaiement. Redoutant une de ces crises de nerfs pour lesquelles les artistes sont réputés, le libraire était dans ses petits souliers. Petits souliers, gants blancs.

Car il ne suffit plus d'avoir imaginé une intrigue, de vous être échiné à donner à l'action une allure et un rythme, d'avoir renoncé à vous scandaliser de ce que l'éditeur, avant d'accepter le manuscrit, ait juste pris le temps de le parcourir en diagonale, il ne suffit plus d'avoir corrigé vos épreuves et rédigé votre propre biobibliographie pour les notices de prière d'insérer et de quatrième de couverture, il vous faut maintenant sans regimber participer à la promotion du produit, vous inventer un numéro à l'intention des médias, parler pointu devant les micros même si ça risque d'amuser vos familiers, etc. À la fin de l'opération, vous ne vous souvenez plus de ce que vous avez écrit. Pas étonnant que vous vous répétiez d'un ouvrage à l'autre. Avouez que je n'exagère pas.

Donc, séance de signatures.

Le dernier livre de Dufresne s'intitule *Permettez que je déborde de mon texte.* Moue de l'éditeur adjoint lors de la négociation du contrat: «Êtes-vous certain qu'en vous fouillant les méninges vous ne dénicheriez pas un titre moins commercial encore?»

Permettez que je déborde de mon texte est son quinzième, son vingtième pavé... Il ne compte plus. Cela n'a été excitant qu'au premier. Pas nécessairement plus facile mais grisant, exaltant. Le deuxième, il ne l'a publié que pour rompre (surtout en lui-même) l'effet provoqué par le premier. Quant au troisième, il a consenti à le lancer parce qu'il espérait de cette façon anéantir le précédent.

Et on ne continue que pour marquer son dissentiment avec ce qu'on a déjà montré de soi. On écrit contre soi, d'où les affres, les grincements de dents, cela tout autant en face de la page blanche que du brouillon encombré de ratures. L'animateur de l'émission musicale du samedi matin n'aurait qu'à ouvrir n'importe quel dictionnaire de citations. Sur le thème des tourments de la création, il trouverait matière à remplir plusieurs semaines. Pauvres auditeurs... Qui sait si Arnold Bennett n'a pas lui-même formulé quatre ou cinq brillantes maximes à ce propos?

Gilles a fini de s'habiller. Il a mis une chemise neuve de couleur rouge. Tant qu'à jouer le jeu de la mystification, autant que ce soit de manière convenable. Si les astronautes s'astreignent à suivre des cours de diction pour que leurs communications avec la terre ne soient pas trop soporifiques, je peux bien m'imposer quelques sacrifices. Sans compter qu'hier je me suis offert un congé en ne quittant pas l'appartement.

Récapitulons: je passe chez Archambault vérifier si tout est prêt pour cet après-midi, j'achète mes journaux, je file au restaurant, salade, quiche lorraine, express allongé, je ferais peut-être mieux de téléphoner à Isabelle, bah! réflexion faite, si je la réveille, ce ne sera pas un crime.

Bonjour. Vous êtes seul?

Sans attendre de réponse, la serveuse lui désigne une table près de la fenêtre. Il y a peu de temps qu'elle travaille ici. Même âge qu'Isabelle, entre dix-huit et vingt-deux ans. Jolie, mais à peine esquisse-t-elle un sourire qu'elle a aussitôt la lèvre supérieure qui se retrousse, vilainement circonflexe. Avant la trentaine, son visage sera devenu vulgaire.

Les journaux, Gilles Dufresne les a achetés chez Archambault — de même que ce gros magazine américain qu'il feuillette tandis qu'il attend qu'on lui apporte son jus d'orange. Il a changé d'idée: omelette fines herbes, ratatouille, café moka. Il saute par-dessus les pages d'annonces. La publicité mise sur le fait que tout le monde raffole d'être en vie. Voilà pourquoi il n'en est pas friand, voilà pourquoi elle ne l'atteint guère. Il ne déteste pas se considérer comme un pessimiste. Comment était-elle tournée déjà, la petite phrase de ce Bennett? «Lorsque l'on s'y est accoutumé, le pessimisme ne présente pas moins d'attrait que l'optimisme.» Quelque chose dans ce ton, il me semble... Heureusement, j'ai fait l'effort de la transcrire.

À notre époque, on a tendance à traiter le pessimiste comme un individu dont la condition dépressive ne serait qu'un phénomène passager. On lui tapote gentiment l'épaule: «Vous verrez, ça ira mieux demain.» Flagrant manque de respect à l'endroit d'une doctrine jadis tout à fait honorable.

Tiens! un article sur les nouvelles figures de la littérature des États-Unis. Et un reportage photographique sur l'élevage des yacks au Tibet. Saisissant. Et merveilleux.

Grignotant une biscotte, Dufresne continue pendant cinq minutes à donner des significations au saugrenu et à l'inepte — en un mot, à philosopher. Je m'éparpille, je papillonne, et je n'ai même pas eu la curiosité de regarder si j'avais une critique dans le journal de ce matin. Bien que le livre ne soit sorti que depuis une semaine, ce n'est pas absolument impossible.

Comble de l'extravagance, l'auteur se prend pour un moraliste alors qu'il n'est qu'un vulgaire potineur.» Ainsi Yvan Lafleur conclut-il sa chronique de *Samedi Montréal*. Quant à Ghislain Picard, journaliste à *l'Éclaireur*, après s'être adonné à une variété de calembredaines à partir du titre *Permettez que je déborde de mon texte*, il bâcle un petit paragraphe étriqué dans lequel il déclare sans appel que Gilles Dufresne a raté sa carrière.

Moi qui, pas plus tard que le mois dernier, le félicitais d'avoir osé pincer le nez de la critique québécoise. «Merci de secouer cette institution thuriféraire, merci de la tirer de sa vénérable torpeur, de ses ronrons de cérémonie, merci d'avoir ce cran, cette audace. Depuis que vous êtes arrivé, elle tousse, elle éternue...» Et Picard s'est contenté d'ululer, bombant le torse, gonflant son plumage. Il me préparait, le drôle, une parade de sa spécialité. En revanche, aucune blague de Lafleur dans les trois colonnes encadrées de la page trois du cahier trois de *Samedi Montréal*. On ne blague pas aisément quand on s'imagine être la réincarnation de Léon Bloy. Entre autres, il affirme, imperturbable, que si j'étais vraiment hanté par l'idée de la mort, je n'aurais pas écrit un livre sur le suicide, je me serais plutôt logé une balle dans la tempe, ce qui eût en effet été plus direct comme discours. Selon lui, *Permettez* n'appartient pas à la littérature romanesque, opinion partagée par Picard. Les deux zozoïles font également chorus pour me reprocher de m'ausculter aux dépens de la santé de mes personnages. Ce n'est pas formulé de façon identique, mais et Lafleur et Picard emploient le mot ausculter. Les rapaces! Ils ont comploté pour mieux m'étripatouiller.

Gilles a lu les deux articles à la hâte, le cœur palpitant, et il a engouffré son omelette en quatre bouchées, sans même s'aviser qu'il mangeait. Il les a relus. Sa stupéfaction s'est transformée en abattement. Quand enfin il a levé la tête, il a vu tous ces exemplaires de *l'Éclaireur* et de *Samedi Montréal* répandus çà et là sur les tables. Honte! la plupart des clients ont déjà consulté leur journal, ils savent que je me suis fait esquinter. Impatients d'observer ma réaction, ils me guettent, me dévisagent. Ah! je ne les décevrai pas! D'abord, j'ai bien envie de me mettre la nappe sur la tête. Elle est mauve, ce qui tombe pile. Je ressemblerais à ces statues des églises qu'on voilait autrefois pendant les périodes du Carême et de l'Avent.

Pénitence, pénitence...

Il n'aura l'occasion de se livrer à aucune clownerie. Pris d'une nausée, il fonce en direction des toilettes. Cinq minutes plus tard, en proie au hoquet, le voici assis à même le carrelage, l'avant-bras posé sur la cuvette, le dos appuyé contre la cloison métallique repeinte depuis peu. Un filet de bave est resté collé à sa lèvre. Il a vomi. Toutefois, les mouvements de systole et de diastole ne cherchent plus à empiéter les uns sur les autres et son pouls semble redevenu normal. Il reprend lentement ses esprits. Il constate que, dans sa course, il a apporté *l'Éclaireur* et *Samedi Montréal.* Va-t-il les laisser traîner sur le plancher des cabinets? Sûrement pas. Ce serait mal le connaître. Sans compter que la qualité de l'encre d'imprimerie est tellement mauvaise que plus personne ne se risque à se torcher avec nos feuilles de chou. Puis Gilles a ses dossiers. Tant pis pour le recyclage, tant pis pour les économies. Il ramasse les journaux, les glisse sous son aisselle, se traîne jusqu'au lavabo, ouvre le robinet d'eau froide, flanque la grande serviette par terre, la ramasse... Il s'arrête, se demande s'il n'en fait pas un peu trop. Il se rince la bouche, se lave les mains. De ses doigts perclus, il recontrôle sa tension artérielle. S'il crevait aujourd'hui, tout le monde en imputerait la faute à Lafleur et à Picard. Ce serait un sacré tour à leur jouer! Seulement, on ne meurt pas de dégoût. Oui, il en fait trop.

Malgré que ce soit un des thèmes majeurs de ses ouvrages, Dufresne ne se considère nullement du genre à commettre un suicide. Bien sûr, le destin rôde, intermittent, erratique. Il ne se fait plus appeler destin. Le bon vieux *fatum* roide et guindé a été obligé lui aussi d'acquérir le sens du ridicule: c'est ce que marmonne l'écrivain en déverrouillant la porte.

— Vous allez bien?

La serveuse a eu la gentillesse de ne pas trop le faire attendre avant de lui apporter l'addition. Il s'est éclipsé dès après avoir payé.

Plus question dans cet état de rendre visite à Isabelle, même en faisant très court. Dix contre un qu'elle aura oublié que son père passe l'après-midi à signer des livres chez Archambault. Elle, rappliquer à la librairie? Ce serait trop beau. Bah! j'irai chez elle demain. Pour le moment, l'important est de rentrer prendre une douche et de changer de vêtements. Ceux-là puent, j'ai transpiré. Et moi qui croyais qu'après avoir déjeuné en toute tranquillité, en toute quiétude, j'aurais encore une heure pour flâner dans le secteur... Charmante séance de signatures en perspective! Impossible de me décommander. D'ailleurs, ça empirerait la situation.

Étourdi que je suis! J'ai laissé ma pipe sur la table du restaurant. Personne ne m'en a fait la remarque. Ah! les maudits achalants, le cou cassé pour épier le moindre de mes gestes — mais pas un parmi le lot d'assez charitable pour me signaler ma distraction. Racaille du gratin, va!

Puisque je me suis octroyé une longue minute de complaisance dans les toilettes de chez Gingras (et de délectation morose — quoique j'ignore si l'expression s'utilise en ce sens), puisque j'ai pris quelque plaisir à me gargariser avec la lie, pourquoi à présent ne pas croquer résolument dans l'argile de la coupe et me déchirer les gencives, la langue, le palais? Dans mon testament, continue Gilles Dufresne *in petto,* marchant à grandes enjambées, courant presque, dans mon testament, voici ce que j'aurai écrit en guise de préliminaires: «Nombre de mes livres traitent du problème de la mort. Vous doutiez de ma sincérité, vous vous moquiez de moi, vous parliez d'une obsession artificielle. Or, maintenant que j'ai rendu l'âme comme des milliards d'autres avant moi et qu'il n'y a vraiment pas de quoi en faire un plat, c'est à foison que depuis quelques jours, le visage décomposé, vous venez vous recueillir sur ma tombe. Je ne vous comprends pas. Franchement, je ne vous comprends pas.» Et la fureur qu'il sent monter en lui n'est évidemment pas de nature à lui couper ce goût qu'il se découvre pour le pathos.

Il n'a pas sitôt fermé la porte derrière lui qu'il arrache sa chemise, sa belle chemise rouge aux man-

ches amples, la piétine, la déchire, coupe des bande-
lettes dans le pan du dos, tente en vain de mettre le feu
au plastron, pulvérise les boutons à coups de cendrier. Il
finit par l'enfourner dans la corbeille à papier.

Le téléphone a-t-il sonné? De toute manière, il
n'aurait pas décroché. Ce n'est que sous la douche qu'il
prend conscience qu'il lui faut tâcher de se calmer. Il se
tasse, se ramasse sur lui-même de telle sorte qu'il reçoit
le jet d'eau à la hauteur de la nuque. Il reste dans cette
position pendant près d'un quart d'heure. Quand il se
redresse, il est plus détendu.

Nous le retrouvons à sa table de travail, rougeaud,
hirsute, suant à grosses gouttes dans la ratine râpée aux
coudes et aux fesses de sa robe de chambre grise. A-t-il
vérifié dans le dictionnaire le sens de délectation morose? Si, si. C'est, paraît-il, lorsqu'on savoure une tentation. Eh bien! Dufresne se sera conformé à la définition.
Tout à l'heure au restaurant, le cul sur la céramique
froide, il a, entre les nausées, savouré la tentation
d'assassiner Lafleur. Et Picard aussi. Mieux, Lafleur et
Picard ensemble. Double crime. Double crime parfait.

Pour le moment, il découpe la critique de *Samedi
Montréal*, griffonne deux, trois mots de référence dans le
coin supérieur gauche, range l'article dans un dossier
orange au nom de *Lafleur, Yvan*, dossier volumineux qui
contient plusieurs chroniques et entrefilets. Et ces
titres! *Assez, Dufresne, assez; le Dernier Dufresne: un échec;
Dufresne sévit de nouveau*, etc. Moins chargé est le dossier
Picard, Ghislain. Rien de plus normal puisque ce dernier
vient d'entrer dans la profession. Ciseaux, pot de colle:
le texte n'est pas très long mais on l'a éparpillé sur trois
pages: la directrice du cahier culturel de *l'Éclaireur* a une
conception très fantaisiste de la composition d'un
journal. Dufresne relit des extraits du compte rendu de
ce blanc-bec de Picard. Il serre les dents. Assassiner

Lafleur, assassiner Picard, répète-t-il. Les personnes qui parlent dans leur sommeil adoptent le même ton sourd et empâté.

Le Salon du livre commence dans moins de deux semaines. Cette année, c'est décidé, si Lafleur m'aborde, je refuse de lui serrer la main. Il n'y a plus de réconciliation possible. Je le vois qui s'avance vers moi, les yeux injectés de vous-savez-quoi, les joues frémissantes. Brusque recul pour marquer mon indignation. Aux yeux des gens qui sont alentour, j'ai l'air de m'apprêter à rire aux éclats. Chien-chien tend la papatte, que je lui crie, chien-chien fait la belle! La pensée d'un contact physique avec lui me répugne. Non, il vaudrait mieux ne pas crier. Je m'arrangerai pour qu'il soit le seul à entendre. Je m'efforcerai de garder une allure désinvolte. Les invectives, je les lui chuchoterai à l'oreille, sans le toucher, misère! sans le toucher.

Une serviette sur la tête, l'arrière-train bien calé dans le vieux fauteuil de lecture hérité du grand-père, les pieds chaussés de ces affreuses babouches vert olive qu'il a reçues à son anniversaire, Gilles sirote un cognac, eau-de-vie dont les quatre étoiles lui semblent, ma foi, d'une magnitude plus qu'appréciable. Certes, c'est un feu dans l'œsophage, mais un feu qui apaise. Tout à l'heure, il prendra du yaourt et des biscuits. Ce sera suffisant. Là, il se représente deux poupées, effigies de Lafleur et de Picard, deux poupées dans lesquelles, tout en récitant des formules de malédiction, il enfonce des aiguilles longues comme ça. Ce n'est pas assez rapide. Voici plutôt deux marionnettes, deux guignols. Je leur coupe la tête avec la réplique exacte du cimeterre du sultan Abdoul-l'Insultant, héros des Croisades, ouf! Et je n'ai besoin que d'une seconde pour être soulagé. Immensément soulagé.

Je vais pouffer. J'ai bu trois gorgées de cognac et

c'est comme si j'étais ivre. Ma méditation s'effile en volutes, en arabesques... Blague à part, j'aimerais en connaître davantage sur l'occultisme. Pour me renseigner, il y aurait bien Eugène Rouleau, le premier directeur littéraire avec lequel j'ai eu à traiter. Il se vantait d'entrer en communication avec les morts célèbres. Je me rappelle aussi qu'il se plaignait de ne s'entendre raconter que des fariboles. Nous voici en contact avec Kant, nous lui posons une question capitale et la table tournante se contente d'épeler: «Il fait moins beau aujourd'hui qu'hier.» Frustrant, quand nous espérions une conversation dense, serrée. En bref, Rouleau n'est pas la personne ressource idéale, comme on dit.

L'abandon aux trémolos ne dure pas longtemps, constatons-le. Dufresne a cette faculté de pouvoir se moquer de lui. C'est du reste à cette inclination qu'il doit l'avantage de n'avoir jamais dégringolé jusqu'au trente-sixième dessous. Par contre, n'est-ce pas à cause de cette aptitude à l'ironie qu'il lui est si difficile de monter au septième ciel? Gilles ne s'épanche que lorsqu'il perd tout contrôle et c'est une chose que, même en privé, il ne s'autorise que rarement. Il a déjà envié certains de ses collègues capables, eux, d'exécrer — au sens propre du terme. Ceux-là citent par cœur des grands bouts de la prose des critiques détestés.

Ah! mon Dieu, l'humide, l'accueillant vagin de la haine... Je ne peux pas éprouver une passion aussi franche, aussi nette.

Je suis trop médiocre.

Je suis un être de compromissions, de demi-mesures.

Il se souvient d'avoir, pour donner le change, objecté à un collègue vindicatif qu'il n'avait pas de temps à perdre, lui, à retenir les phrases pourries de X, ni le galimatias de Y. Sauf que, de son côté, il constitue des dossiers, remplit des chemises et annote des coupures de presse pour compenser sa mémoire paresseuse. Hélas! la haine exige qu'on s'épuise à la tringler et Dufresne juge inutile de dépenser tant d'énergie. Pull à col roulé, rouge encore, avec de fines rayures horizontales. Entre le complet beige et le complet gris, il hésite. Lequel fait le moins habillé, lequel convient le mieux au lot qui lui échoit? Son écœurement n'est en quelque sorte qu'une écume, écume de rage, d'accord, mais qui se dissipera bien vite. C'est comme pour ce ciel mousseux: gageons que le soleil réussira à se montrer d'ici la fin de la journée.

D errière quatre piles de *Permettez que je déborde de mon texte,* Dufresne se morfond, le porte-plume à la main. Déambulant entre les étagères de livres, la plupart des clients le boudent. Ont-ils seulement remarqué sa présence? Oh! bien sûr, mais ils pratiquent l'art de la feinte. L'un des commis le ravitaille en café noir. Au moins, le personnel est aimable. Le fondateur de la librairie, le patriarche Archambault, est venu en personne le saluer. Quatre-vingts ans, bon pied, bon œil.

Je me sens comme les démonstrateurs des marchés d'alimentation, constate Gilles. Gros-Jean comme devant, me voici avec mes nouvelles saucisses, goûtez, goûtez... Allez-vous me demander si elles sont mangeables? La différence entre l'écrivain qui vante sa prose et le charcutier qui vante ses saucisses, c'est que la chair dont s'est servi le charcutier n'a pas été prélevée sur son propre corps. Voilà ce que j'ai failli dire tout cru à la petite dame au cabas. De grands mots, de bien grands mots. Aurais-je été assez grotesque?

Faisant sa réclame, l'écrivain ne se débarrasse pas facilement de la pudeur. Lourde chape que la pudeur. Chape, harnois, cuirasse. D'ailleurs, nous pardonnons mal aux auteurs qui ont recours aux flonflons de la vente au déballage. Quel comportement devraient-ils adopter? Début de la vingtaine, alors qu'il publiait ses premiers livres, Dufresne jouait à l'enfant prodige. Il ne se prenait pas au sérieux et la tactique avait du succès. Passé quarante ans, on doit changer de refrain. On n'est pas mort jeune, tant pis. Il faut se rendre à l'évidence, déposer les armes, livrer les clés. Terminée, l'esbroufe. On a glissé du côté de l'inexorable.

— Les critiques ne t'ont pas ménagé.

Dufresne fait le geste d'épousseter le revers de son veston. Celui qui vient de le tirer de sa songerie s'appelle Gabriel Sullivan.

— *Samedi Montréal, l'Éclaireur, Libre Examen, Livres et disques...*

— *Livres et disques?* Ça m'étonnerait parce que je...

— Je parlais juste de la photo de la page cinq, rectifie Sullivan.

Il lui braque sous le nez le dernier numéro. Comme tout homme de théâtre qui se respecte, quand il annonce une mauvaise nouvelle, Sullivan est incapable de résister à l'envie d'utiliser quelque effet dramatique. Il jure ses grands dieux que c'est involontaire. En page cinq de *Livres et disques,* on a une photo qui montre Picard et Lafleur, hilares, fébriles, enlacés, levant un plein pichet de bière. «À la santé de la littérature québécoise», est-il mentionné en légende. L'article, qui s'intitule *Reconnaître sa dette,* traite du métier de critique. La photo a été prise dans un des nombreux lancements de l'automne. *Livres et disques* est une publication mensuelle généreusement subventionnée. On la distribue gratuitement en librairie. Gilles glissera trois exemplaires dans sa serviette en quittant les lieux. Pour ses dossiers.

— À en juger par la tête que tu fais, tu...

— Une surprise. C'est la première fois que je vois cette photo.

— Le numéro est pourtant sorti depuis deux bonnes semaines. On ne te les envoie plus à la maison...? Le plus agaçant aujourd'hui, c'est, je gage, de trouver des réponses aux commentaires de tout un chacun. Beaucoup lisent *l'Éclaireur* et *Samedi Montréal*. Au fait, ça marche comment? C'est vrai que toi, tu es habitué à ce genre de réactions. Yvan Lafleur t'a toujours haï. Il est convaincu que tu as empêché la parution de son livre aux éditions du Kiosque. Il pense que c'est de ta faute si Bilodeau le déteste.

— Suffit, Gabriel. Laisse le grand patron tranquille. Un café? Un petit-beurre? Soit, il y a cette photo. Mais personne ne m'esquinte dans *Livres et disques*. Tu as fait allusion à *Libre Examen*...

— Oh! une revue à tirage si réduit que...

— Je m'y fais ramasser aussi? Mauvaise critique...? Mauvaise comment?

— De la même encre que les deux autres, avec une ou deux méchancetés en prime. Josianne Boismenu...

— C'est la Boismenu qui a rédigé l'article? Au moins, je lui ai vraiment refusé un manuscrit, à elle — et il n'y a pas longtemps. Je lui ai arrangé un de ces rapports de lecture. Un tonneau de poudre! Si Bilodeau est toujours prêt à la lancer après ça, je démissionne.

— À son avis, tu as écrit un livre plus assommant qu'un merlin.

— Un merlin?

— C'est la masse qui sert à abattre les bœufs.

— Trop gentil.

— Elle te compare aux chanteurs du métro. Si on leur jette de la monnaie, c'est surtout pour les faire taire. Elle suggère qu'on te verse une bourse, l'équivalent de cinq ans de droits et qu'en retour tu t'engages à cesser de...

Dufresne a demandé au commis de lui apporter une copie de *Libre Examen*.

Quel charabia, doux Jésus! Je recommence à m'énerver. La Boismenu cite des extraits afin de souligner les défauts de ma prose. Sans doute tronquées, ces phrases. Effectivement, elles ont l'air ridicules. Il faudra que je vérifie. Je saute la conclusion.

— Elle triche. Ce qu'elle rapporte n'est même pas fidèle à...

— Tu plaisantes?

— Ces gens-là manient les guillemets sans prendre de précautions. C'est du travail torchonné: écoute le bout où elle...

— Je connais le style de Boismenu, j'ai lu son papier. Elle n'a pas mis deux heures pour l'écrire: ça saute aux yeux. Elle n'a pas mis deux heures pour démolir un ouvrage auquel tu as consacré deux, peut-être trois ans de ta vie. Si c'est là que tu veux en venir, tu n'es pas obligé de continuer. Pour faire bonne mesure, elle aurait dû passer deux ans à peaufiner son compte rendu...

— Tu es bête!

— Il faut apprendre à amadouer les critiques. Ils sont humains.

— Comment fais-tu? Livre-moi les rudiments de ta science.

— À la fin des répétitions d'une pièce, je tombe malade. J'organise mes flûtes pour que les critiques en soient avertis. Résultat: ils sortent de la première en se disant qu'il vaut mieux ménager un pauvre dramaturge qui souffre... Retiens ça.

21

— Tu te moques. Manifestement, ça t'amuse que...
Et pourquoi Lafleur et Picard s'inquiéteraient-ils de ma
santé? Est-ce que je m'occupe des tendinites de mon
facteur? Raisonne un peu.

— Retiens ça, je te le répète.

— Je m'en souviendrai sur mon lit de mort. Promis.

— Au rythme où tu vis, tu n'auras pas à te triturer la
mémoire.

Son indigestion l'a-t-elle amoché à ce point?
Dufresne choisit de ne pas broncher. L'autre a lancé
cette affirmation pour provoquer un effet de son cru.
Encore une sullivanerie...

Prendra-t-il mon livre, ne le prendra-t-il pas? Dans
l'affirmative, lui offrirai-je de l'autographier?

— Tu vas au colloque? Oh! j'oubliais: les colloques
te foutent la colique. Tu l'as déjà placée dans une pièce,
celle-là.

— Colloque sur...?

— Le policier. À l'université, la semaine prochaine.
Picard est censé expliquer le rôle de la cigarette dans le
film noir américain.

— Sérieusement?

Les deux rient. Ensuite, ils parlent brièvement de
leurs problèmes parentaux. Sullivan cherche un collège
privé pour son fils. Ce sera soit une école de durs pour le
dompter, soit une école de tapettes pour l'élever correctement.

— Et de quoi ton fils a le plus besoin?

Ils rient de nouveau.

Isabelle? Bah! elle se débrouille...

Nos deux braves papas ont en commun de ne pas
avoir d'épouse et d'être plus soucieux de moralité que
d'idéologie, ce qui n'exclut pas qu'à l'occasion Dufresne s'entiche de métaphysique, le temps de fumer une
pipée ou deux de son tabac préféré.

Entre les cafés noirs et les visites d'impolitesse de collègues écrivains, Dufresne a signé trois livres. Trois livres en trois heures. Égal à lui-même, quoi! L'après-midi s'achève. Dans les circonstances, trois livres, c'est quand même honorable.

— Je vois clair en vous!

— Eh bien! je vous plains...

Il n'a rien trouvé de plus brillant à répondre. L'intrus est jeune et porte les cheveux longs. Aussitôt après avoir lancé sa repartie, il a voulu s'ébrouer et a dressé le menton, trop brusquement sans doute puisqu'il s'est mis à cligner des paupières, soudain pris de vertige. À forte dose, l'effronterie provoque parfois de tels dérèglements. Sa tête: une de ces boules de verre dans lesquelles, à la moindre secousse, s'agitent des milliers de flocons... Gilles se propose de noter la comparaison et d'en tirer profit dans un texte futur. Tripotant son foulard caca d'oie, l'autre l'enguirlande pendant cinq minutes.

Selon lui, je n'ai pas rempli les promesses contenues dans mes premiers livres. Il croit m'affliger. Au contraire, je suis ravi. Mes premiers livres renfermaient-ils donc tant de promesses? Voilà une chose agréable à entendre. Je capitule avec joie devant pareils reproches.

Le jeune homme parle en faisant des vocalises. Il semble intarissable. Par respect des usages, rien que pour la forme, en pure perte, Dufresne avance deux démentis, trois ripostes, quatre objections. L'autre s'excite de plus en plus. C'est alors que le romancier prend cet air taciturne, cet air languissant et harassé dont il a le secret. Attention! il ne s'agit que d'une ruse pour recouvrer ses forces — que d'une dérobade. «Je le fatigue», se dit en cet instant l'exalté, perdant sa concentration. Et c'est précisément la brèche qu'attendait Dufresne, puisqu'il a fourbi son argumentation. À nous deux, vilain petit raseur! Trop tard. L'énergumène s'enfuit en direction de la caisse.

Quelqu'un a posé la main sur l'épaule de Dufresne. Archambault fils.

— À cinq heures, je vous amène boire un verre au bar d'en face. Acceptez. Il y aura le commis, peut-être la caissière...

Archambault fils n'est sur place que pour meubler le décor. Ou presque. C'est toujours le père qui dirige le commerce. Ah! exquise courtoisie des hommes qui ont renoncé à la possession, et en premier lieu à la possession des femmes. Dufresne s'est vite découvert des affinités avec Archambault fils, d'autant que le libraire fume la pipe, lui aussi. Cette courtoisie du détachement, Gilles Dufresne la situe au même niveau que la ferveur que mettaient jadis les athées à ne pas croire en Dieu, ferveur acquise de haute lutte en collectionnant les prises de bec avec les curés.

Ce que j'apprécie chez cet homme à qui, malgré qu'il ait mon âge, il ne me viendra jamais à l'esprit de dire tu, ce que j'affectionne, c'est la misanthropie pure, sans imprécations, sans immondices, la misanthropie tranquille et pondérée, leste même. J'ai affaire à quelqu'un de plus tolérant qu'indulgent et c'est ce que j'aime sentir. La tolérance exige de la force de caractère, tandis que l'indulgence s'accommode des veuleries, des flaccidités.

La voix d'Archambault chevrote sur certaines syllabes et cela confère à son discours une suprême distinction. Il ne tourne autour du pot que pour mieux cerner le sujet qu'il a décidé d'aborder — en l'occurrence, les mauvaises critiques parues dans les journaux de ce matin.

— En somme, le suicide est un acte de confiance en l'avenir. S'enlever la vie, c'est se dire: «Le monde se portera moins mal quand je n'en ferai plus partie.» Vous, vous n'avez aucune confiance en l'humanité. Yvan Lafleur s'égare quand il vous invite à vous tirer une balle dans la tête.

— Vous avez raison. Il a lu mes livres tout de travers.

On le bouscule. C'est l'heure de la fermeture. Les clients s'agglutinent dans l'allée centrale. On a renversé une pile de *Permettez*, deux volumes sont tombés par terre. Dufresne soupire. Se massant la nuque, il constate que ses mains sont moites, que ses doigts sont gourds. S'ils durent trop longtemps, les bains de foule peuvent aussi ratatiner la peau. Bref, il lui tarde d'aller siroter un cognac en compagnie d'Archambault fils, de la caissière et du commis. En de telles circonstances, sa conduite ressemble à sa signature, très appliquée au début et toute bousculée vers la fin.

Je veux filer. C'est légitime, non?

F ace de carême, va! Telle est la conclusion péremptoire de l'examen auquel il s'est livré dans la glace du vestiaire. Maintenant assis au milieu d'un courant d'air intermittent et à l'une des plus mauvaises tables du restaurant, renfrogné, solitaire, déjà fripé, Dufresne fouaille à grands coups de fourchette autour dc l'arête d'une sole meunière aussi élastique que coriace. À en juger par le goût qu'a leur chair, plusieurs poissons d'élevage ont dû passer leur vie entière à nager dans la limonade... Gilles n'aime ni les pêcheurs ni les chasseurs. Si, dans un récit, il met en scène ces bizarres de sportifs, son plaisir est de les faire rentrer bredouilles. S'imagine-t-il ainsi venger la nature?

Versons-nous encore un verre de ce blanc sec si agréable au palais. La bouteille est déjà vide? Nous l'avons bue joliment vite, celle-là.

Une rafale: on a ouvert la porte. Les fleurs artificielles frissonnent dans les carafes de faux cristal.

— Je cherche des amis! s'exclame la jeune femme qui vient d'entrer.

Elle s'est adressée au garçon, mais Dufresne n'a pas pu s'empêcher de la regarder et de lui sourire.

— Dites au monsieur en rouge que je cherche des amis, oui, mais des amis que je connais déjà!

Aussitôt ces mots prononcés, elle commence à se frotter les hanches. Dédaigneuse. Et moi, je ne gagne pas à être connu? marmonne le dîneur pour lui-même.

— Vous serez combien? demande le garçon.

— Quatre. Qui devraient d'ailleurs être arrivés... Je peux utiliser le téléphone?

Elle compose un numéro, jacasse, s'empourpre. Deux fois, elle lorgne du côté de Dufresne. Depuis qu'il souffre d'arthrite, l'exécution de gestes obscènes lui est devenu difficile, avec le pouce comme avec le majeur. Il se contente de prendre une mine dépitée. Complice, le garçon lui apporte un cognac.

— C'est la maison qui vous l'offre. Les femmes, vous savez...

Il hausse les épaules, manifestement pour exprimer la volatilité du désir, de la passion. Solidarité des hommes. Voici un garçon habitué pendant son service à assister à une variété de scènes de ménage. Je suis persuadé qu'invariablement il prend le parti du mari, de l'amant...

La jeune femme pousse un dernier juron et raccroche.

Sans se donner la peine de boutonner son manteau, elle sort, fonçant avec furie dans la porte battante: nouvelle rafale. Les voisins de Dufresne, vieux couple silencieux, n'ont eu connaissance de rien. Ils coupent leur volaille en remuant vivement les coudes. (Le dindon du menu s'apprêterait-il à se réincarner en eux? Les phénomènes de transmigration ne sont pas sans intérêt. Qu'en penserait Eugène Rouleau?)

Gilles savoure son cognac.

On pourrait, partant de là, imaginer une façon originale de draguer. Vous entrez dans n'importe quel restaurant et vous allez spontanément à une table occupée par une personne seule.

— Bonsoir, c'est moi, Lucie *M. M* pour Martineau. Lucie Martineau.

— Vous devez vous tromper, je...

— Ne me dévisagez pas comme ça. C'est moi que l'agence a envoyée... L'agence de rencontres, voyons. Nous sommes aux Trois Pierrots? C'est bien samedi? Vous avez indiqué sur la fiche que vous porteriez du rouge. Parfait. Moi, comme convenu, j'ai mon manteau beige, ma blouse à fleurs. Vous n'avez pas remarqué?

Cette idée devrait me fournir de la matière pour une nouvelle d'au moins une dizaine de pages.

G illes Dufresne est de retour dans ce bar où tout à l'heure il a bu un verre en compagnie du fils Archambault. D'après les conversations qu'il entend, l'endroit est fréquenté par des fonctionnaires et des employés de bureau. Aucun visage familier. Aucun critique, aucun universitaire. Gilles a décidé de se soûler la gueule, ce qui ne lui fera pas de tort, présume-t-il.

Depuis quelques minutes, il observe une grande rousse en train de bavarder avec un monsieur plus âgé qu'elle. Elle a les paupières lourdes, la voix traînante, et porte un corsage crème avec de larges épaulettes ajourées. Les coudes sur le comptoir, elle se tient la tête entre les mains, les paumes à la hauteur des pommettes. Croit-elle adopter une pose langoureuse? Elle n'inspire pourtant aucune concupiscence. On aurait plutôt envie de la frictionner, pour lui communiquer un peu de tonus. Malgré tout, j'aime comment les seins tendent la soie du corsage. M'a-t-elle aperçu? Tout moi, ça: ou je souffre de me sentir sans cesse examiné, épié; ou je me plains sous prétexte que personne ne fait attention à moi. Pas d'entre-deux. Paranoïaque en plein panoramique, me voici, me voilà. C'est moi, ce loustic qui constate que les femmes qui lui plaisent appartiennent au même type physique. Les goûts qui m'ont été impartis sont en effet extrêmement précis. Enfin, ils le sont demeurés jusqu'au moment où j'ai atteint la quarantaine et que j'ai commencé à remettre en cause mes prédilections, à diversifier mes penchants, à montrer plus de fantaisie. Barman, un autre double. Évidemment, c'est d'avoir été repoussé par certaines, c'est de ne plus avoir le choix qui a entraîné ce virement d'attitude. Je me suis dit: «Faisons l'apprentissage du caprice. À partir de maintenant, cédons à tous les engouements.» Mais ça me débine que les jouvencelles (et même les demi-mondaines) boudent mes avances, ça m'écoeure de vieillir. L'apprentissage du caprice? Bonne blague...

La rousse appuie sa tête contre l'épaule du monsieur.

— Merci. Le prochain, servez-le-moi avec au moins autant de glaçons.

Je préfère encore les femmes plus jeunes que moi. Le bon côté de la chose, c'est qu'à mesure que je prends de l'âge, il y a davantage de femmes plus jeunes que moi; le mauvais côté, c'est que si dans l'absolu mes possibilités de séduire augmentent, il en va tout autrement de mon pouvoir de séduction. C'est comme au poker quand, ayant reçu un gros jeu, on n'a ni le comptant ni la carrure pour en tirer le maximum. Je me représente l'adolescent que j'étais, moitié par envie, moitié par narcissisme. Les yeux fermés, j'arrive à me voir à l'échelon de cet adolescent qui...

— Vous vous sentez correct?

Dufresne sursaute. Correct? Hum! Il rassure le barman. J'ai eu une dure journée.

La rousse est partie avec son cavalier d'un soir. Plusieurs couples se sont formés. Aux uns, l'érotisme melliflue dont parle la Bible; aux autres, les petits boutons, les pustules, les prurits, les sanies. Le phallus est comme le poisson: il pourrit d'abord par les ouïes. Gilles a beau rentrer le ventre, le corps ne suit plus les élans du cœur. Et ces temps derniers, on l'aura plaqué plus souvent qu'à son tour. Chaque fois, il aura tenté de sauver la face — pas rien que la face, sa vieille peau aussi. Or, les années s'écoulent et il devient de plus en plus malaisé de garder sa place dans le vaste tripot de la vie. Je suis hétérosexuel à la façon des catholiques qui, tout en se disant croyants, ont cessé de pratiquer leur religion.

Et Suzanne, là-dedans?

— Apportez-moi une eau minérale.

Gilles se représente l'adolescent qu'il était. Directement des boules à mites et sur fond céruléen, voici la robe de mariage de Jackie Kennedy. À l'époque, cette simple évocation suffisait pour provoquer chez lui une érection. Il se rappelle également les calendriers strips. Les collégiens externes en faisaient la contrebande en retour de trois paquets de cigarettes. Chaque mois, on tournait la page et la pin-up perdait un morceau de son uniforme d'infirmière, de serveuse ou d'hôtesse de l'air, de manière à se retrouver en décembre aussi nue que le petit Jésus de la crèche. Splendide exemple de dépouillement. Comme le chante l'antique ballade irlandaise, les romans sont longs, certes, mais la vie est courte. Je n'ai pas laissé ma jeunesse derrière moi. J'ai ralenti et elle en a profité pour me doubler. Oh! quand je la rejoindrai, on s'en apercevra très vite autour de moi. J'aurai tout bonnement commencé à tomber en enfance. En attendant ce jour, c'est encore éperdument que j'aime les femmes, mais je n'éprouve plus le moins du monde le besoin de m'attacher à elles, ni de les attacher à moi — ce qui ne revient pas exactement au même, je crois...

Hors d'haleine à cause de l'alcool ingurgité et des deux volées d'escalier grimpées quatre à quatre, Dufresne, après avoir verrouillé la porte de l'appartement, s'est précipité à sa table de travail. Ciseaux, ruban scotch, étiquettes préencollées... Aïe! j'ai trop bu. Il s'applique à relire l'article de *Livres et disques* dont Sullivan lui a signalé l'existence et qui porte sur la critique telle que pratiquée en ce pays. Nulle part il ne trouve mention de son nom. Soupir de soulagement. Ne reste donc pour m'empoisonner les sangs que la maudite photo de la page cinq avec Lafleur et Picard se livrant à leurs embrassades de scélérats de bibliothèque, trinquant, tous crocs dehors, aux ravages provoqués par leurs chroniques hebdomadaires.

Il a découpé la photo dans deux des trois exemplaires rapportés à la maison. En voici une pour le dossier *Picard*. L'autre ira dans le dossier *Lafleur* — que le personnage principal a déjà parcouru en présence du lecteur. Tourbe d'insanités. Je zigouillerai Lafleur, se dit l'écrivain. Ça ne saurait tarder. Idem pour Picard qui a aussi commencé à nuire. En vérité, Gilles aurait l'excuse d'être ivre: il ne s'accorde pourtant pas le droit, ôtant ses chaussures, de les laisser tomber par terre avec fracas en badaboum-badaboum. J'ai toujours pensé à mes voisins de l'étage inférieur, même lorsque j'ai occupé des logements de sous-sol. Tel est le drame de ma vie: je suis incapable de cesser de me faire du souci pour les gens du dessous. Il se sent trop amorti pour faire l'effort de noter la dernière phrase. Je me la rappellerai demain matin, bredouille-t-il sans conviction. Et il range soigneusement ses souliers sous le lit.

Couché sur le côté, il lâche entre les draps un pet long et sourd, plaisir qu'il eût été obligé de se refuser s'il n'était pas rentré seul. Ah! célibataire... Inévitablement, la présence de l'autre crée des entraves. La rousse du bar, celle qui portait le corsage aux épaulettes de dentelle, eh bien! je préfère en fin de compte qu'elle ait décampé avec le bonhomme aux tempes grises qui semblait si autoritaire. Mais Gilles doit se remettre sur le dos parce que, sous l'occipital, la terre tourne, tourne, tourne... Défile dans sa tête le générique du film de la journée. Le moment viendra bientôt où les noms passeront à une vitesse telle qu'il n'arrivera plus à lire quoi que ce soit. Et il s'endormira.

Ivrognerie, quand tu nous tiens, tu nous étreins.» Quelle était cette chanson? Je l'ai oubliée... Je ne suis pas un ivrogne. Ce serait même le contraire. C'est pourquoi, du reste, l'alcool m'amoche tant. Derrière mon front, ça grésille, ça crépite, les circuits se dérèglent. Et j'allais me lever du pied gauche, imaginez! Ma jambe droite me fauche, je manque m'aplatir sur le nez. Je me recouche, attendant une meilleure syntonisation. À cause du fiel qui m'épaissit la langue, je n'ai aucune envie de grasse matinée.

Dimanche.

Au sortir du lit, Gilles est aussi transi que s'il avait passé la nuit complète à interviewer, disons, des artistes participant à un concours de sculpture sur glace. Quand après une séance de signatures on décide de faire ripaille, c'est clair qu'on s'expose à ce genre de séquelles. D'accord, ripaille est un grand mot. Et, au lieu de parler de séance de signatures, il serait sans doute plus juste d'utiliser le terme apostolat. Ma tête, ma tête! Chaque phrase qu'il prononce à haute voix résonne sous la voûte de son crâne comme une série d'éternuements dans une cathédrale déserte. Manie du soliloque. Où ai-je rangé les filtres à café?

Sur la table de travail traînent les dossiers *Picard* et *Lafleur*, la paire de ciseaux, un exemplaire de *Livres et disques*, quelques retailles, lambeaux des journaux de la veille... Dieu du ciel! la déflagration qui m'éliminerait tout ça, oh! pas seulement la paperasse, mais aussi les deux journalistes, leurs chairs molles, leurs os moelleux! Fi des coupures de presse! Me faut de la viande, de la peau, du sang. Me faut du vif. Savoir comment fabriquer une bombe au plastic, je profiterais du Salon du Livre pour leur faire sauter le caisson à boudins, à ces deux-là... L'embarras avec l'explosion, c'est qu'on massacre en même temps un nombre x d'innocents, ce qui m'ennuie. Picard et Lafleur m'ont écartelé, tenaillé, ils m'ont arraché les tendons. Malédiction sur eux et sur leurs enfants! À la librairie hier, il ne m'a guère été possible d'extérioriser mon indignation: c'eût été grotesque. Et voilà précisément ce que je ne pardonne pas aux critiques, soit d'avoir réussi à rendre extravagant qu'on s'offusque, qu'on se scandalise de leurs procédés. Picard et Lafleur m'ont écartelé, roué de coups...

Il faut néanmoins espérer que les vapeurs de l'alcool mal cuvé ne conduiront pas le héros de ce récit à se prendre toute la journée durant pour un martyr de la littérature québécoise. Par chance, le cas Josianne Boismenu ne l'intéresse pas. Personne n'achète *Libre Examen*. Elle s'excite pour trois douzaines de lecteurs, au maximum. Dufresne ne se donnera même pas la peine de contrôler l'exactitude des citations qu'elle affirme avoir tirées de *Permettez que je déborde*. Dans la soirée, il a envisagé lui faire envoyer une lettre d'avocat. Ce matin, il estime que ça ne vaut pas le dérangement.

Douche. Ces dossiers sur les critiques, comment en est-il venu à les constituer, puis à s'y dédier avec autant de patience et d'assiduité? C'est la question qu'il se pose à lui-même en faisant mousser le shampooing. Car conserver de la paperasse va à l'encontre de son comportement habituel. Ainsi, jamais ne l'a effleuré le regret d'avoir jeté telle carte postale particulièrement touchante et signée par sa fille — ou d'avoir égaré telle photo de sa mère prise alors qu'elle n'avait que seize ans. Il a coutume de dire que ses souvenirs résident en lui et que ce qui est sorti de lui ne méritait tout bonnement

pas d'y rester, attitude qui sous des dehors de sagesse
fruste recèle beaucoup de vanité. Inutile d'ajouter qu'il
n'accorde pas d'importance aux gestes symboliques.
«Ah! c'est vous qui avez fermé les yeux de la défunte? Et
après?» Oui, dans ces circonstances, il est capable de
vous répliquer absolument n'importe quoi. En somme,
sa vanité a le même poids que la prétention de ceux qui
voient du mystère dans la moindre chose. Du mystère et
une infinité de signes. Sa vanité se trouve dans l'autre
plateau de la balance, point. Cela étant posé, on ne comprend toutefois pas davantage le pourquoi des cartons
bourrés de coupures de presse et de photocopies
d'articles. Tant pis.

Tu as beau t'être rasé de près et sentir le propre, tes
yeux sont fripés, Gilles Dufresne. Tu as l'air d'un chandail de coton qu'on aurait oublié pendant une semaine
dans la machine à laver... Et cette névralgie dans tes
jarrets, l'eau chaude de la douche ne l'a guère dissipée.
Heureusement, tu es à l'âge où on peut boitiller par
coquetterie. D'ici quelques années, malgré ton arthrite
et toujours par coquetterie, tu t'efforceras de marcher
droit. Un vieillard qui claudique, c'est fort peu élégant.
Profites-en, toi qui fais encore dandy qui se dandine. De
grâce, profites-en. La pensée de mourir, la pensée de
partir les pieds devant t'effraie-t-elle? Tu n'as jamais
considéré l'existence comme une suite de dangers à
affronter, toi. N'empêche que tu feras de ton mieux,
j'en suis convaincu, pour rester en vie le plus longtemps
possible. Là-dessus, je te le concède, les critiques se sont
entièrement trompés en analysant tes livres. Pesamment
trompés, oui.

Jouons le jeu. Figurez-vous qu'hier samedi Dufresne n'a pas eu le temps de faire le moindre marché. À part quelques vieux pots de compote, de marmelade, le frigidaire est vide. Les biscuits secs dans la boîte, là, sur le buffet, ne sont pas appétissants. Gilles décide de mettre ses lunettes fumées et de sortir.

Il irait bien grignoter un sandwich au café Gingras, ce qui, incidemment, lui offrirait l'occasion de récupérer sa pipe, mais le café Gingras n'est pas sur le chemin de la bibliothèque. Il finit par se résigner à entrer dans un snack. L'odeur du graillon est très forte. Gilles commande un hamburger et va le manger dehors, sur le trottoir imprégné de la pluie du matin. Une boulette de bœuf, ça vous ragaillardit son homme.

J'ai toujours travaillé dur. Les critiques se basent en général sur le principe qu'écrire un bon livre est plus difficile que d'en écrire un mauvais. À ma connaissance, ça n'a pas été prouvé. J'ai toujours travaillé dur et je n'aime pas qu'on me traite de fainéant sous prétexte que j'ai publié quelques romans médiocres. Il hoche la tête, plisse le nez. Devant l'énormité de pareils sophismes, comment s'empêcher de ricaner?

Il a repris sa marche. Aldous Huxley parle quelque part de la sincérité qui est la même partout, autant chez l'auteur de bons livres que chez l'auteur de mauvais. Haussement d'épaules. Les critiques n'ont que faire de ma sincérité. Rouleau, mon premier directeur littéraire, avait suggéré une conduite à adopter quand tous les journalistes vous démolissent. Il recommandait de dire: «Ces gens-là ont trop de pudeur pour crier au génie.

Suffit de lire entre les lignes pour s'en apercevoir.» Voilà en effet qui change de l'attitude conventionnelle qui consiste à se droguer d'imprécations marmonnées en cachette. Il est quand même joliment pointu, le plaisir qu'on éprouve en se dictant à soi-même les répliques qu'on adresserait à l'un de ces freluquets, cela sans aucun péril en la demeure et tout à sa promenade, martelant le pavé à grands coups de talons... Non, mes jarrets ne sont plus douloureux! «Il faut, poursuivait Rouleau, avoir avec les critiques les délicatesses d'un embaumeur égyptien. Il faut pouvoir les momifier à son gré.»

Plusieurs piétons se sont retournés sur son passage. Bel exemple d'un être qui a su garder ses illusions que celui de cet auteur qui, parce qu'on a mentionné son ouvrage dans les colonnes du journal de samedi, porte des lunettes fumées trois jours d'affilée de crainte d'être reconnu dans la rue. Dufresne, la vedette! Trois jours d'affilée? Nous ne sommes que dimanche, attendons voir mardi. Demain, il n'aura déjà plus l'excuse de la gueule de bois. Parce que les lunettes, ça sert aussi à cacher une partie de la tête, pas vrai? Je me demande si je ne suis pas encore plus pâle que tout à l'heure. Avec l'air frais et le gros hamburger, j'ose croire que non. Il se tâte le front, replace une mèche, inspecte aussitôt ses doigts: hantise de la calvitie: c'est bien simple, il préférerait perdre ses dents plutôt que de perdre ses cheveux.

Dufresne est exagérément soucieux de son teint, de sa peau. Au collège, il lui est arrivé comme à tout le monde de monter sur scène. Il se souvient d'une pièce dans laquelle il interprétait un quinquagénaire, petit rôle d'une quinzaine de répliques. Il se revoit, examinant son visage dans le miroir de la loge. Fait étrange, la maquilleuse, pourtant apprentie avait dessiné presque trait pour trait le faciès qui est le sien maintenant.

D'après les photos tirés des films et des spectacles

de théâtre dont il a fait partie dans sa jeunesse, Mastroianni grimé en barbon ressemble assez rarement à ce qu'est devenu le véritable Mastroianni en prenant de l'âge. Même chose pour Guinness, Alec. Gilles aura eu le privilège, lui, de... Ah! voici la bibliothèque.

Les arbres du parc sont remplis d'oiseaux. N'est-ce pas étonnant en ce temps-ci de l'année? Leurs ailes, dont on imagine le bruissement, remplacent en quelque sorte les feuilles tombées depuis un mois. Murmures, froufrous. Combien y en a-t-il, perchés là-haut? On tape dans ses mains. Aussitôt, les oiseaux s'envolent. C'est comme si le ciel subitement se couvrait: c'est la cohue, le métro à l'heure de pointe, l'espace est encombré... Les enfants s'amusent, s'excitent. Pour un dimanche après-midi, il y a un nombre considérable de voitures qui roulent dans le secteur. Si j'attends d'avoir la voie libre pour traverser la rue, je risque à minuit d'être encore appuyé contre ce banc humide et sale.

Dufresne furète dans les rayons de la bibliothèque.

Ça ne s'est pas tellement amélioré depuis sa dernière visite. D'abord, personne ne respecte la consigne du silence. Ensuite, ils n'ont que quatre de ses titres. Qu'attendent-ils pour acheter les autres?

L'article de Suzanne Keppens sur le collectionneur d'armes a dû paraître il y a deux ans. C'était en automne, me semble-t-il. Comment s'appelait le bonhomme, déjà? Pas question de s'adresser directement à Suzanne: ça lui mettrait la puce à l'oreille. Brouillons les pistes.

Gilles n'a eu besoin de consulter que six vieux numéros de *Samedi Montréal* pour tomber sur ce qu'il cherchait, l'interview avec Hector Favreau, collectionneur. C'est là-dedans que Favreau se vante d'avoir obtenu certaines pièces rares grâce à ses relations avec d'anciens mercenaires.

Suzanne en avait abondamment parlé à l'époque.

Eh bien! je ne m'étais pas trompé! Hector Favreau. Le nom est dans l'annuaire. Bon, je me jette à l'eau, j'appelle.

À l'autre bout du fil, quelqu'un, une voix d'adolescent, lui dira que M. Favreau est depuis quelques mois dans une maison de retraite. On lui donne un numéro qu'il s'empresse de transcrire.

C'est évidemment par gaminerie que Dufresne a résolu d'entrer en rapport avec le collectionneur. A-t-il réellement l'intention de liquider Picard et Lafleur? Il est curieux d'observer, il est impatient de savoir jusqu'où il aura l'audace d'aller. Toujours dans le hall de la bibliothèque, Gilles téléphone à Suzanne.

— Tu passes l'après-midi chez toi? J'ai envie de te voir.

— Une semaine et demie que je n'ai pas eu de tes nouvelles! C'est un reproche, bien sûr. Dix jours sans... Viens, je t'attends.

Keppens, Suzanne. D'origine belge, on l'a deviné, elle avait dix ans quand ses parents se sont établis au Québec. Dans la boîte, les topos résumant une carrière, les portraits de célébrités moribondes sont sa spécialité. L'an dernier, la voyant entrer magnétophone en bandoulière dans sa chambre d'hôpital, un politicien atteint d'une maladie grave s'est écrié: «Est-ce la fin?» Bien entendu, l'anecdote a largement circulé dans le milieu. Moitié par affection, moitié par jalousie, les collègues ont surnommé Suzanne la Charognarde. En vérité, elle ne mérite guère ce sobriquet. La preuve: Hector Favreau est toujours vivant, lui.

L'amitié entre elle et le protagoniste date d'une interview réalisée à l'occasion de la parution des *Enfants trouvés*, cinquième publication de Dufresne aux éditions du Kiosque. Yvan Lafleur ayant été victime d'un malaise en quittant la salle de rédaction, Suzanne était tout bonnement venue au lancement à sa place. Elle avait posé les questions pertinentes. Le samedi suivant, après avoir lu l'article sur son livre (ainsi qu'un autre d'elle portant sur la gérontologie) et griffonné quelques notes en marge, Gilles lui avait téléphoné pour la remercier. «Grâce soit rendue aux journalistes qui comme vous cherchent à dépeindre les écrivains sous un jour flatteur. Vous nous montrez beaucoup plus intelligents que nous ne le sommes, c'est flagrant. J'ignore les raisons qui vous poussent à agir de la sorte, sachez cependant que nous apprécions la formule. Vous réussissez à nous faire oublier les éreintements vicieux que d'autres nous administrent.»

Ils s'étaient donné rendez-vous dans un bar. Le soir même, ils avaient couché ensemble. Cela s'était produit de manière aussi naturelle que subreptice. Tout de suite entre eux s'était installé un abandon peu commun, presque palpable — palpable en fait, mais qu'ils auraient été bien embarrassés d'expliquer... Loin de nous l'intention de suggérer quoi que ce soit d'idyllique. Si Suzanne a un côté boute-en-train, elle est aussi quelqu'un de rude, de sévère. Il a fallu quelque temps à Dufresne avant de s'apercevoir que les bourrades de son amie n'avaient pour but que de le remettre en selle. Certains s'y prennent drôlement quand ils viennent à votre aide...

— J'ai essayé de t'appeler samedi. Je t'aurais repomponné. Dur pour le moral, hein? Le camarade Lafleur a été salaud...

Elle prononce ces phrases en lui caressant la poitrine. Au nom de Lafleur, Gilles sent les poils de sa nuque se hérisser. Cet évaporé, songe-t-il, on lui percerait la carotide, il ne s'en échapperait que de l'eau de boudin.

Ils viennent de faire l'amour. La monte et la remonte ont procuré à Suzanne un plaisir particulier, quelque chose de délicat, d'enjoué, et elle a tenu à le signaler à son partenaire. Gilles est un peu étonné d'une telle déclaration. Certes, l'exercice lui a permis de se défouler amplement, mais il n'a rien remarqué d'inusité.

Selon les bobards, Marlon Brando est mauvais baiseur. Que voulez-vous que ça me fasse? Je ne suis pas bon baiseur moi-même. Flic flac dans ma capote, comme dit la rengaine des années yé-yé. Oh! peut-être qu'une partie de la rage que j'éprouve à l'endroit des critiques se déverse maintenant dans mes étreintes.

Afin de replacer une boucle rebelle, Suzanne soupire fort et envoie une bouffée d'air sur son front. Elle désire que Gilles lui parle des aventures qu'il a eues depuis leur rencontre d'il y a deux semaines. Il élude le sujet. Des aventures? Allons, allons! Elle est assise sur les talons, orteils recroquevillés. Sous sa fesse, la plante du pied est tellement fripée qu'on jurerait la dépouille d'un serpent ayant mué au milieu des draps. Gilles porte la main à son pénis. Après l'amour, les peaux usées paraissent plus vieilles.

— Tu restes à dîner? J'ai du rosbif.

— J'ai promis une visite à Isabelle. Ses études l'accaparent et nous n'avons plus le temps de...

La conversation se continue dans la voiture de Suzanne. («Un taxi? Tu plaisantes! Je te raccompagne.») Dufresne a entonné le refrain connu: nul n'est prophète en son pays, l'intelligentsia autochtone est contrôlée par des minables, etc. Tandis qu'ailleurs...

Ailleurs? Aujourd'hui, même les égouts des civilisations étrangères offrent à ses yeux un aspect grandiose, scintillant. Si les critiques du week-end l'avaient traité avec ménagement, présumons qu'il ne chanterait pas la même chanson. Et son amie ne manque pas de le lui souligner.

— Tais-toi.

— Lafleur a été dégueulasse, soit. Mais, entre compatriotes, il faut nous reconnaître le droit de nous détester ouvertement. Sans quoi, qu'est-ce qui nous restera pour la dent dure?

— Tais-toi.

D'après lui, le discours Keppens a autant de valeur qu'une nouvelle parue dans le journal d'avant-hier, démentie trois fois depuis et répétée par un ivrogne bègue, à moitié aveugle et aux deux tiers sourd. Accordons-lui la prérogative de paraphraser Shakespeare quand ça lui plaît. Il se racle la gorge. Suzanne ne s'est pas rendu compte qu'il plaisantait: il en est conscient.

J'ai sorti ma marotte de bouffon.

Suzanne fait partie de ces gens que vous devez injurier de temps à autre si vous tenez à ce qu'ils vous restent fidèles. Avez-vous songé récemment, avez-vous songé, oui, à rabrouer la Belge, la Charognarde? Vous n'y êtes pas allé de main morte, j'espère. Avec elle, les sous-entendus ne valent strictement rien. Inscrivez ça dans votre agenda. Rabrouer la Belge.

Les deux pouffent. Arrivés devant l'immeuble où habite Isabelle, ils restent un bon quart d'heure à bavarder dans la Renault. Suzanne a éteint le moteur et laissé les phares allumés.

— Comme dans les films! réplique-t-elle lorsque son passager lui en fait la remarque. Elle s'est penchée en lui chuchotant ces mots.

— Ton souffle est froid.

41

— C'est à cause de l'humidité de la voiture, tiens!
Elle reprend ses distances. Au moment où elle vous
confie quelque chose, cela a toujours l'air d'un assez
terrible secret. Le ton sur lequel elle parle en se livrant
ainsi, ce ton excessif fait que vous avez envie d'aller tout
colporter aux quatre coins de la ville. C'est calculé,
j'imagine. Et, puisque c'est calculé, vous vous sentez
autorisé à répéter les mots qu'elle vous a glissés à
l'oreille. Mots doux. À ce qu'elle raconte, vous seriez son
mamamouchi préféré. Après Shakespeare, au tour de
Molière de se retourner dans sa tombe.

L'appartement d'Isabelle est un bric-à-brac. Les quelques meubles de prix qu'elle a reçus en cadeau voisi-
nent avec les jutes, les coutils, les osiers, les rotins mar-
chandés dans les brocantes. Sa fille est comme lui, à la
fois très méfiante à l'endroit de l'argent et fort peu
douée pour la pauvreté. Elle serait même assez encline à
l'épargne, non? Tout le portrait de Céline. Éduquée
chez le sœurs, la mère d'Isabelle aimait citer ce précepte
tiré de je ne sais quel évangile apocryphe: «Pour entrer
dans le royaume des cieux, les riches devront se départir
de la moitié de ce qu'ils possèdent; les pauvres, du
double.» En réalité, c'est plutôt de Céline qu'elle a
hérité ce penchant. Économiser requiert de la part de
Gilles plus d'énergie que de travailler. Ah! ces perpétuels calculs! Il préfère s'esquinter à la tâche et dépenser
l'argent à mesure qu'il le gagne. Par contre, ce qu'il a
légué à Isabelle, c'est la façon qu'elle a de juger suspecte
les moindres manifestations de virtuosité — mais c'est là
une autre paire de manches.

Bref, la première fois qu'Isabelle a invité son père au restaurant et qu'elle a tenu à régler l'addition au complet, Dufresne a fait une croix sur le calendrier. Quel magnifique souvenir!

— En quel honneur parles-tu de ça? demande Isabelle.

— Bah! un flash que j'ai eu en bas au moment d'appuyer sur la sonnette, mon côté chien de Pavlov...

Il ne va quand même pas lui expliquer tout ce qui lui a traversé l'esprit depuis trente secondes.

— Je te tire du lit? Tes pommettes sont boursouflées, indice qui ne trompe pas... Tu ne dors pas assez, mon bébé.

Il lui frictionne les joues, l'embrasse.

— C'est de mon âge. J'aime voir l'aurore se lever. En revanche, toi, tu as de plus en plus l'air de quelqu'un qui ménage sa santé.

— Sullivan me disait le contraire pas plus tard qu'hier. Et ton nouveau copain, il a l'air de quoi, lui?

Parce que figurez-vous qu'elle a encore changé de petit ami!

Versatiles amours d'Isabelle.

Bruit de chasse d'eau. Un gringalet, mine froissée, tignasse fauve, sort de la salle de bains, tend mollement une main humide et reste là, adossé au chambranle de la porte. Est-ce son nom qu'il a balbutié, le regard fixé sur les lattes du parquet?

Cet appartement est un capharnaüm, le capharnaüm des cafardeurs. Le garçon porte cinq ou six épaisseurs de maillots et de chandails. J'espère au moins qu'il se dévêt pour baiser ma fille. Il se gratte l'entre-jambes. Emmitouflé mais pas bégueule. En un sens, ça me rassure. D'une bourrade, Isabelle lui fait perdre l'équilibre. Elle lui frotte la nuque. Gentil toutou. Il met un disque du groupe Bauhaus, *Mask*, et s'avachit dans un coin.

Tantôt c'est le gant de velours, tantôt la férule, rarement recourt-on au toucher pur... En d'autres termes, dans cet espace où évoluent Dufresne et sa fille, les vérités qui risquent de blesser, on les tait ou on se les assène: il n'y a pas d'entre-deux. Serez-vous surpris de constater que, proférées avec véhémence, les vérités font parfois moins de ravages qu'enrobées...?

— Tu ne souhaites pas qu'on discute de la mauvaise critique de *Samedi Montréal*?

— Au pluriel. Mauvaises critiques au pluriel, mon bébé. Picard aussi me ramasse. Pas rien que lui.

— Picard de *l'Éclaireur*? Celui que tu trouvais si fin?

— Eh oui!

— Casse-lui la gueule!

Isabelle s'enflamme. Elle parle d'une demi-douzaine de taloches à administrer en pleine salle de rédaction, d'un formidable esclandre au milieu du prochain Salon du livre, je ne sais pas, moi, organise un scandale, une tempête... Le gringalet a coiffé un casque d'écoute. Isabelle marche de long en large du couloir, s'arrête, claque du talon, trépigne. Une belle furie.

— Réagis, papa, réagis. Ça paraît banal à dire mais... Tu me comprends?

— C'est la troisième fois en deux minutes que tu prononces cette phrase.

Le clou est enfoncé, la pointe en est rivée parfaitement. Pourquoi ne pas commencer à taper sur autre chose, par exemple, sur les impressions qu'Isabelle a dû ressentir à la lecture du livre de son père? A-t-elle seulement mis le bout de son mignon petit nez dans *Permettez que je déborde*? La semaine dernière, elle a piqué une colère quand Gilles a voulu en avoir le cœur net. «Tu sous-estimes ma curiosité!» Or, elle a refusé d'entrer dans le détail du roman. Elle tient de sa mère, avons-nous appris plus haut. En effet, il arrivait à Céline de me mentir. Et quand, un mois plus tard, je lui répétais mot pour mot ce qu'elle m'avait dit, elle s'exclamait: «Voilà comment tu es, tu déformes tout!» Elle me faisait douter de ma mémoire. M'est avis qu'une audience d'une demi-heure aurait suffi à Céline pour rendre le pape passablement chancelant quant à sa propre infaillibilité.

— Menteur toi-même!

— Je ne t'ai jamais menti, Isabelle.

— Comme père, tu ne m'as pas raconté d'histoires, je l'admets. Sauf, bien entendu, les histoires écrites par les bons écrivains, quand j'avais entre six et dix ans, que tu avais peur de me faire peur et que...

— À l'époque, les auteurs spécialisés dans la production pour enfants n'osaient pas faire allusion au sexe. Je pense qu'on les recrutait parmi les castrats.

— N'essaie pas de me distraire, laisse-moi continuer. Tu ne m'as pas raconté d'histoires. Mais tu m'en as occasionné de belles, oui...

— Je t'en prie, ne sois pas comme ça.

Isabelle se calme d'un coup. Ils s'assoient. Évoqueront-ils ce conte que jadis ils ont composé ensemble et qui mettait en scène les habitants de Haulte-Tromperie, personnages ayant la bouche placée au sommet du crâne afin de parler le plus souvent possible à travers leur chapeau? Le père et la fille s'observent, amusés, attendris. La séquence entière n'aura duré que quelques instants. Et Isabelle fera allusion au stress des examens.

— Quels examens? Il reste un mois avant la fin de la session.

Lorsque Gilles était aux études, on n'employait pas le mot stress, d'invention trop récente. Ça n'empêchait nullement les réactions fébriles. Plusieurs filles avaient leurs règles en retard tellement elles étaient perturbées à l'approche de la batterie de tests et de contrôles.

J'exagère à peine. Chaque cours était essentiel, fonda-
mental. Une mauvaise note dans votre matière faible et
vous veniez de rater votre vie. Les choses ont bien chan-
gé, le ciel en est témoin.
— Prendrais-tu du thé? Une tisane?
Le petit ami est tout entier absorbé dans la musique
de Bauhaus. Paupières closes, sa tête oscille d'avant en
arrière, ponctuant la cadence.
Une gorgée de thé. Gilles hésite.
Isabelle soupire.
Un peu de lait, une demi-cuillerée de sucre. Il
tergiverse, délibère, tâte sa peau de ruminant du désert.
Enfin, estimant que la phrase a assez tourné dans son
cerveau, il pose la question.
— Tes menstruations sont normales de ce temps-ci?
— Est-ce que par hasard tu supposes que...?
Isabelle rougit.
Gilles sait que sa fille rougit à volonté, qu'elle est
presque capable de commander au sang d'affluer dans
ses joues.
— Puisque ça te tracasse, je ne suis pas enceinte,
non. J'ai pris deux kilos parce que je ne fais pas attention
à ce que je mange. Content, là? Enceinte: la catastrophe!
Elle ne peut contenir son rire. Il se sent aussitôt rassuré. Elle rit de plus en plus fort. Brusquement, elle se
penche de manière à ce que les larmes coulent dans ses
cheveux, attitude d'oisillon piaillant au bord du nid.
Gilles est décontenancé. Il réussit mal à le dissimuler.
Pendant une dizaine de secondes, il doit se cacher la
figure dans les mains. Puis il prend soin de découvrir sa
bouche en premier, pour bien montrer qu'il sourit.
On ne tressaille plus dans la littérature contem-
poraine. On tressaute, on frémit, on frissonne, oh! pas
de problème de ce côté-là. Constatons juste que le verbe
tressaillir a pratiquement disparu du lexique de l'émo-

tion. Constatons aussi que tout à l'heure, au rappel des ambiances du royaume de Haulte-Tromperie, le père et la fille ont tressailli. Et ils tressaillent encore.

— Dès que je cherche à avoir prise sur quelque chose, c'est inévitable, grommelle Gilles, il faut que je me cogne à du fragile.

Dans le même ordre d'idées, Isabelle évoque la précarité de son design intime...

— Veux-tu que je réchauffe ton thé? Du sucre? Préférerais-tu du miel? J'en ai acheté hier et il est absolument...

— Merci. Ressaisis-toi. Ça me ferait de la peine que tu ruines ton existence. Ressaisis-toi.

Ruiner son existence. Expression passée de mode. À présent, on est persuadé qu'on peut saloper dix ans de sa vie et ensuite repartir à neuf. C'est bête, car si on garde la même charpente, on ne garde pas la même chair. Le mot fatalité est également tombé en désuétude. Idem pour la notion de responsabilité. Ma fille se détruit. Ça ne regarde qu'elle. Les pères n'ont plus à répondre de la conduite de leurs enfants, c'est une cause entendue. Expliquez-moi donc dans ce cas pourquoi ils trimbalent encore des culpabilités grosses comme des testicules de dromadaires. Comique, hé? Hilarant!

Téléphone.

Sauvée par la cloche, l'Isabelle. Dans les films et dans les pièces, les sonneries arrivent toujours à point nommé. À maintes reprises, on a applaudi ou sifflé cet effet. Sullivan, le dramaturge, pourrait disserter abondamment là-dessus. Suzanne aussi, comme de raison. Dufresne en profite pour se laver les mains.

Trop de sérieux salit.

Le lavabo est encombré de peignes et de brosses. Le spécialiste de la musique savate est à son aise dans le disparate du mobilier. De retour des toilettes, vous lui effleurerez l'épaule et viendrez tout près de lui marcher sur la main: il ne bronchera pas. L'attache des écouteurs a glissé du sommet du crâne au milieu du front. S'en est-il aperçu? Je gagerais qu'il s'est assoupi, l'espace d'une minute. Enfin, il bouge et c'est pour tirer paresseusement la cordelette du store. Un rai de lumière traverse la touffe de cheveux jaunes. Grimaces, grincements de dents. Il éternue avec grand bruit. À tes souhaits, garçon! Il se mouche. Disons plutôt qu'il se masturbe le nez. Mâchonne-t-il de vagues excuses? Les mots s'agglutinent à sa langue. Évidemment, vous faites semblant de ne pas avoir remarqué la lueur narquoise (et turquoise) dans l'œil du jeune homme. Ça vous arrange de le considérer comme une brute. Votre fille avec une brute... Il s'est vite renfoncé dans les dunes mouvantes de la stéréophonie, marquant le rythme à petits coups de menton. Se départira-t-il de sa mine renfrognée? Bah! si ce bafouilleur entre en activité, songez-vous non sans complaisance, ce ne pourra être qu'à la façon d'un volcan.

Tous les enfants ont, un jour ou l'autre, la tentation de tuer leur père. Écoutant Isabelle papoter au téléphone, Gilles se demande quand elle a ressenti le plus fort l'envie de l'assassiner. À onze ans, au moment où il a résolu de l'envoyer en pension? À quatorze, quinze ans, lors de la séparation et du divorce? Qui sait? Chose sûre, il ne l'interrogera jamais à ce propos.

Silence.

Je serai comme la tombe, mieux, comme les catacombes. Muet, muet. Je n'ai qu'à penser au temps que j'ai rogné à mon rôle de père pour l'allouer à mon rôle d'écrivain: ça suffit à me donner mauvaise conscience — et terriblement. Jésus, que mon trouble demeure. J'expie.

Médecines douces. Bois ta tisane ou je t'étripe! Écolière, Isabelle possédait déjà une imposante collection d'infusions de toutes sortes, en sachets de papier et en pochettes de coton. Bois ta tisane ou je t'étripe! susurrait-elle à ses poupées. A-t-elle assez blâmé son père pour l'avoir laissée grandir enfant unique! Ah! celle-là... Dufresne s'octroie quelques secondes de franche raillerie. Il en a le droit, allez.

Noircir bloc-notes par-dessus bloc-notes. Décidément, ils n'ont rien d'autre en tête. Bougres de gribouilleurs, piétaille, va!

Dufresne révise les comptes rendus qu'il a rédigés à propos des manuscrits qu'il rapportera demain lundi aux éditions du Kiosque. A-t-il relevé des fautes? Il se sait mauvais correcteur, incapable de s'astreindre à lire posément. Mais le grand patron le paie pour des jugements d'ensemble, pas pour l'extraction de broutilles. Et Gilles, lui, préfère se livrer à des considérations toutes stylistiques. (Le héros se conduit-il proprement? Bravo! désignons-le par son prénom. Si ce même héros risque une fausse manœuvre et cesse d'attirer la sympathie, voici que nous usons du patronyme. C'est la recette qu'appliquent les trois romanciers dont Gilles Dufresne a parcouru les ouvrages pour le Kiosque et pour le bon Bilodeau.) Moi, s'avise-t-il après avoir bâillé, rebâillé et s'être ébroué en grognonnant, quand les personnages que j'ai inventés commencent à m'agacer, follets qu'ils sont, au lieu de les prendre avec des pincettes, j'ai plutôt tendance à les précipiter dans une flamboyante *happy end*. D'ailleurs, depuis que j'ai bouclé *Permettez que je déborde de mon texte*, c'est devenu un problème, un objet d'inquiétude. Ouais, ouais... C'est la crampe, quoi! Je n'arrive pas à faire plus de vingt pages avec les mêmes personnages. Dès les premières lignes, je sens qu'ils ne tarderont pas à m'horripiler. Quel panier de crabes! Inutile d'ajouter que je ne m'attends guère à ce que les critiques du week-end m'aident à découvrir en moi de nouveaux foyers d'inspiration.

Sur une des fiches libellées à l'intention de l'éditeur, il a noté: «Du chiqué d'un bout à l'autre. Le héros prend des poses même quand il est seul, tout simplement parce qu'il est conscient que l'auteur le regarde. Comprenez-vous ce que je veux dire? Pire encore, l'auteur est mal caché. Tenez, on lui voit le pompon!» Or, poursuit Gilles pour lui-même, qu'un auteur soit caché derrière ses créatures, c'est une réalité incontestable, c'est du domaine de l'axiome. Diable! dans ce cas, pourquoi tant chercher à passer inaperçu? Il range les trois manuscrits dans un sac d'emballage. Il appelle ensuite la maison de retraite et rejoint Hector Favreau, le collectionneur d'armes. Rendez-vous demain, quatre heures. Je suis curieux d'observer jusqu'où je vais pousser cette histoire.

Outre la grosse couette, Gilles a sorti du placard deux couvertures de laine. Voilà ce que c'est quand on choisit de dormir la fenêtre ouverte. Il frissonne. Yvan

Lafleur est marié, je crois. En ce moment, il doit être au lit avec sa chère conjointe. Quant à Ghislain Picard, j'ai l'impression qu'il couche plutôt avec des mâles. Quoique... Par les nuits froides de novembre, qu'est-ce qui réchauffe le mieux: un monsieur, une dame ou une couette? Et moi, si je compte les critiques au lieu des moutons, trouverai-je beaucoup plus vite le dodo réparateur?

Plutôt que d'obéir aux immuables lois du déroulement temporel, Dieu! que Gilles eût aimé dans ses livres dépeindre les phases du désir, par exemple cette montée aiguë au centre de laquelle demain et hier paraissent fusionner dans des bouillons de lave, montée qui pointe, qui culmine en la convergence de deux vertiges. Ah! l'amour. «Tu peux m'ouvrir cent fois les bras, c'est toujours la première fois.» Aragon. Et pourtant, on aurait tort de supposer que la première fois se répète... Montée tellement claire qu'elle en devient fulgurante... Difficile à expliquer. Un beau matin, j'essaierai d'écrire quelque chose à ce sujet. Entre Suzanne et moi, il n'y a pas eu de grande passion. Nos rapports sont plus subtils, plus capricieux. (Nous cessons de nous voir deux semaines et j'en profite pour me persuader que je suis devenu le coureur de jupons le plus inoffensif en ville.)

Au lancement des *Enfants trouvés*, pendant l'interview qu'elle menait avec infiniment plus de sagacité que dix ou vingt Lafleur réunis, Dufresne avait désigné l'anneau d'or à son doigt.

— C'est qui? avait-il demandé de but en blanc. Un homme? Une femme? Faut me le dire. Absolument.

— Je ne pense pas être lesbienne, non... C'est un homme. Qui n'existe plus.

— Mort?

— Pourquoi pas? Ce serait même assez comique.

La scène suivante correspond-elle à leur troisième, à leur quatrième rencontre? Aucune importance, puisque la chronologie est désormais dissoute, abolie. Ils roulent en direction du chalet que Suzanne a loué dans les Laurentides. Au loin, on voit les montagnes étêtées par des nuages cendreux et protéiformes qui galopent en troupeaux serrés. Ainsi, songe Gilles, les glaciers ont décapité les plus hauts sommets du continent. Pépiement des oiseaux pareil à du morse. (Clameur?) Tout d'un coup, l'orage. On a beau mettre le chauffage au maximum, impossible d'empêcher les vitres de s'embuer. Ils arrêtent la voiture au bord de la route, dans l'attente que se calment la pluie et le vent. On ne dérapera pas. Elle lui enserre le cou, l'attire à elle. C'est lent. C'est flou.

Je croule de sommeil. Je m'enfonce dans le moelleux de l'oreiller. Je ne me morfondrai pas à... À la bibliothèque, en feuilletant *Samedi Montréal,* je suis tombé après-midi sur une variante du dessin humoristique connu du magicien à moustaches s'apprêtant à scier la caisse où est enfermée son assistante. Cette dernière semble si détendue... Elle a dû s'endormir. En effet, elle rêve, tout sourire, à une bûche, la sempiternelle bûche presque entièrement coupée et dont le bran se répand en une calligraphie de z un peu gothiques. Et essaiment en haut jusque dans les marges les anges en farandole: belle page, très belle page en vérité... Magicien, moi? Peut-être bien, au fond... Mon cœur est caché dans ma manche. Misère! il est resté accroché dans le passement. Mon cœur est resté accroché dans la doublure et je ne réussis pas à l'en dégager... J'ai le cerveau comme un cactus, les yeux en fleurs de lotus...

Poker? Dufresne raffole du poker. Par contre, il déteste la roulette. C'est qu'il a besoin, voyez-vous, d'un antagoniste à figure humaine, d'un adversaire à sa taille. Il n'est joueur que dans la mesure où il n'a pas à affronter le hasard pur. Braver le destin, non, très peu pour lui. Car, pour apprécier la roulette des casinos, il faut avoir envie de se mettre quelques heures durant dans la peau d'un héros de tragédie. Et les héros de tragédie dédaignent le bluff, la chose est notoire.

Tragédie, destin, fatalité. Très tôt, notre romancier s'est appliqué à galvauder ces mots. N'appelle-t-il pas fatalité le fait qu'au supermarché les changements de caissières tombent invariablement, inévitablement sur lui? Il doit alors attendre que la nouvelle venue se soit installée avec son tiroir d'argent, qu'elle ait signé je ne sais quel registre, qu'elle se soit dégourdi les doigts, les poignets, etc. Il s'énerve, se crispe, trépigne, fulmine.

Justement, ces oranges, il les a achetées là-bas, au supermarché. Les muffins aussi, qui sont très secs, d'ailleurs... Pour l'instant, nous sommes lundi matin et Gilles boit son café dans la cuisine, en retournant avec nonchalance les cartes étalées sur la table. Il s'exerce à réaliser une de ses patiences favorites, patience qu'il a inventée et qui consiste en une variante du poker. Son rival, c'est lui-même. Il étire les secondes, fait durer le plaisir. Il s'emploie à retarder le moment à partir duquel il devra se mettre au travail.

On dirait même que ça m'amuse de constater que j'exécute mes dérobades de manière aussi flagrante. Je flâne. Le plur dur, en vieillissant, est sans doute de rester pleinement imprévisible — et pas qu'aux yeux des autres, aux miens également. À cinquante ans, je suis toujours capable de me ménager des surprises. C'est bon signe. À soixante-dix, en admettant que je me rende jusque-là, vais-je encore réussir à m'étonner un petit peu?

Quel que soit notre âge, quelle que soit notre situation sociale, il nous arrive, tandis que nous marchons dans la rue, d'imaginer comme le font les enfants que dans une minute nous croiserons un mystérieux voyageur qui nous abordera et qui... Nous pensons: «Ma vie en sera transformée!» Eh bien! c'est à cette partie de nous-mêmes que Dufresne désire si véhémentement s'adresser par le biais de ses livres. Il n'ambitionne pas de nous rendre heureux. Nuance. Si, par quelque étrange loi, le bonheur devenait obligatoire pour tous, Dufresne se suiciderait sur-le-champ. Le pessimisme demeure sa doctrine de base, je ne reviendrai pas là-dessus. Donc, il n'ambitionne guère de nous rendre heureux. Il écrit en s'efforçant d'extirper de l'existence courante la fraction de magie qui s'y cache. De l'exprimer clairement. Trouvons mieux si nous... Tentons au moins de calculer nos chances.

Que les intentions révélées plus haut composent un noble programme, voilà un énoncé qu'il serait malaisé de remettre en question. Programme exubérant, programme généreux: on songe, pourquoi pas? aux portions servies dans les restaurants spécialisés dans la cuisine d'Afrique du Nord. Fort bien. Et dans le concret maintenant, ça fonctionne comment?

Dans le concret, Dufresne sue sang et eau.

Il a gaspillé près de deux heures pour accommoder ensemble les phrases suivantes: *Le docteur Chalifoux commença par raconter que, la veille, une jeune patiente lui avait avoué avoir assassiné le père de son fiancé. Elle s'était juchée à croupetons, toute nue sur la poitrine du cardiaque un matin où, vu l'état peu alarmant du malade, l'infirmière avait jugé opportun de prendre congé. Je saute les détails. Nous avons ri de ce beau cas. Puis, bien entendu, nous avons parlé du secret professionnel. C'est un sujet que les psychiatres adorent. Ils peuvent disserter là-dessus des heures et des heures et commettre les pires indiscrétions...*

Auriez-vous le goût de vous taper un volume dont ce serait là le paragraphe initial? Évidemment pas.

Le docteur Chalifoux...

D'abord, qui oserait croire en l'existence d'un personnage affublé d'un nom pareil? En outre, si Dufresne n'a pas piqué l'idée du crime dans un conte ou dans un roman japonais de l'immédiat après-guerre, moi, je suis prêt à avaler le ruban de ma machine... Et il s'agit encore d'une narration à la première personne: Gilles estime pourtant avoir déjà trop sacrifié à ce procédé. Son égotisme est du genre flasque: il ne demande qu'à se répandre dans tous les coins.

Si je n'y prends garde, estime-t-il (à tort ou à raison), je finirai comme ces fieffés prétentieux qui se citent en exergue de leurs ouvrages, qui résument leurs principaux thèmes dans des préfaces à tiroirs...

Le docteur Chalifoux commença...

Dufresne a lentement relu le tout.

C'est du joli! Je décroche le pompon. Il froisse la feuille, la jette dans le cendrier, y met le feu. Pendant une longue minute, il s'abîme dans la contemplation des cendres. (Arachnéennes, ces cendres? On pourrait employer l'adjectif, oui.) Maudite Boismenu! Ah! je l'oublie, celle-là, je l'efface, l'insipide bonne femme. Maudit Picard, maudit Lafleur! Maudits soient ces deux critiques. Ils ont stoppé le doux, le duveteux trafic des muses au-dessus des neuf tomes de mon dictionnaire. M'ont coupé le sifflet.

Affirmant cela à son aise d'une voix forte qui résonne à travers l'appartement, Dufresne choisit d'ignorer que depuis des semaines, depuis des mois sa verve est tristounette et médiocre. N'allons pas croire qu'il laissera l'escorte des boucs émissaires passer impunément, piamme piamme piamme, au pas des clercs... J'essaie plutôt le papier bleu, dit-il.

Ce fréquent besoin de se faire photographier s'explique: son œuvre étant surtout sa propre personne, il doit de se livrer périodiquement à des contrôles, à des bilans... «Bon, où en suis-je à présent avec mes cheveux? Avec mes dents? (J'examinerai tout particulièrement mes canines.) Avec ma pomme d'Adam?» Qu'il ait franchi le cap de la cinquantaine confère à pareille sollicitude un soupçon d'excentricité, mais cela ne saurait suffire pour faire de notre homme un phénomène de foire ni même un...

Ébaucher le portrait physique et moral de Sullivan, quel pari stupide, quelle foucade, quelle tarte à la crème! À part moi, ça intéressera qui? Je suis jaloux qu'on voie si souvent mon ami Gabriel à la télévision: voilà le mobile, voilà le motif. Parmi mes notes éparses, il y a également ces lignes: *La vieille venait de mourir. Deux voisines arrivèrent et se mirent à laver la vaisselle, à ranger. Laver la vaisselle d'une morte, comme si elle allait à nouveau pouvoir manger dedans... C'était dérisoire, certes. Que faire d'autre? Il fallait bien occuper son deuil à quelque chose.* Maintenant, je plagie Giono. À la poubelle, à la poubelle!

La poubelle? Les lambeaux de la chemise rouge que Gilles n'a pas réussi à brûler l'autre jour en bourrent encore le fond. *Chaque poubelle a sa personnalité:*

l'examen de la question a donné lieu à des études extrêmement savantes. Dans notre monde, les corbeilles à papier figurent au nombre des objets qui ont le plus de personnalité, c'est indiscutable... Un autre début possible serait la fameuse phrase qui lui est venue à l'esprit samedi soir, alors qu'il était pompette et qu'il s'apprêtait à se coucher. Sauf qu'il n'arrive pas à se rappeler quelle en était la teneur — ni la formulation exacte. Hum! les souliers. Badaboum! Penser aux voisins du dessous, oui, penser aux dieux tutélaires... Ou mieux encore, comme début, la scène du restaurant, cette nouvelle façon de draguer avec alacrité et tout... «C'est moi. Je suis Lucie *M. M* pour Martineau.» (Titre: *le Cochon, de la soue à la table* — *recettes peu traditionnelles.*)

Dans le même élan, qu'on se remémore l'époque du collège avec les calendriers strips et les photos des robes de Jackie Kennedy... On faisait semblant de jouer au scrabble. En réalité, on attendait le cœur battant l'appel de son nom pour courir au parloir. Courir? On se hâtait en gardant son flegme, afin de ne pas être rabroué par le surveillant. Glorieux parloir aux tentures pourpres... Non seulement le portier prononçait-il très mal; il avait par surcroît le défaut de cracher dans son micro. Est-ce bien mon nom que j'ai entendu? Gilles se souvient de la fois où il s'était précipité jusqu'à l'entrée de la grande salle. Il n'y avait là personne de sa famille. Personne. J'ai dû mal comprendre. Penaud, il était revenu s'asseoir au milieu des joueurs de scrabble. Néanmoins, la plupart des dimanches, il avait de la visite, de la vraie. C'était d'ailleurs de la visite maussade, renfrognée, absolument insensible à sa joie à lui. «Je suis content de voir mes parents. Pourquoi, eux, ont-ils l'air de si méchante humeur? La route a-t-elle été si pénible? Pourquoi ne rient-ils pas avec moi?» Crimes de lèse-innocence, tous impunis. En huit ans de pensionnat,

Gilles ne s'habituera jamais aux pitoyables comités d'accueil.

D'accord, d'accord, on patauge encore dans les marigots du je. N'empêche que ce fragment, que cet éclat d'un hypothétique récit, je décide de le garder dans mes dossiers. Clic! la lampe s'éteint. Je regarde par la fenêtre: panne de secteur, sans aucun doute. Il y a un gros camion d'Hydro-Québec de ce côté-ci de la rue. Les comédiens ont le trac; les créateurs, l'angoisse de la page blanche. Et les électriciens, qu'est-ce qu'ils ont?

Le carton qu'il vient d'ouvrir contient un bout de texte griffonné vendredi. *Nous étions solitaire, nous les sommes resté. Par conséquent, c'est plus ou moins pour compenser que nous employons la première personne du pluriel quand nous parlons de ce qui nous arrive.* Gilles déchire la fiche: ce serait illusoire d'espérer tenir ce ton pendant plus d'un chapitre. Ne dramatisons rien. Nous n'en sommes qu'au b a ba, le b a ba banal, abrutissant. Puis, elle ne me déplaît guère, la séquence du parloir. Je me vois assis à mon bureau. C'est la quasi-pénombre. Nous sommes quatre à nous pencher sur la feuille bleue: je, bibi, mon double et moi. Nous sommes plusieurs à nous critiquer avec componction ou à nous féliciter pour telle ou telle astuce. C'est juste lorsque tout rate que je me retrouve seul. Déplorablement.

Rumeur de la ruche. On reprend son souffle avant de pousser la porte. (L'ascenseur de ce sale immeuble est en panne à longueur d'année et Dufresne a dû s'enfiler les six volées de marches de fer trépidantes et sonores.) On se penche de façon que la plaque dorée qui porte l'inscription Éditions du Kiosque puisse servir de miroir, on replace une mèche rebelle, on met ses lunettes dans sa poche mouchoir, on rajuste son col, on reboutonne sa veste, on entre. L'utilisation du mot ruche est nettement abusive. Deux employées tapent à la machine, la secrétaire de Bilodeau farfouille dans le classeur à contrats. En apercevant Dufresne, Manon, la réceptionniste, d'ordinaire si pimpante, si affable, prend sa mine la plus affligée. Dieu merci! l'attachée de presse n'a pas eu le mauvais goût de punaiser au tableau d'affichage les articles de *Samedi Montréal* et de *l'Éclaireur*. Sachant comment l'auteur de *Permettez* réagit normalement aux vilaines critiques, le personnel cherche la conduite appropriée aux circonstances. Nous n'allons quand même pas lui présenter nos condoléances! Manon se trémousse, fait tinter le double pendentif qui brandille entre ses seins trop opulents. Des pendentifs, elle doit en avoir un nombre fou puisque je ne lui ai jamais vu le même. Ils ont en commun de figurer le Christ, la Vierge, saint François, sainte Thérèse, etc. Est-elle dévote ou a-t-elle simplement la coquetterie de la croix? Je la tiendrais volontiers pour une gentille brebis galante...

Dufresne dépose sur le bureau de Manon le sac contenant les trois manuscrits qu'il a lus la semaine dernière.

— J'appelle le patron pour lui dire que vous êtes là.

— Non, je m'en occupe! s'écrie Mme *G*, la secrétaire de Bilodeau, en fermant avec fracas le tiroir du grand classeur.

Mme *G* ressemble à une joueuse de basket qui serait enceinte de jumeaux mais, comme elle a plus de soixante ans, on peut difficilement se l'imaginer aussi féconde. Il s'agit d'une de ces ménagères apprivoisées revenues tardivement sur le marché du travail. L'atmosphère qu'elle dégage conjugue le frelaté des chansons

d'Aznavour et le lancinant de l'ulcère à l'œsophage.
— Comment allez-vous?

Question inutile parce que, pour savoir si Mme G va bien, il faut habituellement cinq minutes de conversation soutenue. Au minimum. Bah! un peu de politesse n'a jamais provoqué d'embolie... Un petit effort, Gilles, un petit effort.

— Elle dure depuis combien de temps, votre grippe?

— Deux semaines.

— Sacré bail!

Elle acquiesce en silence. Risquera-t-elle une allusion aux chroniques de Picard et de Lafleur? Probablement pas. En fin de compte, c'est Dufresne lui-même qui, constatant l'absence de Linda, dissipera le malaise ambiant. On lui apprend que Linda est en convalescence. Accident bête. La replète attachée de presse a en effet voulu faire une photocopie de son derrière pour l'offrir à quelqu'un en guise de cadeau d'anniversaire. Quelqu'un de très cher. C'est, paraît-il, la dernière mode. Elle a cassé la vitre de la machine en essayant de s'asseoir dessus et a pris plein d'éclats de verre dans les fesses. Deux jours. Elle est restée deux jours complets à l'hôpital. Moi, j'exagère? Les médecins craignaient l'hémorragie. C'est Manon qui raconte l'histoire d'une seule traite. Monde aux mœurs dissolues!

Gilles remarque que, lorsqu'elle commence à pérorer contre les natures maboules, Manon le toise, lui. Me prend-elle à témoin ou me considère-t-elle comme un point de référence? Mme G entraîne Dufresne en direction de l'antre de Bilodeau. Je n'aurai pas besoin d'entrer: c'est lui qui sort.

— Tu viens d'arriver, j'espère?

Il me serre la main, s'adosse au mur. De toute évidence, nous resterons debout dans le couloir.

— Pour que tout soit bien clair, sache que je ne te

pardonne pas de t'être fait assaisonner la même fin de semaine dans les deux journaux les plus importants de la métropole...

— Je suppose que mon contrat m'oblige en l'occurrence à apporter à mon éditeur réconfort et consolation?

— Fais-moi grâce de tes reparties spirituelles et passe à ce qui t'amène.

Bilodeau est un homme méthodique. S'il demande trois arguments à l'appui d'une proposition qu'on lui fait et qu'on lui en fournit un — puis un autre, les deux irréfutables, eh bien! il attendra quand même le troisième, yeux vitreux, bras croisés. Il en a réclamé trois, pas question qu'il cède avant d'avoir le compte.

— Le manuscrit est tellement gros que si on le retourne à l'auteur, rien qu'en timbres, on risque de dépenser plus que si on le publie!

Cette blague, Mme *G* a dû l'entendre cinquante fois. Pourtant, elle pouffe de rire. Hilare, Bilodeau se rengorge.

— Débine de débine! grommelle Dufresne, impatienté. Et ces syllabes (marmonnement arrangé vaille que vaille en un jeu de mots, ma foi, très puéril) aussitôt prononcées, il enchaîne avec une longue phrase garnie de parenthèses baroques et destinée à étouffer le calembour penaud qu'il déplore déjà d'avoir commis. Il parle, parle, le fil devient de plus en plus ténu, ah! ces syllabes à noyer, ces syllabes à expédier dans l'océan néant du blablabla, il continue de palabrer, tac! le fil casse, le fil est cassé, je l'ai perdu, malheur! j'ai perdu le fil, il jette un œil égaré à Mme *G* et à Bilodeau, qu'est-ce que je raconte, mais qu'est-ce que je raconte? Les deux haussent les épaules. Gageons qu'ils ne se sont pas aperçus de son embarras.

— Le livre de la Boismenu ne paraîtra quand même

pas tel quel? s'enquiert Dufresne.

L'éditeur demeure évasif. Josianne Boismenu a son public, et ce public n'est pas à négliger. En outre, son écriture a quelque chose de bouillant, d'intrépide...

— Quoi!

D'un geste, l'éditeur balaie l'interjection. Bilodeau est un homme méthodique, certes, mais la discipline qu'il exige des autres, qu'on ne s'attende pas à ce qu'il se l'impose à lui-même. Avouera-t-il qu'il s'est engagé auprès de la Boismenu avant même d'avoir fait lire le manuscrit qu'elle lui a soumis?

— Abrège, abrège. Ça te donne quoi de ruminer le papier qu'elle a signé dans *Libre Examen*...? Je lui fixe rendez-vous le jour qui te plaira. Toi, tu te pointes, tu vides ton sac, vous réglez votre querelle et...

— Je vais être forcé de décliner l'invitation. La vie est trop courte pour...

— Aurais-tu peur, par hasard?

— Dans la présente distribution, le rôle du poltron, c'est plutôt à toi qu'il revient.

Moqueur, Dufresne lui tapote la bedaine. L'autre a les joues qui s'empourprent.

— Je discuterai avec toi quand tu...

Volte-face. Bilodeau quitte le couloir, s'engouffre dans son bureau, non sans avoir fait claquer la porte, persuadé que le bruit ainsi produit restera dans l'air assez longtemps pour imposer un silence acide, suivi d'un empressement chafouin — ce en quoi il ne se trompe nullement: tambour battant le personnel se met à s'affairer. Manon et les dactylos se lancent des regards inquiets, les correcteurs d'épreuves affectent de se concentrer. Tous ont obtempéré à la sommation. Prenez votre pilule, bande de zouaves, race de constipés! Vive l'autorité fruste! La pire, c'est Mme *G*, honteuse comme une chatte qui aurait vomi sur le tapis. Son pull trop grand qui, à l'articulation du coude, ramasse plis par-dessus retroussis et retroussis par-dessus plis, son pull jaunâtre a même l'aspect d'une peau de minoune de salon tout efflanquée.

— Toujours aussi enclin au bavardage, le p.d.g.!

— Quand son avis diffère du vôtre, vous le signifier sans ménagement n'est pas assez pour lui. Il prend ce ton condescendant, il vous...

Le pronom désigne-t-il l'infortuné Dufresne ou est-ce un vous indéfini? Optons pour l'indéfini. Nous retiendrons cependant que la secrétaire particulière a osé se prononcer sur la conduite de son patron. Gilles n'en croit pas ses oreilles. Pincez-moi. Mme *G* a raison: l'éditeur ne semble à l'aise que dans les contextes de discorde. Les ambiances décontractées le plongent dans l'inaction, la déprime, l'hébétement. Il a quelque chose du missionnaire et de l'aventurier — et, pourquoi pas aussi? du héros des contes de fées. Ne s'apprête-t-il pas à libérer la frêle, l'hystérique Josianne Boismenu de l'hydre des revues à tirage limité? Ne changeons pas tout de suite de sujet. En somme, plus Bilodeau est détesté, plus il est heureux. Qu'on le vilipende ne lui suffit pas, il doit flairer, sentir qu'on y prend plaisir. Car il veut le bonheur de son prochain, le saint homme. Il aspire à ma béatitude, quoi! Quels louables efforts ne fournit-il pas en ce sens! Content, content? Un mois à peine après avoir été embauchée, Linda, la fille dont le derrière est aujourd'hui en compote, avait pris Dufresne à part pour lui expliquer ce qu'elle estimait être la vocation de Bilodeau: «Pour réussir à se faire aimer, pas besoin de s'esquinter en masse. Par contre, manigancer pour se faire correctement haïr nécessite toute une dépense d'énergie — et ce, en permanence. Et haïr donc! Très absorbant, haïr. Accaparant. Ça vous abolit les soucis et les tracas passagers. Très salubre, haïr. Ça vous réduit le stress. Bref, ce serait les bribes d'un système pour rendre les employés plus productifs que ça ne m'étonnerait pas du tout. J'ai connu d'autres boîtes avant et je vous garantis que...» Gilles avait plissé le nez. On ne se méfie jamais assez de la fantaisie des attachées de presse.

—Je vous téléphonerai la semaine prochaine, poursuit Mme G. Mercredi ou jeudi, quand votre chèque sera prêt. Oh! j'allais oublier cette brique. D'après la lettre de l'auteur, c'est un roman policier. Désirez-vous le prendre aujourd'hui?

— Bien, fort bien...

— Attendez. Je complète la fiche.

Elle tremble — à cause du poids du manuscrit ou de la saute d'humeur de Bilodeau? Gilles remarque que les mains de Mme G sont couvertes de tiquetures. (Ce frelaté d'Aznavour et d'ulcère, etc.) Subitement, elle l'émeut, la vieille. Il ferait mieux de se lamenter sur lui-même: lui qui s'était promis, advenant que l'on menaçât de publier la Boismenu, de démissionner illico, il a accepté d'évaluer le gros roman policier, il s'est empressé de dire oui... Petite lâcheté! Pourquoi avoir agi de la sorte? C'est simple. Rien de plus facile à comprendre que la tendance à l'autodestruction. Éparse, diffuse, elle est embusquée dans le moindre de nos actes. Lafleur et Picard ont eu tort sur toute la ligne, ils n'ont usé d'aucun discernement...

Et Gilles se revoit, bambin insociable, toujours grimpé partout. Il pense plus particulièrement à la fois où ses parents l'avaient amené pique-niquer dans le parc. «Gilles, Gilles, où es-tu?» Il s'était tenu coi des heures et des heures. On l'avait retrouvé à la tombée du jour, assis sur le toit du belvédère, pieds ballants. «Saute pas, saute pas. Un monsieur monte te chercher.» Il n'avait pas pleuré.

Souvent, Gilles refuse d'ouvrir la porte pour le plaisir d'entendre les gens rouspéter, là, derrière.
— Jamais chez lui!

Traquer les secrets blottis au creux des âmes n'a jamais été son dada. D'autres raffolent de s'immiscer dans l'intime. Pas Dufresne. Or, c'est sur cette voie qu'essaie de l'entraîner Hector Favreau. Nous sommes dans la salle communautaire de la maison de retraite. Aux murs, des toiles de badigeonneurs. Près de la sortie, une étagère de brochures, de fascicules sur la manière de profiter de sa vieillesse. Il y a dans l'air l'odeur d'agrumes moisis qui caractérise de tels endroits. La table est minuscule; le cendrier prend presque toute la place disponible. J'aurais le goût de fumer, moi aussi. Mais j'ai laissé mes pipes à l'appartement. Même que la meilleure du lot est encore au café Gingras.

— Comme ça, vous êtes écrivain? Je lis peu de livres, vous savez... Un par année, que j'emporte partout. Je griffonne dans les marges. Celui-ci, je m'en sers comme agenda.

Honoré de Balzac. *Le Lys dans la vallée.* Si nous nous fions aux photos que Dufresne a examinées hier à la bibliothèque tandis qu'il consultait les vieux numéros de *Samedi Montréal,* notre collectionneur d'armes n'a pas changé.

— Même quand j'étais professeur d'histoire, je ne lisais pas tellement. Parce que j'ai été professeur, monsieur Duquette... Pendant près de quinze ans, j'ai...

— Dufresne.

— Excusez-moi, monsieur Dufresne. Les noms... Collège privé. Rien que des filles. Avec des parents riches à craquer. Je venais de sortir de chez les religieux. Plus tard, je me suis recyclé dans les assurances... Avez-vous des enfants?

Son cigare, Favreau le tète, au sens propre du terme. Il remue les lèvres, il suce. Ensuite, il exhale un mètre cube au moins de fumée empoisonnée, ce qui refoule un moment les odeurs de moisi. Nous ne sommes que cendres et poussières. Un grand chauve traverse la salle. Il marche avec beaucoup d'effort, occupé qu'il est à se colleter avec les lois de la pesanteur. Le corps entier est mis à contribution, une épaulée accompagnant chaque pas. Favreau le salue d'un hochement.

— Cancer de la gorge. Ex-gérant de banque. Veuf depuis juillet. Moi aussi, je suis patraque. Pas besoin de souffrir longtemps pour constater que la maladie est un phénomène qui se produit moitié à l'intérieur, moitié à l'extérieur. Trois ou quatre jours, maximum. Suffit alors d'observer les visages des proches.

— Votre famille vous fait quand même des visites, non?

— Ce n'est pas ça, le problème. Vous m'avez mal compris, monsieur Duquesne...

— Dufresne.

— Ma famille m'adore, monsieur Dufresne.

— Comment expliquez-vous que...?

— Je l'explique facilement: il s'agit sans doute d'une des nombreuses contradictions que je cultive à loisir, d'une de ces contradictions dont je me délecte, diriez-vous...

Fêlé, n'est-ce pas? Gilles éprouve de plus en plus de gêne. Lui qui, sous prétexte de se documenter sur les armes de guerre, n'est venu ici que pour glaner quelques noms d'anciens mercenaires peu scrupuleux, il doit se résigner à recueillir les confidences d'un hypocondriaque.

—Je suis complètement patraque, oui. Le cœur. Les gens crèvent autour de moi et je m'aperçois que je suis fait de la même matière qu'eux, de la même chair. Je ne suis pas immortel, monsieur Dufresne, et j'espère que ça vous scandalise grandement. Malgré toutes les connaissances accumulées sur l'être humain, malgré toutes les relations que j'ai, je ne suis pas immortel. Quelle perte quand je quitterai la terre! Ma famille m'adore, je l'ai mentionné. Elle enverra de très beaux faire-part, j'aurai des fleurs sur ma tombe. Je crache par terre chaque fois que je croise un corbillard.

— Mon grand-père avait coutume de...

— Cracher par terre ne suffit pas pour conjurer la menace.

— Écoutez, monsieur Favreau, vous...

—Je vais vous raconter une histoire qui fait rire tout le monde ici. Elle va vous... Elle va vous égayer. Et après que vous aurez ri, indiquez-moi ce qu'elle a de si drôle, j'apprécierais... Je ne saisis pas trop... Ça commence à la frontière entre l'Italie et la Suisse avec un cadavre de contrebande qu'ils tentent de...

Et l'ancien professeur débobine les péripéties d'un récit burlesque qui se prolonge trois, quatre, cinq minutes durant. À la dérobée, Gilles consulte l'horloge noire qui trône au-dessus de l'étagère à brochures. Le drame des amuseurs est qu'ils refusent de s'accorder le moindre répit. Tous les dons sont monstrueux, certes, mais le leur est atroce, obscène. Gravement malades, leur état empire s'ils n'arrivent pas à faire s'esclaffer médecins et infirmières. Leur complexion singulière décourage les psychanalystes les plus compétents. J'en sais quelque chose, songe Gilles, je suis du nombre. Peut-être pas extrêmement doué... Amuseur quand même, oui.

— Des noms, des noms... C'est bien joli, grommelle Favreau, mais mon carnet d'adresses n'est pas nécessairement à jour. D'ailleurs, pourquoi souhaitez-vous tant me dédier votre ouvrage?

Voilà une idée que Favreau lui-même a exprimée il n'y a pas trente secondes. Et Dufresne est obligé de la lui revendre! La conversation continue sur ce ton pendant un quart d'heure encore. Le collectionneur regimbe, argumente, délibère...

— Votre point de vue est beaucoup moins logique que le mien. Pourtant, c'est curieux, vous me semblez avoir raison, dit le bonhomme qui subitement a perdu confiance en lui.

Sans doute ce comportement relève-t-il des procédés ou des techniques du marketing: avec les agents d'assurances, il vaut mieux se méfier. Favreau me fait penser à Archambault fils. Ce détachement... À la différence que ce brave Hector radote, radote... S'il a choisi de se conduire ainsi, n'est-ce pas un peu de ma faute? À tout hasard, je formule un *mea culpa*. Je deviens marteau.

— Des noms, des noms... Je suis né sur une ferme. J'ai les mêmes racines que ce grand-père dont vous m'avez parlé au début, en venant vous asseoir à cet endroit. J'ai fréquenté l'école du rang. On avait des animaux, des lapins, des canards, des oies. J'étais amateur de chasse. Vous me répétez que vous voulez des noms. À la campagne, monsieur Duchesne, un chien sans nom, ça n'existe pas. Mais, malgré les neuf vies qu'on leur prête, bien des chats doivent aujourd'hui rôder comme des âmes en peine dans les caves et dans les greniers des limbes. Ma foi, ils étaient en effet rares, les chats qu'on prenait le temps de baptiser correctement.

Les chiens, les chats — et quoi encore?

— Quant aux humains, conclut le jacasseur, à la campagne ou ailleurs, les sobriquets qu'on leur attribue sont plus dérisoires qu'affectueux... Des noms d'anciens mercenaires, dites-vous... Hum, hum... Puisque vous vous proposez d'écrire sur ces gens-là, d'accord... Soyez discret, je vous en prie. Moi, c'est tout ce que je peux faire pour vous.

Fin des palabres. Favreau lui remet deux numéros de téléphone et se lève. Le carnet d'adresses à la couverture de toile tout effilochée reste ouvert sur la table de la salle communautaire, ainsi qu'une offrande votive, s'avisera Dufresne, omettant de signaler à l'autre son oubli. Favreau a toutefois pensé à glisser le Balzac dans sa poche.

Le ciel qui s'était dégagé au cours de l'après-midi recommence à se couvrir. Gilles marche en direction du parking. Sérieusement, je ne crois pas qu'un des vieux soldats de Favreau acceptera de se charger du travail. Je suis mieux renseigné que ça. Encore que je ne m'interdise pas d'imaginer que, pour meubler une retraite ennuyeuse... Non, ce que j'espère en vérité, c'est d'être mis en rapport (grâce à l'un ou l'autre des numéros fournis par le collectionneur) avec quelqu'un connaissant un tueur à gages.

Bon sang! un tueur, ça ne se déniche quand même pas à la lettre *T* de l'annuaire des pages jaunes.

Sur le trottoir, parmi les gens qui attendent l'autobus, Dufresne remarque une mère et son bébé. L'enfant, installé dans une poussette, gesticule avec une cuiller, essaie d'attraper un morceau de nuage. Ah! que l'auto est sale! Sans compter qu'elle démarre de plus en plus mal. Demain, je prends rendez-vous au garage pour la mise au point d'hiver. *Empty* signifie vide, ça, je le sais depuis longtemps. Or, est-ce à cause des possibilités d'allitération? quand je vois *empty*, c'est plutôt l'adjectif plein qui me vient à l'esprit. J'ai interrogé quelques amis là-dessus. Je ne suis pas le seul à avoir cette réaction.

Un piéton traverse la chaussée à l'étourdie. Gilles, qui a dû freiner brusquement, regrette de ne pas connaître une de ces langues barbares hérissées de sons gutturaux convenant si magnifiquement à l'insulte. Ça le soulagerait. Idiot! Espèce de steak tartare en puissance! se contente-t-il de vociférer. L'apostrophe a été faite dans un style trop recherché pour provoquer la moindre altercation. Le piéton fronce les sourcils, hausse les épaules. On ne sait même pas s'il a entendu.

Il existe deux catégories de piétons: ceux qui foncent droit devant sans se soucier de personne et (forcément) ceux qui risquent à tout instant de se faire bousculer par les premiers. Je me flatte d'appartenir au second groupe. Oh! ce n'est pas le plus rapide — seulement, qu'on prenne les marcheurs qui le composent, qu'on les mette au volant d'une voiture et on verra qu'ils se révéleront être les conducteurs les plus réfléchis et les plus courtois. Parmi nous, pas de matamores.

Au feu rouge, c'est une vieille Datsun qui se trouve à la gauche de Gilles. Les occupants, un gars et une fille, retiennent du mieux qu'ils le peuvent un énorme matelas élimé posé tout flasque sur le toit. En voilà deux qui ne font guère secret de leurs intentions, en tout cas. La passagère ressemble à une des amies d'Isabelle, je veux dire à une amie qu'Isabelle avait adolescente. Vous ignorez si elles fraient encore ensemble. Sans doute. Même nez mutin, même menton rond. Comment s'appelait-elle déjà? Laurence? Stéphanie? Dufresne énumère d'autres noms de ton pastel. Ça ne lui revient pas. Ils ont l'air pétants de santé, ces jeunes! Ah! l'amour entre acrobates: vous imaginez, par exemple, la fille qui, après un triple saut périlleux, accomplit le grand écart sur la pine dressée de son partenaire. Ces plaisirs, nous ne les vivrons jamais, pauvres balourds que nous sommes, surtout que nous avançons en âge et que... Pourvu qu'Isabelle n'ait pas raconté de blagues, pourvu qu'elle ne soit pas enceinte, la drôlesse! Euh! me voit-on en grand-père? Catastrophe!

Une Asiatique au corps frêle arpente le trottoir en exécutant des cabrioles, bras tendus, dos arqué, traînée par un molosse résolu, semble-t-il, à transformer la promenade en séance d'exercice. Tu n'as pas de seins, ma Chinoise, tu es plate comme une... Faute de pain, on mange de la galette. Bah! que me sert de convoiter d'autres femmes? Mon pain, c'est Suzanne. J'ai trop tendance à l'oublier. En réalité, je ne me sens pas en appétit ces jours-ci. J'aurais besoin de vitamines d'automne.

Dufresne soupire, écarte la ceinture de sécurité, se gratte le scrotum et éprouve du coup l'envie de s'éclaircir la gorge. Au tableau des mystères de la vie, ah! la délicate question que voici: pourquoi le docteur vous demande-t-il de tousser quand il vous tripote les génitoires? (Le prunier fouetté par l'ouragan ne risque-t-il pas de perdre feuilles et fruits?) Station-service. Faites le plein, nous vous offrons un lavage gratuit. Dufresne en profite. Arrivé dans une citrouille, il repartira en carrosse, rêvant de pare-chocs en authentique bois sculpté de Saint-Jean-Port-Joli.

Il est fou.

Vite, un cognac. De nouveau, voici l'écrivain accoudé au bar de cette boîte dont la clientèle est composée en majorité de fonctionnaires et où nul ne s'amuse à dévisager son prochain. J'ai besoin de réfléchir à ce qui s'est produit depuis samedi matin. Demain, il sera trop tard: j'aurai déjà commencé à danser sur le volcan. Écartant les doigts de la main droite, il essaie de se recoiffer — sans grand succès, il faut l'admettre.

À l'autre bout du bar, un gros chauve se hisse sur un tabouret, commande une bière, lape le faux col en rigolant tout bas. Je lui suppose une vie intérieure intense et paradoxale, comme si l'obésité disposait aux cultes bouddhiques. Le collectionneur m'a embrouillé les idées. En fait, j'ai trouvé notre rencontre assez désagréable. C'est connu: les gens que je supporte le plus mal sont ceux avec lesquels tout, de prime abord, m'engageait à avoir des affinités. Favreau m'a transmis un agacement, l'agacement pointu ressenti devant un conférencier qui regarde sa montre toutes les cinq minutes en répétant bref, donc, en conclusion, etc. Voilà ce que je retiens.

Dufresne sort son portefeuille, en vérifie le contenu. Un autre cognac, s'il vous plaît. Qu'est-ce qui te prend de compter ton argent en public, crétin? Ne sais-tu pas qu'il y a des bandits partout? Tu aurais intérêt à mieux te rappeler les conseils de ta grand-mère! Le barman le sert. Il boit une gorgée. Pensif, le menton rivé à ses deux pouces d'onychophage (maintenant, soyez assez gentil pour remettre le dictionnaire où vous l'avez pris), Gilles sourit aux anges, aux mauvais anges du destin. Dans sa tête, il passe en revue l'agenda de la prochaine journée: aller chercher du liquide au guichet automatique, prendre rendez-vous avec le garage, envoyer à Linda un mot de prompt rétablissement...

Bourdonnement monotone des conversations. Soudain, ça se corse, il entend quelqu'un parler de sperme. Une voix féminine, un brin nasillarde. Il dresse l'oreille. Mais il constate rapidement qu'il s'agit là d'une parole en l'air, orpheline, non des bribes d'un échange libidineux. Tant pis. Ça vient de la table derrière lui. Trois madames examinent des photos de feux d'artifice — ou d'éruptions de lave: c'est trop sombre, il distingue mal.

Autant réintégrer la gangue de mes cogitations. Il y a quelques années, parions que j'aurais plus facilement sympathisé avec Favreau... Avant la cinquantaine, lorsqu'on se veut (c'est le cas de Gilles) tout ensemble cancanier et circonspect, on recherche plutôt le commerce de personnes dont on est presque certain qu'elles sont semblables à soi. Ensuite, est-ce parce que la pratique de l'argutie finit par perdre de son charme ou est-ce parce qu'on a mieux cerné sa propre individualité, sa propre intimité? on se découvre petit à petit une connivence avec des êtres dont les opinions et la philosophie de vie n'ont strictement rien à voir avec les siennes. On devient sensible aux atmosphères, on est plus apte à déceler ce qui n'est que pacotille, pédantisme. Ou pichenette.

Je ne crois pas que cette évaluation infirme le jugement que j'ai porté sur Archambault fils. Je ne renie pas ce jugement, au contraire. Car ceux qui n'attendent rien du genre humain me fascineront longtemps encore. Et ce sera parmi les auteurs qui se complaisent dans la méchanceté, ceux dont la lutte avec leurs personnages se résout chaque fois en une damnation, ce sera parmi ces auteurs sans pitié qu'on recrutera les présidents de PEN Club les plus dévoués, les plus loyaux à la cause. Phrase à l'emporte-pièce, tranchante, coupante. (De la même façon, ce sont les agités quotidiens qui, au milieu d'une panique exceptionnelle, conservent le plus grand calme.) Quant aux auteurs si empressés à se vanter d'être attentifs aux souffrances des âmes, ils n'écoutent jamais un traître mot de ce que vous avez à leur dire. Malgré leur allure franciscaine, ils gardent les deux oreilles bouchées à l'émeri. Normal, ça aussi. Barman, mon verre est vide.

Dufresne se mire dans la glace moirée devant laquelle s'alignent les bouteilles de fines et de marcs. Dirons-nous que la ferveur goulue et le rictus désabusé se disputent les commissures de sa bouche...? Cancanier et circonspect, avons-nous noté plus haut. Ombrageux et fantasque, oui. Notre héros saisit une des pochettes d'allumettes qui parsèment le zinc où il est accoté. Recto: une Lolita nue étendue sur un canapé; verso: dans la même position, l'écorchée des manuels de biologie. Érotique? On peut se poser la question. Dufresne n'a guère le loisir de le faire puisqu'on le tire par la manche. Le gros chauve, amateur de mousse de bière, lui souffle sa mauvaise haleine dans la figure.

— En principe, vous vous y connaissez infiniment mieux qu'moi. Faut qu'j'file. Par conséquent, pas d'thèse, rien d'savant, juste une bonne réplique à placer dans la conversation: à votre avis, j'dois penser quoi de c'bouquin-là?

Il exhibe un gros volume à couverture bariolée dont le titre seul bloque au moins dix lignes. Gilles n'est plus capable de supporter les agressions de ce genre, plus capable du tout.

— Pourquoi me demander ça à moi?

— Ben, c'est vous qu'avez écrit l'fameux livre sur l'inceste? Y avait votr' photo dans l'journal de samedi.

— Vous vous trompez.

— Avec qui c'est que j'suis en train d'vous confondre, là?

Ergoterie de coq en pâte. Gilles n'adoptera probablement pas ce bar. Pas plus ici qu'ailleurs il n'y a moyen de trouver la sainte paix.

Walk-over. Le gros buveur de bière a gagné: vous lui avez abandonné le comptoir. L'air frais ravigote. Gilles tape dans ses mains, traverse la rue au pas de course, respire à fond. Le printemps dernier, plusieurs soirées de suite (était-ce à la suggestion de sa fille ou de Suzanne? il ne le sait plus), Gilles s'est livré dans ce parc à l'observation des engoulevents. Il a rassemblé ses notes dans deux calepins. Un phénomène en particulier l'a frappé: au bout d'un long piqué, l'engoulevent se redresse d'un coup sec (qui claque comme une badine) et, l'espace d'une demi-seconde, la demi-seconde du froufrou, on se demande s'il ne va pas se contenter de s'épousseter les ailes, suspendu ainsi entre ciel et terre. Lui-même paraît hésiter. Mais il a vite repris son vol et le manège recommence quelques dizaines, quelques centaines de mètres plus loin. Pour se livrer à pareil exercice, on imaginera que les passereaux ont les mêmes raisons que, par exemple, les enfants en patins à roulettes qui s'entraînent au dérapage contrôlé: l'exaltation pure! Dufresne préfère ignorer qu'il s'agit là d'une chasse. Un oiseau qui attrape des insectes, à son goût, ça manque de poésie. Encore ce bruit, ce froissement. En ce temps-ci de l'automne, ça m'étonnerait fort d'avoir affaire à un engoulevent. Ce doit n'être qu'un vulgaire pigeon qui s'ébroue sur une corniche.

À l'intersection, un travesti mal rasé récolte des aumônes. Pour s'acheter du make-up, avoue-t-il avec candeur. Je suis ouvert d'esprit, je lui donne un dollar en toute sérénité. De nouveau, le froissement d'ailes se fait entendre. Dufresne penche la tête en arrière. Tiens! une éclaircie. Quel est cet astre, là-bas, dans l'échappée de vue entre les gros cumulus marbrés de rose? Une planète? Jupiter? Mes crises de conscience actuelles risquent-elles d'avoir quelque influence sur l'orbite de Jupiter ou de Saturne? Prétentieux homme que je suis! C'est plutôt l'inverse, non? L'inverse? Reconnaissons donc une fois que les corps célestes se moquent éperdument des émois que nous éprouvons au spectacle des mouvements qu'ils offrent à nos regards.

Dufresne retrousse le col de sa veste. Le vent le pousse. S'élève alors une de ces bourrasques qui vous secouent la voûte sidérale comme un verger, laissant sur la crête des nuages de la poussière d'étoiles. Le travesti a la jupe collée aux fesses. Le cirque de la nature est bel et bien gratuit.

Xanthippe-la-Vadrouille est encore en train de jaspiner dans l'escalier. Dufresne n'avait pas sitôt emménagé dans l'immeuble qu'il rebaptisait du nom de l'épouse de Socrate la matronette concubine du propriétaire. Xanthippe-la-Vadrouille, Xanthippe-au-torchon. Le couple habite au rez-de-chaussée. Drôle de couple, oui; lui s'occupe de la collecte des loyers et de la causette avec les voisins; elle, elle n'arrête pas de pester, de s'égosiller sous prétexte que toute seule elle ne peut pas nettoyer, récurer, astiquer... Soupir.

— Bonsoir. Vous auriez pas aperçu mon mari dans les parages? Il devait promener le chien et il est toujours pas là.

— Pas vu, non.

— Fainéant qu'il est! dit-elle.

On s'éclipse. On monte deux étages en composant une litanie dans le style: j'ouvre la porte de l'appartement, j'abandonne ma serviette sur le fauteuil de l'entrée, je remets l'horloge à l'heure (la panne de ce matin a duré un bon bout de temps), j'enlève mes chaussures sans badaboum aucun, je me fais couler un bain, je... Au moment où on introduit la clé dans la serrure, le téléphone sonne, aïe! et on doit renoncer sur-le-champ au programme qu'on s'était tracé. Allô!

— Vous êtes madame Dufresne?

— Gilles Dufresne à l'appareil. Il n'y a pas de madame...

— Excusez-moi, j'avais cru entendre une voix féminine. Ici Pauline Breton.

— Je n'en suis pas rendu aux piqûres d'hormones ni aux... Comment ça va, Pauline?

— Suis-je censée aller si mal que ça?

La Breton est recherchiste pigiste — entre autres, pour une émission littéraire qui passe chaque semaine à la radio. Dans sa vie entière, Dufresne l'a rencontrée trois fois au grand total. Ah! oui, il l'a un tantinet pelotée lors d'un cocktail offert à l'occasion de la première d'une pièce de Gabriel Sullivan — mais il y a de ça un siècle au moins, et il avait bu. Si elle l'appelle aujourd'hui, ce n'est pas pour l'inviter à l'émission de radio. Elle est en rogne, la bécasse. Elle vient de terminer *Permettez que je déborde de mon texte* et... Misère! Vous publiez un roman dans lequel il y a un personnage de tarte au sucre (ou au sirop d'érable) et, c'est immanquable, vous trouvez toujours quelqu'un d'assez tarte, quelqu'un à qui vous n'aviez nullement pensé (qui partant n'a pas pu vous servir de modèle), vous trouvez toujours quelqu'un d'assez tarte pour se reconnaître dans ce personnage de tarte, quelqu'un qui exige d'être moralement dédommagé. Qu'une agace-pissette s'identifie à votre héroïne la plus sublime et vous embrasse les mains en public pour vous signifier sa gratitude, ça, ce serait trop beau: «Quelle grandeur d'âme vous m'avez conférée, ô maître, dans votre si admirable ouvrage! Merci!» Dufresne nie avoir voulu attaquer la Breton. La convainc-t-il? Manifestement pas.

La discussion risque même de s'éterniser.

— Vous parlez d'un argument! Comment vos lecteurs...?

— Je l'ignore, Pauline. Je ne suis pas à leur place. Et je ne fournis ni décodeur à berlues ni...

Gilles raccroche. Il patiente dix secondes, reprend le combiné, compose le numéro de Suzanne. Il faut qu'il lui raconte...

— Je n'ai que cinq minutes à te consacrer.

— Ça tombe bien. Moi aussi, je suis pressé.

Elle s'attendait à pareille réplique. Elle le connaît: il déteste être de reste. En fin de compte, il se limite à l'anecdote portant sur Linda, l'attachée de presse des éditions du Kiosque.

— Photocopier ses fesses? Ah! les mœurs montréalaises... Sodome a brûlé pour moins que ça, figure-toi. Achète un avertisseur d'incendie.

— On mange ensemble mercredi midi?

— D'accord.

— Chez Gingras? J'ai ma pipe à récupérer. Rappelle-moi, je te prie, de parler de Pauline Breton.

Et d'Hector Favreau...? Non, sûrement pas.

Y aurait-il meilleur apprêt pour les cervelles pochées refroidies de Picard et de Lafleur que de les découper en fines tranches et de les parer d'une vinaigrette moutarde? Dufresne n'y toucherait guère, pas même du bout des lèvres, mais avec quelle délectation n'en ferait-il pas manger aux rédacteurs en chef et aux directeurs de *Samedi Montréal* et de *l'Éclaireur*! La vengeance est un plat à servir en hors-d'œuvre aux Pilates de tout acabit. Doux Jésus... Reste le cas du papier que la Boismenu a fait paraître dans *Libre Examen*. Comme critique, elle parle avec une de ces autorités! Elle ne parle pas, elle tonne. On jurerait que pendant la rédaction de sa *Divine Comédie* Dante s'astreignait à la consulter chaque matin. J'exagère. En réalité, son assurance est beaucoup plus proche de celle dont se targuent les bricoleurs du dimanche: «Imbécile que tu es! Avant de vernir, il fallait appliquer la teinture!» D'ailleurs, son nom évoque la bricole, n'est-ce pas? Boismenu, Boismenu... Vlan! dans les ovaires... Ce qui la sauve, ce qui la rend presque inoffensive, c'est qu'elle n'a nullement le sens du ridicule. Elle me compare aux musiciens du métro. Je ne la ferai pas éliminer, ça n'en vaut pas la peine.

Mais, cette décision concernant la journaliste, Dufresne l'avait déjà prise hier — ou plutôt avant-hier, si on s'en souvient bien. Ajoutons que, même s'il faisait encadrer la photo de *Livres et disques* pour l'avoir constamment sous les yeux, il finirait par pardonner à Picard et Lafleur. Pourtant, c'est après s'être abîmé les sens à regarder cette fameuse page cinq (le gros pichet de bière, Yvan Lafleur et Ghislain Picard la gueule fendue jusqu'aux oreilles, celui-ci riant d'une méchante blague de l'autre, ou l'inverse, qu'importe, d'une méchante blague à mon propos, sans doute) qu'il a conçu le dessein du double meurtre. N'empêche que, je le répète, Gilles finirait par absoudre Lafleur et Picard. Il est comme vous et moi. Voilà précisément pourquoi il est obligé de se presser. Sinon, il se connaît, il va succomber à la clémence. Oui, il est comme vous, il est comme moi. À la longue, nous passons l'éponge. Les seules personnes envers lesquelles nous conservons quelque rancœur (du dépit, parfois) sont celles qui ont accepté nos confidences une nuit de détresse turbulente et d'alcools mal digérés. Ce sont celles qui nous ont vus au plus bas. Nous devrions reconnaître leurs prévenances; au contraire, nous leur en voulons de nous avoir laissés nous épancher sans réserve, nous qui savons parfaitement nous tenir d'habitude. Hélas! ni Lafleur ni Picard, son épigone, n'ont reçu les confidences de Dufresne. Je vous le certifie, il finirait par tout leur pardonner.

Gilles se dit que, dans un roman, il aurait toutes les peines à rendre vraisemblable un tel épisode. Qu'on y songe: un auteur a résolu de faire disparaître les deux critiques qu'il déteste le plus. Démentiel. Or, malgré pareilles réticences, on se fait encore une haute idée du romancier idéal. Supposons que le romancier idéal décrive un crime, eh bien! en refermant brusquement son livre, on sera éclaboussé de sang. Voilà ce que Dufresne se plaît à imaginer. Évidemment, le romancier idéal, ce n'est pas lui. Il n'a jamais eu de telles ambitions. C'est même la raison pour laquelle ses confrères le trouvent si sympathique: il est dépourvu d'ambition — au singulier comme au pluriel. Tout bien considéré, ses projets ont toujours été modestes. Jusqu'à maintenant: ce double meurtre, c'est l'exception... En outre, il fréquente peu les beaux esprits; à la tare d'être un lettré, il n'a pas envie d'adjoindre l'abjection, la perfidie; pas question, somme toute, de frayer avec les intellectuels. Supposons que le romancier idéal décrive un crime, on sera éclaboussé de sang... Au lieu de ça, et Dufresne le déplore, les mots ont perdu une grande partie de leur efficacité. Les mots, gris-gris à l'usage de snobinards... Seulement, nous oublions que dynamiter un pont ne crée pas une forte impression non plus. Nous nous sommes habitués à ça comme nous nous habituons à tout. S'ils avaient davantage été à l'écoute de leurs semblables, voilà longtemps que les terroristes s'en seraient rendu compte. Et les écrivains aussi.

Timoré hors série, geignard inné, pleurnicheur impénitent, Gilles n'a pourtant jamais osé se prendre en pitié deux heures d'affilée. S'agit-il des reliquats d'une éducation selon laquelle l'homme qui s'attendrit sur lui-même n'est qu'une pauvre lavette? Probablement. Toutefois, je suis convaincu que s'il consentait à passer une journée complète à se lamenter sur son sort, s'encourageant à haute voix, vas-y, vas-y, laisse-toi sombrer, enfonce-toi, je suis convaincu que ça lui ferait du bien. Il s'est trop retenu, ce garçon. Ce garçon? Dieu du ciel! il a cinquante ans. J'ai cinquante ans, oui. Dans des moments comme ceux-là, Gilles jalouse les idiots. Bien entendu, il fait erreur: les idiots ne sont pas capables de s'empêcher de penser, eux non plus. Ils sont idiots, point. Ce que Dufresne souhaiterait, ce serait plutôt la suppression de l'activité mentale pendant, mettons, vingt à trente minutes. Quand la bouilloire menace d'éclater, stop! on coupe le courant, on interrompt tout. Trente minutes, maximum. Surtout pas une semaine, encore moins un mois.

Il se rappelle la paralysie de sa mère. La vieille femme restait prostrée, attentive à rien de ce qu'on pouvait lui raconter, même pas attentive à son propre monologue intérieur devenu divagation, divagation permanente, ainsi que le présumait le fils assis à son chevet, le mauvais fils — mais qu'en savait-il au juste, celui-là? La voir dans cet état le soûlait de tristesse. Il avait conseillé à Isabelle d'espacer ses visites à l'hôpital: «Ça ne sert plus à rien de t'épuiser avec grand-maman, mon bébé.» Trente minutes, maximum. Je ne désire pas devenir gaga, allons! Le mieux à faire, c'est d'essayer un des numéros de téléphone que Favreau m'a donnés.

Zigzags de tête chercheuse. Cette image de l'inspiration en vaut bien une autre, se dit Dufresne en ce mardi matin, penché sur sa table de travail, le nez dans les feuillets qu'il a noircis hier à pareille heure — ou peu s'en faut. Et le paragraphe sur l'époque du collège lui apparaît à présent substantiel, tassé comme un café turc. Tant pis pour le je! Ils sont vivants, ces adolescents qui jouent au scrabble sous le haut-parleur principal, ils sont vivants! Ainsi, ce qu'il a rédigé hier matin, Gilles le juge aujourd'hui avec la bienveillance, avec l'étonnement espiègle du vieil auteur qui relit ses écrits de jeunesse. Il y avait quand même là d'assez jolies trouvailles... Pause. Tout bien réfléchi, murmure-t-il inopinément, je préfère encore continuer à me vouer aux gémonies!

Car existent en lui ces deux mouvements contradictoires de la satisfaction et du doute. Il se connaît, il sait que très bientôt une vague verte le happera, il sait que... Laissons-le pour l'instant savourer l'impression d'avoir formulé de l'impérissable... Cette impression nous est quelque peu familière: nous l'éprouvons après avoir trop trimé pour pouvoir honnêtement nous fier au sens commun. C'est cette excitation dont nous nous apercevons le lendemain qu'elle n'était que vanité et étourderie emmêlées, fausseté à quatre-vingt-dix pour cent. Eh bien! si je mets autant de persévérance à m'escrimer sur le clavier de ma machine, c'est aussi parce que je tiens à cette régulière et trompeuse bouffée d'orgueil. Que le diable emporte la toute proche désillusion! Il faut écrire comme si le texte à composer était la chose la plus importante au monde. Ne laisser place ni au scepticisme ni à la lassitude. Installer, le temps du brouillon, une sourdine aux tambours et aux trompettes du dénigrement. Sans quoi, si on est le moindrement sensible au ridicule de tout ça, on court droit au désastre.

Jadis, le sismographe dissimulé dans mon stylo me signalait quand l'autocritique risquait de se manifester avec force. Je choisissais ce moment pour me lever et changer de disque.

Martial Solal. *Bluesine.* Je glisse dans la pochette le *Sweet Return* de Freddie Hubbard qui m'a servi de musique de fond pour les conversations téléphoniques d'hier soir. Le premier numéro que m'a fourni le collectionneur ne correspond à rien. Ou alors je l'ai mal noté. Je suis tombé sur une corsetière. «L'atelier est fermé. La patronne est sortie avec son mari. Ils sont allés au cinéma.» J'ai fait le deuxième numéro. Une voix joviale m'a répondu. «Hector Favreau vient de m'appeler. Il m'a parlé de votre enquête. Dubreuil, Dumont, Duguay: il ne savait pas trop. Donc, vous êtes un monsieur Dufresne. Enchanté. Moi, c'est Masson. Robert Masson. Non, ce brave Favreau ne vous a pas induit en erreur, j'ai été mercenaire. Maintenant, je suis dresseur de chiens. Pourquoi ne pas passer par l'école un de ces...? On pourrait discuter en toute tranquillité. Et vous m'expliqueriez ce que vous espérez de moi.»

Gilles ira aujourd'hui même, aussitôt après le lunch. *Bluesine,* avons-nous dit. *Bluesine,* face B, là où Solal offre sa version de *'Round about Midnight.* Devant un roman terminé la veille, il est facile de confondre l'épuisement qu'on ressent avec la conviction d'avoir produit une œuvre majeure. Dufresne ne l'ignore pas. Facile. Très facile et très excusable. Et si, pendant la semaine qui suit, on constate que tout ce qu'on exprime, que tout ce qu'on tire de soi demeure atrocement superficiel (alors qu'il y a quelques jours à peine ces mêmes thèmes paraissaient profonds, d'inspiration mythique, etc.), c'est normal. Ce qui n'est pas normal, c'est que trois mois après la correction des épreuves ça dure encore et qu'on n'arrête pas de se plaindre: «Je manque d'énergie, je manque d'énergie...» Certes, Dufresne s'est beaucoup dépensé au cours de la rédaction de *Permettez que je déborde,* mais il ne s'est pas vidé... Bref, sa façon d'agir est déplacée. En a-t-il bien conscience? Oui, oui. Voilà sans doute pourquoi il a subitement décidé de magnifier le paragraphe composé sur les dimanches de parloir.

Le mot compensation ne serait pas inapproprié. Puisque *Permettez* a été démoli par la presse, ce sera mon prochain livre qui fera un malheur. Je me le représente déjà: le premier tiers ressemblera à un recueil de fragments; puis, petit à petit, chaque élément prendra sa position, créera son espace dans le récit et... L'attitude adoptée hier par Bilodeau m'a fouetté les sangs. Un ouvrage risque-t-il de mal se vendre? Comme tous les éditeurs, Bilodeau pique alors une colère contre l'auteur. Jamais il ne lui viendrait à l'esprit qu'il a une part de responsabilité dans cet échec. Lui, homme d'affaires négligent, publicitaire veule, marchand étriqué? Jamais de la vie! Basses insultes! Sornettes!

La dernière fois, non, l'avant-dernière, alors qu'il

attendait un chèque des éditions du Kiosque, Dufresne avait plutôt reçu une facture. Oh! une toute petite facture de rien du tout, mais une facture quand même. Apparemment, les invendus (des volées, des nuées de rossignols) s'étaient, entre deux inventaires, abattus sur les entrepôts et s'en étaient emparés. «C'est à regret que nous nous voyons dans l'obligation de vous réclamer les sommes qui vous ont été versées en trop à l'occasion du précédent relevé de droits d'auteur. Veuillez croire...» Comment contrôler pareilles allégations? Gilles avait déchiré la facture et Bilodeau, concédons-lui ce brin de tact, n'avait pas poussé l'outrecuidance jusqu'à revenir sur l'épisode. «Veuillez croire...» Vous parlez d'un acte de foi! Tiens-toi bien derrière ta secrétaire, très cher Bilodeau! Je vais te montrer. Mon prochain livre fera un malheur. Le succès en sera tel qu'il durera une décennie complète. On sera obligé d'élargir les rues où sont situées les grosses librairies de la ville, afin de faciliter la circulation des acheteurs. Plutôt comique, hein! pour un être dépourvu d'ambition! Sur le rebord de la fenêtre, deux moineaux l'observent, les pattes exagérément écartées. Cherchent-ils des insectes en ce temps-ci de l'année? Impossible. Gilles devrait leur émietter un peu de pain dans une soucoupe. Il téléphone au garage, prend rendez-vous lundi prochain pour la mise au point d'hiver. Imagine-toi, très cher Bilodeau, un papier tue-mouches aux dimensions du pont Champlain: eh bien! mes lecteurs y seront agglutinés, pâmés d'adoration et...

Changement de sujet. Avec la corsetière, il aurait peut-être été opportun de poser deux ou trois questions. Je gage que le mari amateur de cinéma est une vieille connaissance de Favreau. Bah! Dans moins de deux heures, je rencontre le dompteur.

Approchez, approchez. Ils jappent fort mais ils ne mordent que s'ils en reçoivent l'ordre. Ici, c'est la première chose qui, comment dire? c'est la première chose qui leur est inculquée. Logique. L'écrivain agite la main pour signifier qu'il n'a pas peur. Néanmoins, il préfère rester à proximité de la sortie.

—Je suppose que vous êtes Gilles Dufresne, crie le dresseur, toujours à l'autre bout du local.

— Oui.

— Robert Masson. Appelez-moi Robert. Je suis à vous dans une minute.

Parmi les élèves, Gilles remarque une grande blonde bâtie à chaux et à sable tenant en laisse le plus hideux bouledogue de toute la création. Quelles épaules elle a, cette fille! Épaules à musculature saillante, épaules de nageuse dont le découpé est visible même à travers le coton du sweatshirt. À côté, Masson a l'air d'une mauviette.

— Sois gentille, Maggie. Occupe-toi de la suite du cours. S'il y a un problème, je serai en haut.

— O.K.!

Tout s'explique. La blonde n'est pas une cliente de l'école. C'est une monitrice. Évidemment qu'elle peut se charger du cours: avec la charpente qu'elle a, elle est capable d'administrer un coup de pied (ou une raclée) à n'importe lequel de ces empotés qui se conduirait mal avec sa bête.

— On monte à l'étage.

—Je...

— Marchez derrière moi. Il n'y a aucun danger.
Les deux hommes traversent la salle au son de la
grogne et de la clabaude. Masson jubile. Loin de lui la
tentation de se moquer de son visiteur. C'est le concert
des abois qui le ravit de la sorte. Le voici dans son élément: il s'envole, il flotte, il est transfiguré. Dufresne ne
se décrispera qu'une fois rendu au milieu de l'escalier.
Là, il voudra faire l'intéressant, il essaiera de se racheter.
— Je constate que vous avez beaucoup de bouledogues. Il s'agit d'une spécialité ou vous les regroupez
parce que c'est plus commode pour l'entraînement?
— Ni l'un ni l'autre. C'est le hasard. Faut croire
que la plupart des propriétaires de bouledogues sont
libres le mardi après-midi. Pour répondre à votre question, on peut mettre ensemble plusieurs races différentes. En principe, ça ne dérange pas. C'est un peu plus
compliqué avec les maîtres...
Ce qui frappe en entrant, ce sont les stores diapha-
nes, accessoires peu pratiques, certes, mais ô combien
décoratifs. Les bras des fauteuils sont ornés d'appuis-
coude en taffetas. Et il y a un mur complet tapissé de
photos de Masson en treillis militaire, en survêtement
de gymnastique, en maillot de bain, etc. Les photos les
plus récentes le montrent en compagnie d'un éphèbe
aux cheveux gominés. Dufresne s'estime passablement
ouvert d'esprit: parmi les écrivains québécois, ses
meilleurs amis ont souvent été des homosexuels. Mais
jamais des homosexuels efféminés, non. Il fuit la
compagnie des tapettes, des tantouses. Il est plus borné
qu'il ne se l'avoue. Bref, il se sent mal à l'aise dans
l'appartement de Masson. Va-t-il devoir trinquer à sa
santé?
— Café?
— J'aime mieux ça.
— Quoi?

— Euh... Un café sera parfait.

—Je n'ai pas de digestif ni rien de... Ah! vous examinez mon jeu d'échecs. Je l'ai acheté à Kandy, au Ceylan. Je suis un joueur médiocre. Pourtant, je suis amateur de parties de qualité. J'ai lu tous les manuels et, quand j'assiste à des tournois, je me comporte en spectateur très attentif. Je suis même convaincu qu'il m'est arrivé, avec mon attitude concentrée, d'inspirer des coups astucieux aux adversaires attablés en face de moi. C'est comme pour la pêche à la ligne. Même si je n'attrape jamais un seul poisson, je peux écouter un adepte de la mouche sèche raconter ses exploits des heures durant. Je ne fais pas partie de l'aristocratie des joueurs d'échecs ni de l'aristocratie des pêcheurs à la mouche. Mais je ne me considère pas plus gauche qu'un autre, pas plus, comment dire? pas plus balourd. Et puis, à la chasse, je ne suis pas si vilain. Tu ne manies pas les armes quinze ans de ta vie sans qu'il t'en reste quelque chose, hein?

Masson est à la fois d'une totale spontanéité et d'une courtoisie absolue. Tellement difficile à réussir, cette combinaison! Gilles s'est détendu. Que l'autre soit pédéraste ne le gêne plus guère.

Il me fait penser à Archambault fils, lui aussi.

— Excellent café, Robert!

— C'est en Argentine que j'ai appris à le faire.

— J'ai visité plusieurs pays d'Amérique latine il y a trente ans. Un voyage de fou. Je n'y suis pas retourné.

— Le continent que je connais le moins, c'est l'Europe... Sucre?

— Merci. Vraiment délicieux.

— Qu'il soit bon, c'est l'essentiel: chaque jour, il se boit dans cette pièce autant de café qu'à une réunion des A.A. Et j'ai réduit ma consommation quotidienne à quinze tasses. Les palpitations, la tachycardie... C'est bizarre, j'ai besoin de mes quinze cafés pour rester d'humeur égale avec les chiens. J'en ai besoin pour garder ma patience. Mais je vous ennuie, là...

N'empêche qu'il parle encore pendant une dizaine de minutes. Admirable bavard! Dufresne l'observe, immobile. Ensuite, c'est à son tour d'exposer le but de sa visite. Aura-t-on droit à un long plan du visage du romancier, plan cadré dans l'optique de Masson, à quelques degrés près? Laissons ce cinéma à d'autres. De toute façon, en trente secondes, Dufresne en a dit assez pour être parfaitement compris. Si on ne saisit pas très vite à demi-mot, autant se retirer de ce genre d'affaires. Le dompteur se caresse les joues, démêle les poils d'une barbe imaginaire.

— Un autre café? Et, selon vous, Favreau ne se doute de rien? Au fond, ça n'a pas d'importance. Je vois ce qu'il vous faut. Je suis en mesure de... Bon, je peux vous dénicher quelqu'un de qualifié. Mais ça risque de vous coûter une beurrée, par exemple. Moi, je ne touche plus à rien. Je suis trop vieux. Je n'ai plus les nerfs assez solides pour être mêlé à... Enfin... Je vous donne un numéro de téléphone et...

— Encore un numéro de téléphone!

— C'est la seule façon de procéder. Vous demanderez Mario. Il a une voix jeune...

— Mario.

— Si vous êtes venu ici aujourd'hui, c'est parce que vous aviez l'intention de vous acheter un chien. Comme de raison, vous vouliez vous renseigner sur le prix d'un bon dressage... Et, entre nous, l'histoire du reportage sur les anciens mercenaires, ça laisse à désirer. Quand vous m'en avez parlé au téléphone, franchement, je ne vous ai pas cru. Sauf que je suis d'un naturel curieux...

Bien que le feu soit rouge, si on fait son signe de croix sur le trottoir, on peut plonger entre les véhicules sans risquer d'être écrasé. Dufresne coupe la rue en diagonale. La circulation est clairsemée. Reliefs frugaux dans le frigo. Il lui tardait de rentrer.

Planté dans le vestibule depuis (vous l'imaginez sans peine) le début de l'après-midi, avec en outre l'haleine rance de l'alcoolique qui n'a pas bu sa dose (ah! cette intimité répugnante: il bêlait ses explications à six pouces du nez: vous auriez pu dénombrer les empreintes de doigts qui maculaient ses lunettes), le propriétaire vous a remis une lettre ayant, erreur du facteur, abouti au rez-de-chaussée. Dieu du ciel! une invitation à la conférence de Picard sur le film noir. Vos surrénales sont immédiatement entrées en éruption. Et vous avez senti la lave de l'adrénaline se déverser dans votre corps, jusqu'à vous picoter le bout des doigts, des orteils, la racine des cheveux. Venue contrôler ce que fabriquait son paresseux de mari, Xanthippe-au-Torchon est restée pantoise devant la bobine que vous faisiez.

— Mauvaises nouvelles...? Vous allez transformer l'enveloppe en papier mâché.

— Ne vous inquiétez pas pour moi.

Aussitôt, Gilles a disparu dans l'escalier.

Un demi-pamplemousse, un morceau de pain, quelques tranches de jambon, une pomme. Assis dans son fauteuil de lecture, il commence juste à perdre un peu de son effervescence et à maîtriser son agitation.

«J'ai dû prendre le démon par les cornes pour l'empêcher de répandre autour de moi le bouillon de sa bave.»
Il ricane. Il n'aurait aucun mal, constatons-le, à parodier
le style biblique adopté par plusieurs de ses contemporains, auteurs à la mode pour la plupart. Piètre
consolation. Et brûle dans le grand cendrier l'enveloppe humide qu'il a pétrie, malaxée, déchirée en mille
morceaux.

— Mario est là?

— Minute, je vérifie, répond la voix, une de ces voix
rauques comme en ont dans les séries américaines
doublées couci-couça les poids lourds recyclés dans le
gangstérisme.

L'affreux cliché, quoi! D'après les bruits qu'il
entend, Gilles déduit qu'il est tombé sur un débit de
boissons. Ou sur une salle de billard. Trente secondes
s'écoulent. À l'autre bout du fil, des verres s'entre-
choquent. Ne serait-ce pas plutôt le brouhaha des
clients entamant une partie de dés à même le zinc du
comptoir? Allez savoir où le champion poids lourd a pu
poser le récepteur!

— À qui vous désirez parler?

— Mario, s'il vous plaît.

— C'est moi.

Après le boxeur à la retraite, voici maintenant le
castrat enrhumé. Une voix jeune, avait dit Masson.

— Ah! c'est vous? Euh... Très bien. Un de vos amis,
celui qui aime beaucoup les chiens, m'a recommandé
de...

— Je suis déjà au courant. Donnez pas de noms.
Surtout pas le vôtre.

— La ligne n'est pas sûre?

— Irréprochable. Sauf que vaut mieux en connaître le moins possible sur les uns et sur les autres. C'est
à l'avantage de tout le monde.

—Je comprends.

—Vous avez du travail à confier à...?

—Exactement. Je...

—Je peux vous mettre en rapport avec un expert.

—Ce n'est pas vous qui...?

—Appelez jeudi soir. Même heure, même poste. Demandez Yvon. C'est lui, le vrai spécialiste de la question.

Dufresne insiste. Attendre encore deux jours? Dur pour les nerfs, très dur. Éprouvant. Il risque de craquer, lui. Il n'a pas l'ambition de décrocher la médaille du meilleur poireau de Montréal, si vous saisissez ce que... Mais, en s'obstinant de la sorte, il doit veiller à ne pas anéantir le peu de crédibilité qu'il a réussi à gagner auprès de l'homme au téléphone.

— O.K., lance le castrat en croquant un bonbon — sans doute une pastille contre la toux. Demain, à la même heure. Même heure, même numéro. Même heure précise, j'insiste. Demain.

— Je vous remercie... Pensez-vous que ça va hausser les prix?

— Y a des inconvénients à tout!

L'autre éclate de rire et raccroche. Soigne ta laryngite, mon garçon.

Content? Dans le miroir de la salle de bains, Dufresne apostrophe son double. Son doudouble. Alors, tu as osé...? Tu peux encore rebrousser chemin, remarque. Car tout ce battage, tout ce baratin à propos des journalistes de *Samedi Montréal* et de *l'Éclaireur*, ce n'est pas sérieux, conviens-en, c'est du bluff. D'un moment à l'autre, tu vas reculer. Tu veux seulement voir jusqu'où tu auras l'aplomb de conduire cette intrigue. Et je t'approuve. Mais, rassure-moi, tu t'arrangeras d'un simulacre, tu t'accommoderas d'une caricature de mise à mort? Tu ne feras exécuter personne, n'est-ce pas?

Il grimace, marmonne une série de jurons. Se palpe la nuque, ébouriffe sa chevelure. Gilles Dufresne était pourtant un homme bon, un homme intègre: c'est ce qu'on dira de toi. Quand un monstre d'égoïsme s'avisait de te reprocher quelques vétilles, tu poussais la générosité jusqu'à accepter le blâme. Tu te repentais publiquement. Et ce serait le même homme qui ces jours derniers aurait conçu le projet de faire assassiner deux gratte-papier, deux minables? Laissez-moi rire! Il touche son front, son cœur, son ventre, frappe plusieurs fois sa poitrine.

Voilà comment tu te comportais quand tu avais commis une faute. «Excusez-moi, je vous en prie. Pardonnez-moi, je suis coupable.» Toi qui lentement es en train de devenir un autre personnage, te voici à singer tes anciennes attitudes, tes tics d'antan. Tu parles de ta conscience, tu montres ton cœur. En réalité, c'est ton double, celui qui est emprisonné derrière le miroir, c'est lui qui montre son cœur. Le cœur! Ah! c'est donc là qu'elle se situe, la conscience, c'est donc là qu'elle réside! Tu saisis mieux maintenant pourquoi le remords s'est toujours manifesté chez toi par des bouffées de chaleur.

Comme depuis trente ans Dufresne s'est appliqué à mener une existence tranquille et rangée, il est le premier étonné que, dans la folie meurtrière, dans les chimères sanglantes dont il s'offre le luxe par le temps qui court, il est étonné de ne pas faire preuve malgré tout de plus de précaution, d'une certaine retenue. Lui d'ordinaire si circonspect... C'est absurde: d'ailleurs, il n'a soufflé mot de rien à Suzanne: pas si mal pour quelqu'un qui aurait perdu les pédales. Suzanne. La tête qu'elle ferait! Il tousse, crache dans le lavabo des mucosités, un peu de glaire, ouvre les robinets, rince la surface émaillée, s'humecte les paupières.

Et si je me rendais à la conférence de Picard...? Certes, j'ai décidé de faire descendre ce bonnet blanc de blanc-bec, mais ça ne me transforme pas automatiquement en une espèce de butor; je reste quelqu'un de correct, de poli. J'irais, par exemple, le rencontrer dans la coulisse, je lui serrerais la main: «Nous sommes des êtres raisonnables, nous sommes des adultes. Nos rapports ont toujours été civilisés. Même si je vous en veux, mon cher Ghislain, ce n'est pas pour une malheureuse critique que je...» Non, je serais incapable d'une telle autorité sur moi-même. Cette fois-ci, lui et Lafleur sont allés trop loin. Ils ont délibérément cherché à me briser, à me détruire. Ça, je le crierais à la face de ce morveux de Picard. Je l'insulterais, je lui sauterais à la gorge. Pourquoi me compromettre aussi stupidement? Autant réserver deux places au théâtre ou au concert et laisser agir mon tueur.

D ufresne se distrait un moment à feuilleter le manuscrit policier que Mme *G* lui a remis hier. Il ne se fatiguera pas les yeux là-dessus — du moins, pas cette semaine.

Les écrivains ont parfois recours à de drôles de trucs pour vérifier si leur texte a été lu en totalité: intervertir les derniers chapitres, répéter quelques feuillets, etc. L'auteur du gros roman policier a tout bêtement laissé blanches les pages, une demi-douzaine, précédant l'épilogue. Aux éditions du Kiosque, on a une manière très simple de réagir à ces tours. Dans une lettre succincte signalant l'anicroche, on prie la personne de bien vouloir soumettre le plus rapidement possible un manuscrit corrigé, «à la suite de quoi nous procéderons, comme vous le souhaitez, à une évaluation de l'ensemble». C'est Gilles qui leur a conseillé de s'y prendre ainsi. Pour une fois qu'une de ses suggestions est retenue par Bilodeau!

Téléphone de Pauline Breton, la recherchiste dont, paraît-il, j'ai déjà tâté les rondeurs. Elle s'est beaucoup radoucie. Du reste, elle ne fait aucune allusion à sa petite crise d'hier soir.

— J'aimerais que vous veniez parler de votre livre à l'émission d'Élise Lussier. L'interview aurait lieu demain après-midi.

— Puisque vous... Demain? Un des participants a dû vous faire faux bond, hein?

— Pas du tout. L'animatrice préfère que les invités n'aient pas trop préparé leur affaire. C'est plus spontané et ça...

— D'accord. À quelle heure?

— Deux heures. Et c'est toujours dans le même studio. Vous prenez l'entrée principale, vous vous dirigez du côté des...

— Je connais.

— Alors, on dit demain, quatorze heures? Rappelez-moi si...

Silence. Cherche-t-elle une phrase de politesse avant de mettre fin à la communication? Si c'est le cas, elle n'en trouve pas. Manifestement, il y a encore des endroits où on considère que j'ai des choses à dire. À l'ouvrage, à l'ouvrage! C'est un ordre.

Essayons de faire un bout d'écriture.

Pour la procédure de divorce, Gilles s'en souvient, il avait pris rendez-vous avec un avocat d'origine portugaise recommandé par Gabriel Sullivan et, pendant les trois quarts d'heure qu'avait duré leur rencontre, l'avocat, au lieu d'écouter son client, avait parlé de ses propres problèmes matrimoniaux. Dufresne était sorti du bureau absolument furieux. Il avait téléphoné à Sullivan qui lui avait presque ri au nez.

— Pourquoi ce serait plus choquant que ce que tu fais, toi, quand tu profites d'un paragraphe ou deux pour apaiser les tiraillements de ton âme, au détriment de l'histoire à raconter, au détriment de l'histoire promise au lecteur?

Facile comme critique... En réalité, les auteurs qui ont de la méthode profitent de leurs échecs intimes pour composer, le cas échéant, une tirade sur le thème de la fin du monde et de l'apocalypse. Anéantir la planète entière au moyen de trois ou quatre feuilles de papier bien barbouillées, voilà qui d'ordinaire les tire de la déprime, ces auteurs, voilà qui les requinque. Bravo, bravo! Or, quand Gilles, lui, se sent malheureux, il constate que c'est d'une façon bébête — pas du tout comme ces grands artistes qui parviennent à faire du beau avec leur maussaderie. Ce matin, il a voulu s'illusionner. Lui, best-seller! Allons, ce n'était qu'un étourdissement. Apprenant que Dufresne a de telles pensées, Sullivan se taperait sur les cuisses, c'est sûr. Ces grands artistes, ces génies... Il faut vivre une expérience très intense de création pour énoncer que je est un autre — ou n'importe quel aphorisme dans ce ton-là. C'est l'évidence.

Oui, le mot auteur renferme déjà le mot autre, mais cette anagramme boiteuse constitue justement l'alibi de tous les littérateurs du dimanche.

Dufresne se frotte les sourcils, arrache quelques poils. S'il se décidait à mettre de l'ordre dans ses idées sur l'écriture, peut-être réunirait-il assez de matière pour un article dans une revue à petit tirage. Il hausse les épaules. Encore une réflexion susceptible d'alimenter la gouaillerie de Sullivan! Est-ce le café bu chez le dompteur de chiens qui lui donne ces palpitations?

Les hommes (et c'est un flash que Gilles intégrera à la scène du parloir) se divisent en deux catégories: ceux qui, une fois résorbées les tensions de l'adolescence, réussissent à se réconcilier avec leurs pères; ceux pour lesquels l'antagonisme ne prend fin que sur la tombe du plus âgé des deux combattants. Notre héros, avons-nous besoin de le dire, appartient à la seconde catégorie.

Je ne suis pas capable de cette nostalgie végétative, sans objet précis, qui pousse à écrire de la poésie plutôt que de la prose. Dès qu'un souvenir se pointe, il arrive avec une fiche signalétique à peu près complète. Ainsi, mon départ pour le pensionnat et le renoncement que cela a exigé: il me fallait laisser mes amis, mes jeux — et, dans pareil contexte, les adieux au chien sont souvent plus douloureux que les adieux au père. Sullivan (encore lui) cherche un collège privé pour son rejeton. Il ne m'a toutefois pas dit s'il souhaitait ou non le mettre en internat. Quel est son nom déjà? Maurice, il me semble. Au physique, l'héritier de Sullivan me rappelle un peu Julien Nantel, ce camarade de collège disparu voilà une dizaine d'années, peut-être même davantage. À mon quarantième anniversaire, théoriquement au mitan de ma vie (je triche un brin avec la statistique), j'ai fait le compte: presque les deux cinquièmes de ceux qui étaient dans ma classe au début du cours classique sont morts. Les deux cinquièmes, c'est énorme!

Juju Nantel était gros, gras, poussif, rougeaud et tellement boutonneux que sa figure avait l'aspect de la viande hachée de piètre qualité, celle-là même qui entrait dans la composition de la majorité des plats qu'on nous servait à la cafétéria. (Au réfectoire, disions-nous.) Et il était d'une lenteur! Quand c'était lui, tout pantelant, le suif poisseux, qui courait les balles pour les prêtres qui jouaient au tennis, la partie pouvait durer des heures. Je charge? C'est possible, mais je ne caricature pas. Je charge, oui. Je charge d'émotion. J'aimais bien Nantel. Fils d'un oculiste établi à Outremont, il était malheureux parce que tout seul de riche dans un collège fréquenté à peu près exclusivement par des garçons issus de familles modestes. Il enviait notre sort. Il était malheureux. Et fréquemment triste. Après avoir bavardé avec lui, nous éprouvions une obscure culpabilité, nous qui avions le privilège insigne d'être nés dans la pauvreté. C'est un peu grâce à lui si, soucieux de mes aises, j'ai néanmoins conservé beaucoup de circonspection vis-à-vis des biens matériels. Isabelle, qui est pourtant semblable à moi, me l'a assez reproché... Toujours est-il que Nantel est devenu notaire et qu'il est mort d'un cancer du foie.

«Demain, onze heures, au crématorium.» Voilà ce qu'on lui avait répondu quand, après avoir consulté la notice nécrologique du journal, Dufresne s'était enquis auprès des pompes funèbres de la meilleure façon de rendre hommage à son ancien camarade. Et il était arrivé à la grille du cimetière avec dix minutes de retard. «La cérémonie est terminée, monsieur. Les cendres sont rendues à l'édifice principal.» Dufresne s'était précipité à l'endroit indiqué. «Vous n'avez pas de veine, avait glapi avec un fort accent haïtien l'employé de la réception. Les proches viennent de partir en direction de la tombe. Aïe! c'est pas mal compliqué à trouver. Il faudrait vous dessiner un plan. À moins que... Écoutez, le cortège que vous avez vu devant la porte va dans la section *S*, à côté du lot Nantel. Suivez-le. Il part à l'instant. En haut, vous demanderez au chauffeur de vous montrer.» Mais déjà Gilles était dehors, au pied des marches. Coup d'œil au corbillard. Le défunt est une défunte et s'appelle Henriette. C'est écrit sur les couronnes de fleurs. Certaines personnes du convoi me toisent comme si j'avais été l'amant secret de la bonne Henriette. J'espère qu'elle n'avait pas cent ans. Suis-je l'amant secret ou l'enfant illégitime? Les parents m'offriront-ils leurs condoléances? Dieu merci! nous voici arrivés à la section *S*. J'en profite pour m'esquiver. Je prends la tangente, contourne les monuments, enjambe les buttes de terre fraîchement remuées, traverse une première allée, une deuxième, une troisième (qui est probablement la même que tout à l'heure), bifurque, virevolte... Rien. Nulle trace du groupe. Tant pis. Je rebrousse chemin et je rentre à la maison. Fondu enchaîné.

À partir de la mésaventure du cimetière, Gilles avait écrit une courte nouvelle, *les Obsèques ratées*, nouvelle loufoque qu'un magazine avait tout de suite publiée et qui, si on se fie le moindrement aux réactions, avait remporté un succès appréciable auprès d'un public plus jeune que son public habituel.

Sensiblement plus jeune.

Il avait changé les noms et tâché de ne pas inventer de détails pittoresques susceptibles d'enjoliver le tableau. Telle était la vie: Nantel avait été un des rares parmi les anciens du collège à lui déclarer qu'il prenait plaisir à lire ses livres; mort, cet ami faisait cadeau à Dufresne de l'inspiration lui permettant d'écrire un de ses meilleurs récits, une anecdote macabre et trépidante dont le traitement évoquait autant le slapstick que la comédie de mœurs. Telle est la vie... Petite vie, sacrement, viatique.

Dufresne pose son crayon sur le bureau. Il suffit que je me creuse la tête pour que rien ne fonctionne. Fiasco. Maudit café! Ce qu'il faut savoir, je le sais. Pareille assertion est aventurée, non...? Eh bien! je la répète. Ce qu'il faut savoir, je le sais. Mon problème est que j'ignore ce qu'il faut ignorer et ça entrave la réalisation de presque tout ce que j'entreprends comme écrivain. Ah! recouvrer la puissance de travail qui était la mienne entre vingt-cinq et trente-cinq ans! Troublant de constater que ça correspond à la période où la sexualité s'exprime de la manière la plus impérative — la plus intempestive aussi. Quelle chance qu'on bénéficie alors d'une bonne puissance de travail parce que c'est un âge où on doit trimer dur sur ses textes pour qu'ils ne soient pas exclusivement autobiographiques et pour qu'ils restent déroutants. Oui, recouvrer cette ivresse que procure la fatigue extrême. Maintenant, je ne réussis plus qu'à me sentir morne et courbatu...

J'accepte de me compromettre. Demain, en interview, je révèle à Élise Lussier toutes mes angoisses sans exception aucune. Et j'apporte mes brouillons.

F umer lui ferait peut-être du bien. Mais il n'a pas encore récupéré sa pipe favorite. Boire un verre? Mmm... Après avoir approché le pouf du gros fauteuil, Dufresne allume son poste. Pendant le téléjournal de dix-huit heures, il lui arrive souvent de dormir par à-coups, moins à cause de la lassitude que lui inspirent les dissensions planétaires que du ballonnement de son ventre vide. On pourrait employer le mot flatulence, qui conviendrait parfaitement; l'autre terme médical pour désigner cette incommodité est météorisme, ce qui est cocasse, avouez, étant donné qu'on vient précisément de faire allusion aux capricieuses atmosphères terrestres. De là à ce que Dufresne confonde parfois les zones perturbées du globe avec les régions vulnérables de son abdomen... À l'époque où il se permettait un ou deux apéritifs, il avait, à la tombée du soir, l'esprit davantage en alerte. Voilà ce qu'il se dit. Mais, pour être franc, il ne se rappelle pas bien.

À la tombée du soir...? Qu'est-ce qu'on vous chante là? Ce n'est pas le téléjournal de dix-huit heures que Gilles est en train de regarder, mais celui de vingt-deux heures. Il a sauté un repas. Ses tripes peuvent bien crier famine. Il n'a pas vu le temps passer. Faut-il que les événements des derniers jours l'aient chamboulé! Il n'en revient pas lui-même: je rentre, je grignote un peu, je fais quelques téléphones, je m'installe pour écrire; et quand je décide de tout ranger, voici qu'il est déjà dix heures. Je suis vanné, moulu. J'ai les mains si fatiguées que... Oh! que je suis mal élevé!

Il sourit. Voilà une réplique inventée par Isabelle, un mot d'enfant. Elle avait quatre ans et Céline, qui tenait mordicus à en faire une petite fille modèle, la bassinait avec ses remontrances et son acrimonie. «Mais, maman, j'ai les mains trop fatiguées pour me couvrir la bouche chaque fois que je bâille.» Il déboucle sa ceinture, croise les doigts à la hauteur du nombril. Qu'astéroïdes, météores et autres étoiles filantes embrasent les venelles de ses intestins!

Gilles a les larmes aux yeux. Il est toujours bouleversé quand il voit des gymnastes évoluer au petit écran. Cela le touche, la sueur propre, les corps gracieux...

Hélas! quel contraste dès qu'on s'avise d'observer les faciès avec les pommettes crispées, les dents serrées, les ganaches de guingois, les badigoinces circonflexes. Farouche, cette détermination, farouche. Une partie de l'émotion que Gilles ressent vient de cette antithèse. Ensuite, on remarquera que son attention est souvent distraite car, en même temps que se déroule le spectacle des gymnastes, notre auteur griffonne des bouts de phrases sur son bloc-notes. Par conséquent, l'émotion arrive sans avertir et se manifeste avec d'autant plus de force qu'elle profite d'un moment creux — par exemple, quand Gilles lève la tête pour détacher un feuillet.

À l'autre chaîne, c'est un film sous-titré dont la moitié se passe au cours d'une tempête de neige. Blanc sur blanc: de quoi avoir les prunelles au vif. Sans compter que le bruitage n'est pas du tout synchrone avec les gestes des acteurs. J'aime mieux mes gymnastes. Et Gilles continue de consigner ses idées, de mettre sur papier le matériau de la séance d'écriture de demain matin.

Variations autour de ma rencontre avec Hector Favreau. J'ai sans doute de quoi composer une dizaine de pages. J'imagine une première scène, qui a lieu quelque part au début des années quatre-vingt, à l'époque où le collectionneur n'avait pas encore résolu d'aller vivre dans une maison de retraite. Il prenait grand plaisir alors à régler le réveille-matin de façon à pouvoir observer la lente montée de l'aurore. La sonnerie s'étant fait entendre, il tirait la cordelette du rideau et demeurait quelques minutes assis dans son lit (à l'occasion, plus longtemps), admirant les lueurs rosées à l'horizon. Maintenant que la programmation télé commence très tôt, Favreau jette-t-il un seul regard dehors quand il se lève? C'est rare. Il préfère enfiler ses pantoufles et s'installer devant l'appareil. Or, aucun soleil n'est encore sorti de l'écran. Deuxième scène. Pendant l'émission de culture physique avec les deux Françaises un tantinet cochonnes, tout le monde s'applique. On voit les têtes blanches bouger en cadence — et à peu près simultanément. Puis, l'infirmier change de réseau et c'est l'émission avec l'Américaine, beaucoup plus jolie, selon moi, beaucoup mieux galbée que les deux Françaises, mais excessivement pudique dans ses mouvements: du coup, la plupart des petits vieux s'endorment dans leurs fauteuils. (Ronflements en canon dans le grand salon de la maison de retraite.) Troisième scène. Le voisin de Favreau est victime d'une attaque et...

Non, non. Dufresne a toujours eu pour principe qu'il valait mieux s'abstenir de dépeindre l'agonie avec trop de détails. Il y a de la superstition là-dedans. La mort pourrait, craint-il, juger les descriptions circonstanciées ni plus ni moins que comme une invite à procéder avec lui de la même manière (et au plus sacrant), comme un souhait d'auteur, en quelque sorte. Frémissement de la paupière et de la joue. Ça y est! j'ai le côté droit de la figure qui bégaie. Gilles mime l'exaspération, fait comme s'il pointait un revolver contre sa tempe. Pour réprimer un tic nerveux, existe-t-il un meilleur traitement? Apparaissent les douleurs au dos, et l'empan est trop court pour masser l'endroit sensible. C'est insupportable. Je me couche. J'essaie de rester immobile, immobile comme les reptiles que j'ai vus dans le reportage diffusé entre les nouvelles et les épreuves de gymnastique. La crise dure un quart d'heure. Je ne cherche pas à me détendre parce que je risquerais de remuer. Et si je remue, je le sais, j'aurai encore plus mal.

Accalmie. Il se lève, avale deux comprimés. Le flacon est vide. Aussitôt qu'on a fini de prendre un médicament, il faut jeter la bouteille, geste fétiche par lequel on apostrophe la maladie sur un ton catégorique: «Tu m'as quitté, maudite. Tu ne reviendras plus jamais!» Il se recouche. Son sommeil est entrecoupé de rêves brutaux. Le vent fait vibrer les lamelles du store. Il aurait bien dû fermer la fenêtre. Il se redresse, se cale dans les trois oreillers empilés. Il y a des jours où on meurt facilement; d'autres où cela ne convient pas du tout. L'ennui, c'est qu'on n'a guère le loisir de choisir.

L'exercice mental auquel Gilles se livre est trop ondoyant pour être considéré comme une réflexion. Localisé sur un des théâtres les plus colorés de la conscience (il s'agit d'un cirque, quoi!), cet exercice s'apparente davantage à la jonglerie qu'à la méditation systématique. Ainsi, il y a des jours où on meurt plus facilement que d'autres. Un auteur rend l'âme. Si depuis dix ans cet auteur n'a rien publié d'intéressant, on se dit: «Bah! ce ne sera pas une grosse perte!» Poussé un peu, on se réjouirait d'être débarrassé d'un être improductif. Allez, hop! hors d'état de nuire. Chère humanité! En revanche, on est inconsolable quand un écrivain a été fauché en pleine gloire. J'espère, moi, que j'aurai le bon goût de mourir dans une période assez tranquille (je veux parler de l'actualité), surtout pas la même semaine que telle star de cinéma ou, pire, telle vedette du sport: ces célébrités accaparent tout l'espace des journaux. Je tiens à ce que la presse (je le mérite, non?) me consacre plus qu'un entrefilet. En outre, j'ai veillé à ne pas faire de style en rédigeant mon testament. Je n'ai pas envie de provoquer des réactions dans le ton: «S'il avait écrit ses œuvres avec ce subtil souci de l'effet, ah! le fraternel génie dont nous pleurerions la perte!»

Je mourrai une année impaire et bissextile, subitement, non pas comme ma mère, paralytique et gaga. Je mourrai une année impaire et bissextile, aux calendes

de la Saint-Glinglin... Je ne suis pas un minable, madame
Lussier. C'est ce que je dirai demain en interview. Je ne
suis pas un minable. J'ai déjà quelques belles névroses à
mon actif. Malheureusement, mon cas a toujours été
trop banal pour que je m'adresse aux psychanalystes
réputés. (Les psychanalystes qui ne sont pas réputés ne
servent à rien puisqu'on ne peut même pas citer leurs
noms dans les conversations mondaines.) Évidemment,
si je fais abattre Lafleur et Picard, là, je change de catégorie, je deviens un fou criminel et les plus illustres
cerveaux se penchent sur l'évolution de mon dossier.
Mais nous n'en sommes pas là. J'ignore même si je vais
laisser des aveux, une confession. Ce serait pourtant
amusant, dans un demi-siècle, de découvrir le vrai visage
de Gilles Dufresne.

J'entends des cris dans la ruelle. Ces dernières
années, on a ouvert dans les environs un nombre considérable de restaurants et de bars. Le quartier fait
maintenant partie des secteurs les plus achalandés de la
ville. Odeurs de graillon, pénurie d'espace pour les voitures, chansons à boire braillées entre quatre et cinq
heures du matin... Le seul avantage: les éboueurs passent tous les jours. Si vous assassinez deux ou trois
critiques littéraires, leurs cadavres en morceaux ne
pourriront pas dans des sacs verts.

Guillemets ouverts à la française et fermés à l'anglaise. Le métier de typographe se perd, n'épiloguons
pas là-dessus. La phrase citée se trouve en exergue à un
article du magazine que Gilles feuillette en prenant son
petit déjeuner. Croissants rassis, confitures de prunes.

Elle est de Jean Cocteau, le poète acrobate, le crépu sculpteur — et elle a trait à l'intelligence. Cocteau se juge plus intuitif que brillant. En des termes choisis et entre des guillemets torves, Cocteau déplore que les gens s'attendent la plupart du temps à ce qu'il fasse partout des étincelles. Comme pour moi! s'écrie notre héros. Dufresne s'estime toutefois plus spirituel que clairvoyant, plus malicieux que perspicace. Ce mérite qu'il s'octroie, cette prétention! Cocteau doit en trépigner d'agacement. À force de se retourner dans sa tombe, celui-là, je ne serais pas surpris qu'il soit aussi plat qu'un crêpe...

Examinant une photo tirée du magazine, il constate que Saul Bellow se sert de la même marque de machine à écrire que lui. Cela suffit-il pour faire de Dufresne l'égal d'un prix Nobel? Cocteau, Bellow et, trois pages plus loin, Borges. La cécité de Borges. Voilà, disent les imbéciles, ce qui arrive quand on a toujours le nez dans les livres. On devient aveugle, tiens! Par ailleurs, si on essaie d'imiter Péguy, si on s'attaque à des phrases qui exigent plus de souffle qu'on n'en a, on finit emphysémateux, c'est connu. À chacun son sottisier intime, son florilège d'âneries.

Dufresne verse le café froid dans l'évier, rince sa tasse, s'essuie les mains. La cuisine ne l'inspirant plus, il déménage dans le bureau, s'assoit sur la chaise du visiteur, soupire bruyamment. Mauvaise tactique: Péguy, Borges, Bellow, Cocteau sont là dans la bibliothèque, ils sont tous là à le narguer, facétieux, goguenards, funestes. Ils sont légion et sont redoutables. Allons, allons, on se calme. Prendre prétexte du trop grand nombre de livres à lire pour cesser d'écrire, c'est trivial, c'est absurde.

N'empêche que Gilles a repoussé bloc-notes et stylo feutre. Debout, il inspecte les rayons: section française, cette littérature étrangère pourtant rédigée (à quelques nuances près) dans sa langue maternelle; section américaine, ses auteurs préférés; section québécoise, celle qui représente certes le cubage le plus imposant; et de la poussière, beaucoup de poussière. Passer un chiffon humide sur les tablettes du haut serait pour l'instant une activité bien plus utile que de taquiner le museau de tanche de la muse Thalie. La chemise rouge de samedi, s'il ne l'avait pas détruite, aurait fait un chiffon de qualité. Il retourne dans la cuisine pour y chercher la balayette de nylon. Frotte, frotte. Il brosse les tranches jaunies par les années, essuie les dos craquelés, rajuste les jaquettes. Il n'en est qu'à la première tablette et il a déjà éternué à quatre reprises. En réalité, la seule chose dont cette multitude de livres est responsable, c'est d'avoir ôté à Dufresne toute espèce de candeur vis-à-vis de l'amour, à tel point qu'il n'ose plus désormais employer le mot. Amour, concept si souvent tourné en ridicule, tourné comme on le dit du vin devenu aigre. Amour, amour, ces syllabes sonnent mal dans sa bouche. Et veuillez croire qu'il n'est pas très fier d'en être arrivé là. Atchoum!

Il existe des artistes dont on s'accorde en général à vanter le style (sinon le talent), mais que notre prosateur est incapable de supporter tant leur ineptie le consterne. Entre autres, lui, Gilles Dufresne. Il se juge en effet des plus pénibles. Il vient de mettre le nez dans un roman qu'il a publié en soixante-quinze. Mon Dieu! comment ai-je pu me montrer si prétentieux? Et plusieurs personnes ont, paraît-il, pris plaisir à parcourir mon ouvrage. Naïves brebis! Lafleur et Picard se sont fourré le doigt dans l'œil, je vous jure! Ce n'est pas à la facture, c'est à la substance même du récit qu'ils auraient dû s'en prendre. Dilacérez-moi tout ça et vite! Il fait semblant d'oublier que les critiques du week-end ont torpillé le fond tout autant que la forme. Et il espère, semble-t-il, donner aussi facilement le change... Frotte, frotte.

Les classiques sont dispersés à travers chacune des sections. Gilles s'y réfère-t-il régulièrement? Lorsque, comme lui, on écrit de façon médiocre, le moins qu'on puisse faire, c'est bien de fréquenter les grands maîtres. Si elle n'améliore pas grand-chose, une telle pratique ne nuit jamais. Je suis trop vieux pour les phrases somptueuses regorgeant de termes impropres. Le génie est là, dites-vous? Ne serait-ce pas un peu trop simple? Eh bien! dans ce cas, pied de nez au génie! Dufresne se réfère-t-il assidûment à ses classiques, nous sommes-nous demandé? Oui, non sans se servir de couvre-livres cependant: il ne tient pas à ce qu'au restaurant ou dans le parc nous nous figurions qu'il lit pour la première fois de sa vie Swift, Dante ou Montaigne. Voilà où il en est avec les classiques. Consulte-t-il également les ouvrages traitant des tropes, des figures? C'est probable. (Et on se métamorphose en écrivain robuste et fécond si on se plie à ces exercices? Bref, on devient meilleur si...? Pourquoi pas?)

Gilles arpente la pièce au ralenti. Tripotant les soies de la balayette, voilà qu'il rêvasse. Longues enjambées alanguies, lancinantes; songerie qui recèle un cynisme indécis et trouble, à la lisière, à l'extrême limite de la douleur. Toute la poussière déplacée a rendu délétère l'ambiance de l'appartement. Géomètre de la géhenne, telle est donc ma charge, tel est donc mon titre. Mon sang croupit dans mes veines. Il ricane. Tout est flou, tout est vague. Il va s'étendre un moment. En ce qui concerne le grand ménage du bureau... Tant pis!

La position horizontale ne me vaut rien. Les mêmes pensées continuent à me trotter dans la tête. Autant en profiter pour remplir des fiches: au moins, j'aurai l'impression de ne pas tout à fait perdre mon temps. Notre homme se relève. Première fiche. Quand je me lance dans la rédaction d'un livre, c'est moitié pour prolonger quelque chose de commencé il y a trente ans, moitié parce que, saturé de mon style, j'entends le fouailler, le ragaillardir; c'est moitié catéchisme de persévérance, moitié brûlot d'apostasie. En somme, c'est moitié avec moi, moitié contre moi. En est-il ainsi pour tous les créateurs? Deuxième fiche. Au risque de porter atteinte aux principes souverains de la rectitude intellectuelle, j'ajoute du même souffle que je mets beaucoup de concentration à étirer ce que j'entreprends. Une concentration entière, irréductible, pour me récompenser d'avoir encore le courage d'occuper la plupart de mes journées à écrire. Troisième fiche. Qu'est-ce que je voulais marquer d'autre? C'était pour souligner le caractère endémique de... J'ai oublié. Il a oublié ce qui le tourmentait si fort il y a dix minutes à peine. Dès lors, s'étonnera-t-on s'il ne retrouve pas l'exaltation de la veille, si les notes à propos de la maison de retraite et de Favreau ne lui suggèrent plus rien qui vaille. Il aurait mieux fait de développer cette matière hier. Sauf qu'il avait mal au dos... Oh! ça lui revient. Troisième fiche. Mes romans, je les ai publiés non pas pour qu'on les lise mais pour qu'on les commente. Je m'en aperçois maintenant. Dans ce cas, il est normal que j'aie pour lecteurs surtout des commentateurs professionnels: échotiers, critiques, professeurs, etc. Ça va changer. Si seulement l'inspiration peut se remettre en marche dans un délai raisonnable, le prochain roman, je l'écrirai pour un large public. Garanti. Finis, les déjeuners de soleil, finie, l'ornière! Et ce sera un succès qui durera des mois.

Dufresne sait parfaitement qu'il se berce d'illusions. Chiquenaude pour chasser un bout de cendre tombé sur son pantalon. De la cendre? Plutôt de la poussière de bibliothèque: après ce branle-bas, c'est plus plausible.

Haut les cœurs! Tournons-les vers le Seigneur. Est-ce qu'on se rappelle en quels termes les directeurs de conscience conseillaient de confesser le péché de branlette...? Spirituellement, Gilles est dans le même état que s'il s'était masturbé trois fois de suite entre le petit déjeuner et ce deuxième café. À quoi va-t-il ressembler ce tantôt dans l'interview avec Élise Lussier? Deux heures qu'il s'envase dans le stagnant du verbe: il est épuisé.

Or, l'atmosphère du confessionnal, il l'a un peu retrouvée hier soir en téléphonant au Mario du bar si bruyant. Quelque chose d'approchant, oui. Directeurs de conscience, incarnation majuscule de la fausse ingénuité des gens qui exercent un pouvoir... Presque quarante ans de cela et mon indignation demeure intacte! Je dois absolument écrire un recueil de souvenirs sur ma période de collège. J'y évoquerai l'abbé Vadnais, aumônier scout, prédicateur redoutable. Nous étions assis dans la chapelle et l'auditeur peu familier avec la langue aurait pu s'imaginer que Vadnais mimait des corps à corps, qu'il expliquait les règles du pancrace ou de la boxe. Mais nous écoutions son fameux sermon sur les affres de l'enfer; la norme était l'énorme: il transformait la chaire en ring modèle réduit. Véritable armoire à glace que cet ecclésiastique! Quand il ne prêchait pas, il gardait les battoirs croisés à la hauteur de son ceinturon de crin. Et nous passions le Carême à rêver de gargouilles de pierre qui s'animaient; dragons gigognes, elles venaient déchiqueter nos âmes impures et blêmes, âmes chétives de pensionnaires esseulés. Il y avait alors dans les dortoirs cinq fois plus de somnambulisme galopant qu'en tout temps de l'année. Si vous êtes un artiste, votre ange gardien n'est pas comme les autres anges. Il ne se tient pas derrière vous, en retrait, figurant la discrétion même. Non, il loge dans votre tête, fou à lier, et porte un nom terrible: inspiration. Vous n'ignorez pas que c'est au collège que vous avez commencé à prêter foi à cette légende. Hérésie? Dans ce cas, abjurez, rétractez-vous — jusqu'à demain...

Il y a le bulletin de nouvelles du réseau américain. Avant de quitter l'appartement, Gilles a voulu, l'espace de vingt, trente, quarante secondes, jeter un coup d'œil à ce qui jouait à la télé. La présentatrice annonce le décès d'un sénateur du Sud. Film. Nous voyons les employés de la morgue sortir le corps d'une somptueuse villa. Apercevant la caméra, un des brancardiers tire la langue pour montrer que le cadavre pèse une tonne au moins. Même qu'il fait mine de laisser tomber la civière sur le dallage de l'allée. Son compagnon hausse les épaules, puis se met à exécuter des clowneries lui aussi. Retour à la présentatrice. Elle a du mal à s'empêcher de rire. Décidément, les Américains ont de curieux égards pour les dépouilles de leurs défunts.

J e fais le virage à gauche chaque fois que je passe ici.
— Le panneau indique clairement que...
— C'est défendu depuis combien de temps?
— Déjà v'là cinq ans, je patrouillais dans le secteur et...
— Le pire, c'est que j'aurais pu me dispenser d'utiliser la bagnole: Gingras est à trois coins de rues.
— Papiers, s'il vous plaît.

Aucune raison de manifester de l'animosité à l'endroit de l'agent, qui s'acquitte de sa tâche et fait son devoir. Permis de conduire, certificat d'immatriculation. Tombe du porte-cartes une photo d'Isabelle. Gilles la ramasse. Sa fille n'a pas l'air réellement malheureuse, mais elle rechigne, dirait-on. Là-dessus, elle doit avoir douze, treize ans. C'était le moment où elle portait les cheveux très courts. Il y a encore la trace du ruban scotch. Gilles s'en souvient: il avait collé la photo sur une des étagères de la bibliothèque. Pourquoi l'a-t-il rangée depuis dans cette partie du porte-cartes à laquelle il ne se réfère pratiquement jamais?

L'agent est retourné à sa moto. Dufresne ajuste le rétroviseur pour l'observer qui tousse dans son radio-téléphone. Beau métier! Douze, treize ans... Il se souciait alors beaucoup de l'éducation d'Isabelle. Il voulait la voir devenir musicienne. Ou peintre. A-t-on remarqué cette constante dans la vie des grands créateurs: au début de l'adolescence, ils attrapent une maladie infantile qui les cloue au lit pendant plusieurs semaines? Les camarades s'amusent dehors; le futur génie réfléchit, s'invente un monde. Parents qui souhaitez que votre progéniture s'illustre dans les arts, exposez-la aux microbes! Facile, non? Hélas! à douze ou treize ans, Isabelle avait été vaccinée contre la plupart des affections — deux fois plutôt qu'une. La faute à sa mère!

Le policier tambourine dans la vitre avec son crayon. Gilles sursaute.

— Voici vos papiers, monsieur. Et le billet. Bonne journée.

Gilles fait redémarrer l'auto avec autant de précaution que s'il démoulait un soufflé au saumon. Salutations hypocrites à l'agent qui au même instant le double sur les chapeaux de roues. Ajoutez les pétarades du tuyau d'échappement, le relent de caoutchouc brûlé, tout le reste. Diable!

Isabelle, ma fille... Il peut s'agir d'assortiments de tasses, de clochettes, d'anciens catalogues montrant des timbres ou des voitures, misère! de que sais-je encore... Paradoxalement, c'est l'aspect dérisoire de la chose qui la rend émouvante. Car voici subitement qu'on saisit que cette personne chère (dire qu'on croyait parfaitement la connaître) a depuis toujours une passion secrète, minuscule passion, ô combien envahissante pourtant puisqu'elle y a consacré des heures et des heures de son existence. À cette pensée, on a les larmes qui montent... On ne lui posait aucune question; et, sans cette confidence, on n'aurait pas deviné. D'ailleurs, on se reprochera avec aigreur ce manque d'attention à l'autre... Songera-t-on par la même occasion à ce qu'on a soi-même de confidentiel? On est toutefois bien loin d'avoir acquis le même sens de la gratuité! Ah! cette gratuité envers les êtres proches... On a le cœur caché dans sa manche; au mieux, on a le cœur qui bat au fond de sa culotte, on a le cœur ratatiné derrière sa braguette. Humain, trop humain... Ne nous écartons pas du sujet.

— Ta grand-mère collectionnait les emballages de

thé. C'est d'elle que tu as hérité ton goût des tisanes exotiques.

— Je ne me rappelle pas que grand-maman...

— Et je t'en ai parlé quand j'ai découvert que...

— Je suis trop jeune pour me...

— Trop jeune! Tu as l'air maligne avec ta jeunesse. Tu devrais te voir!

Cette conversation (que Gilles ressasse dans sa tête tandis qu'il cherche un espace de stationnement) a eu lieu, je crois, au début de l'été. Oh non! sans doute un peu plus tard: Isabelle s'apprêtait à filer sur la côte américaine. Bonnes vacances, mon bébé! Elle lui avait téléphoné pour lui emprunter la valise noire.

— Je fais un saut chez toi, donne-moi dix minutes, je te l'apporte.

Ils ne s'étaient pas vus depuis au moins deux semaines. À l'instar de l'élan amoureux, la tendresse filiale est un sentiment qui se nourrit davantage du manque que du comble. Le comble, ça ne sert qu'à édulcorer.

— Oui, je te jure, tu as l'air maligne avec ta jeunesse.

— Assez de gouzi-gouzi! avait lancé Isabelle. Tu veux que je te dise? Tu t'ennuies de l'époque où toi et tes amis lettrés, vous discutiez des soirées entières des mérites de tel ou tel modèle de coupe-papier. Il n'y a pas de honte à ça, remarque. Malgré tout, si tu permets, je préfère ma jeunesse à la tienne...

— Il faudrait être plus nuancé, à mon avis...

Réplique passe-partout. Gilles prétend qu'il ne comprend pas, ça fait humble, sauf qu'en gardant le même ton (ton de putois — selon l'expression de sa fille), il aurait tout aussi bien pu crier: «Tu souffres de confusion mentale, ma vieille!» Ah! ces ripostes dont chacun des mots claque comme une taloche.

114

De son temps, il y avait moral et morale. Et sans morale, on perdait le moral, c'était couru. Lui et ses amis étaient des démoralisés perpétuels. Isabelle appartient, elle, à la génération des déprimés. Quelle différence entre les déprimés d'aujourd'hui et les démoralisés de naguère? Et dans vingt ans, comment désignera-t-on ceux qui...?

Gilles a tort, il le sait. Mais puisqu'il maugrée, Isabelle ne tardera pas à lui donner raison. Et il n'aura même pas honte de cette victoire.

— À propos, qui a commencé?

— C'est l'histoire de l'œuf et de la poule...

— La question à se poser est la suivante: si les poules pondent des omelettes, avec quoi on fera les gâteaux meringués?

Ils rient. Isabelle préparera une infusion tilleul-jasmin. Elle la servira dans des tasses bleues qui viennent justement de la grand-mère. Une infusion avec des gâteaux meringués — qui sont un peu secs. Gilles mettra sur sa tête le chapeau de plage de sa fille, façon Chaplin, reluque ça, façon Chevalier, hé! hé! façon Trenet, façon Elton John... Qu'est-ce qui lui prend? Ils sont fous, ces écrivains!

Une collection d'emballages de thé, imagine! Du dernier quart du vingtième siècle, on retiendra que c'étaient les enfants qui dans les familles incarnaient la tradition. C'étaient eux qui, par une moue, par un regard de travers, empêchaient les adultes de se conduire en enfants. Dans un recueil d'essais publié voilà une quinzaine d'années, Gilles a écrit à la blague quelques paragraphes sur ce thème. Me voici bien attrapé, songe-t-il, en verrouillant les portes de la voiture. Bah! si Élise Lussier m'interroge là-dessus, je me serai au moins rafraîchi la mémoire. Il se retourne pour vérifier s'il n'a pas laissé les phares code allumés — ou quelque chose du genre. Sur le tableau de bord, une tache claire. Il fronce les sourcils. Qu'est-ce que c'est? La contravention. Franchement, je l'avais oubliée, celle-là. Au moins, je suis bien garé.

Kansas City, Denver, Solingren, Waterford, Sundsvall. Des amis sont partis vivre à l'étranger. D'autres sont morts. Plusieurs. Julien Nantel, Serge Deschamps, Maxime Langlois. Je n'éprouve plus le besoin de combler les places laissées vacantes. À mesure que rétrécissait le cercle des proches, mon cœur, en s'adaptant, a rapetissé, rapetissé... Souvent, il m'arrive de croire que, malgré quelques zigzags, la destinée humaine se résume à cet itinéraire qui va du palpitant au morne, du chaud au froid. Ai-je fermé toutes les fenêtres?

Sous prétexte que l'apitoiement n'a jamais rien donné de bon, Gilles répugne à confier de telles réflexions à Suzanne ou à Isabelle. Amertume est un mot qu'il abhorre. En revanche, il recourt volontiers au mot mélancolie.

Que je sache, la mélancolie n'empêche pas de prétendre au détachement. Mélancolie. Voici l'humeur qui m'est coutumière. La mélancolie est en moi. Elle siège au creux de mon ventre. Certains soirs, elle se répand dans mon organisme, l'imprégnant des carotides aux fémorales.

Et le train de la vie, soit qu'on le regarde passer, soit qu'on se précipite sous les roues. Il est rare qu'on roule à bord, bien assis sur ses fesses.

S'écoulent les ans, apparaît la lente insensibilisation à la disparition des amis. On emploie pour désigner le phénomène un vocable impropre: sérénité. Ils sont de moins en moins nombreux, les gens avec lesquels on se considère sur la même longueur d'onde. C'est dû à quoi? Disons que graduellement on perd l'envie de dorloter ses semblables. Trêve de finesses, oui. Faites comme si je ne comptais pas, comme si je n'étais pas là. Plutôt non — parce que, soucieux de m'éviter, vous penseriez sans cesse à moi, me conférant ainsi un surcroît d'existence. Faites comme si j'étais mort. Estimez-vous débarrassé. Contentez-vous de me rendre un culte anniversaire. Tenez, portez mon deuil le 2 novembre, tirez la ligne. N'en parlons plus, ça vaudra mieux.

Dufresne croise une femme avec un masque de carnaval en guise de chapeau. Elle a passé l'élastique sous son menton. Elle marche vite, traînant un gros sac. Elle pourrait avoir dévalisé une banque. Il continue son chemin.

Deschamps et Dufresne: les deux D. Au pensionnat, on employait le terme masturbatoire pour désigner la section du dortoir où les surveillants regroupaient les élèves sages, ceux qui faisaient partie des équipes mariales et qui formaient les ligues de petites quilles. Gilles, à l'époque où il potassait les parnassiens (Leconte de Lisle et cie), avait remporté beaucoup de succès auprès des camarades en composant l'alexandrin: «Notre masturbatoire était torrentueux.» Six, six, césure au sixième pied, poésie prégnante à plein. Vingt ans plus tard, aux réunions d'anciens, on évoquerait avec malice ces nuits où en cascade les vieux draps de coton élimés et jaunis étaient secoués du même mouvement frénétique. Les femmelettes formaient donc les ligues de petites quilles. Pour gagner de l'argent de poche, Serge, Juju, Maxime et Gilles étaient planteurs. «Tiens-toi loin derrière, garçon, et attention de recevoir les boules sur les cannes!» Deschamps considérait la place de premier de

117

classe comme lui revenant de droit. Quand il la perdait (cela arrivait rarement, grâce en soit rendue à l'Éternel, béni soit Son saint nom), nous qui étions pourtant ses compétiteurs devions lui remonter le moral: «Voyons, Serge, c'est passager. Dès le mois prochain, tout rentrera dans l'ordre.» Qu'il était déprimé! Quelquefois aussi, il avait des crises d'épilepsie, ce qui lui conférait un prestige supplémentaire auprès des élèves comme nous, ordinaires et normaux. J'ai témoigné en sa faveur lors de son procès en divorce. Voilà qui raffermit des liens d'amitié, liens en général plus solides que ceux du mariage, inutile de le préciser. Néanmoins nous nous sommes brouillés à propos d'une bagatelle. Bah! ceux qui ne se brouillent jamais avec leur prochain sont bien à plaindre. Ils n'éprouveront guère les vifs plaisirs de la réconciliation.

L'avantage avec les vivants est que vous pouvez espérer qu'ils vous pardonneront vos indélicatesses. Avec les morts, je regrette, mais c'est peine perdue. J'ai beau solliciter le réconfort de leurs mânes... Ainsi, les canailleries que j'ai commises à l'endroit de Juju sans avoir le cran de les lui avouer, eh bien! maintenant qu'il est six pieds sous terre, il ne me reste plus qu'à en endurer le remords, même si des jours je suis tellement bourrelé de honte que j'ai des crampes dans la région du plexus solaire. Car, aussitôt qu'elles se sont posées sur la conscience, les fautes passées, même les plus banales, même les plus communes, acquièrent un pouvoir maléfique: elles empoisonnent l'organisme. Et si on les avoue à autrui, c'est en premier lieu pour en contrer les sortilèges. Tel était d'ailleurs le sens profond du catholique sacrement de la pénitence.

— Vous êtes de la famille?

— En quelque sorte...

L'employé haïtien m'avait posé la question au cimetière, lors de l'hommage à Juju Nantel. J'étais de la famille, oui. J'étais également de la famille de Serge Deschamps. Nous nous étions fâchés pour un rien et ça lui avait fait de la peine. Plus à lui qu'à moi. Je suis rancunier. Picard et Lafleur vont l'apprendre à leurs dépens. Bêtement rancunier. Serge est disparu depuis plusieurs années, et je lui en veux encore à présent. Je lui en veux parce que j'ai été bouleversé à la nouvelle de sa mort et que cette nouvelle a salopé ma journée à une époque de ma vie où je n'avais pas besoin de ça, on peut me croire, époque où j'aurais souhaité être ménagé. Égoïsme...? J'en veux à Deschamps. Tandis que je me remémore ses gestes coutumiers, ses tics, mes yeux restent secs. Voilà comment je suis. Je le dis sans en tirer fierté. Il s'agit plutôt d'une confession, voire d'un... Je m'accuse d'un péché, d'une série de... Je m'accuse, sans éprouver la moindre contrition, d'une série de péchés commis à cause d'un défaut de caractère dont je ne me corrigerai jamais. Aucun doute à ce sujet. Les tuiles qui me tombent dessus, les sévices que le mauvais sort exerce sur moi sont peu de chose à côté de la punition que je mériterais. Chaque fois, je me répète qu'un châtiment plus sévère m'aurait mis à l'abri du mépris de moi-même — pour un court laps du moins.

Gilles hoche la tête, étonné de s'être laissé aller à pareille poussée introspective. Il lui faut remonter trente ans en arrière, presque à ses débuts en littérature, pour retrouver en lui des vapeurs comparables à celles qui le tourmentent, qui le minent et le rongent depuis samedi. Après les critiques publiées à la parution de son deuxième roman, il avait traversé une période de dépression. Qu'on songe à ces dépressions qui vous poussent à visiter en catimini les plus lugubres musées de votre ville, systématiquement, cinq, six jours d'affilée, une semaine durant...

La fréquentation de trois ou quatre restaurants, toujours les mêmes, a remplacé la fidélité conjugale (ou l'infidélité, c'est selon), trois ou quatre restaurants où Dufresne est traité en habitué. Par exemple, il peut téléphoner une demi-heure à l'avance pour faire déboucher son vin. Or, à intervalles plus ou moins réguliers, parce que notre homme a l'esprit retors, il s'abstient de mettre les pieds dans l'un ou l'autre de ces établissements. Tous y passent, à tour de rôle. Ça dure un mois, un mois et demi, le temps que le propriétaire s'interroge: «L'avons-nous froissé? Lui avons-nous suggéré un plat de qualité suspecte?» Quand il se décide enfin à retourner sur place, on le régale, on le bichonne, on le soigne aux petits oignons. Et tant pis pour l'authentique cordialité dont le maître d'hôtel ou le cuisinier avait pu auparavant faire preuve à son égard: l'estomac avant tout! Ici, chez Gingras, le personnel semble trop courtois pour ne pas être sournois; cela a même des allures de domesticité — sauf que c'est ainsi que Dufresne préfère être accueilli.

L'interview dans deux heures... Et Suzanne qui, comme de raison, va arriver un quart d'heure en retard. En attendant, Gilles se fait apporter un café. Et un scotch. Un café et un scotch, oui. Il en profite pour récupérer sa pipe.

— Merci. La dernière fois que je suis venu, j'ai dû m'éclipser plus tôt que prévu et...

La fille ne bronche pas. Ma conduite de samedi n'a pas dû passer inaperçue, quand même! Allons donc: cette serveuse-là n'était pas là l'autre jour. Du moins, je

120

ne crois pas qu'elle travaillait dans cette partie du...
C'est probablement une nouvelle employée. Je me demande si je ne déserterai pas ce resto pendant quelque
temps. Trop souvent, je n'ai même pas le temps de
toucher ma tasse que le café est déjà froid. En tout cas,
ma pipe, elle, a besoin d'un sérieux coup d'écouvillon.
Ma foi, elle a dû tomber dans le coulis de framboises...

À la radio, on entend en ce mercredi de novembre
un des grands succès de l'été passé. «Trop chaud pour
faire l'amour-our, miaule une chatte sur un rythme de
reggae, trop chaud pour l'amour.» Pas étonnant que les
glaçons aient commencé à fondre dans le verre de
scotch. Café tiède, glaçons en nage... Entre alors une
superbe jeune femme, cheveux fauves, collier de perles
ambrées, robe d'organdi, parfum haut de griffe, escor-
tée par un poussah, front bas et tempes grisonnantes,
style champion culturiste mil neuf cent soixante-dix
recyclé dans l'assurance-vie. Fort peu galant, le poussah
installe la femme de manière à ce qu'elle tourne le dos à
la salle, privant ainsi Dufresne et les luncheurs mâles du
spectacle toujours délicieusement trouble de la beauté
éclatant en plein cœur du midi. (Voilà que tu deviens
lyrique.) Il est vrai que le rhinocéros qui charge ne
s'embarrasse pas des crocus qu'il piétine dans sa course.

— Le patron? En vacances au Mexique, répond la
serveuse.

Jadis, pour quiconque vivant à l'intérieur du continent, la rencontre avec la mer représentait un événement capital dont l'accomplissement tenait du rituel et
dont le sens acquérait les vertus de la magie. Maintenant, hormis pour les ascètes et les mystiques, ça se
limite à quelques déshabillages pressés dans d'étroites
cabines de plage aux murs galeux et à deux coups de
soleil soignés avec des pommades à base de lanoline.
D'après la rumeur, l'actuel proprio de chez Gingras

était, encore récemment, entrepreneur en construc-tion. Espagnol originaire de l'Estrémadure, il vendrait volontiers son âme s'il pouvait passer en retour pour un Italien du Nord, un de ces Milanais, un de ces Génois si férus de gastronomie. Derrière son comptoir, il aurait fière allure. Pourtant, c'est à Acapulco qu'il est allé étrenner ses bermudas à pois.

— Il avait besoin de repos. Dès qu'il a obtenu son divorce, il a... Pourquoi je vous raconte ça, moi?

— Vous voulez me montrer, mademoiselle, que les humains se rendent à la mer pour baiser en masse: le contraire des saumons...

C'est évidemment la chanson à la radio qui a ins-piré à Dufresne cette repartie facile et vulgaire. «Trop chaud pour faire l'amour-our, trop chaud, trop chaud.»

— Je vais leur demander de baisser le volume. Ça vous arrive direct dans les oreilles. Le haut-parleur est au-dessus de votre tête.

— Je t'en... Hum! je vous en prie.

On a noté plus haut le peu d'aménité que, dans les bistrots ou les cafés qui le comptent parmi les clients réguliers, on a en effet observé le peu de sympathie que Dufresne est enclin à manifester envers les recrues ou la main-d'œuvre suppléante. Me faire ça à moi, moi qui connais le menu infiniment mieux qu'eux. Sur le bout des doigts, je connais le menu sur le bout des doigts! Oh! il n'est pas du genre à jeter par terre, pas du genre à vous faire ramasser le billet de deux dollars qu'il s'apprêtait à vous laisser en pourboire: humilier le personnel ne l'excite nullement: il ne traite ses subordonnés ni en esclaves ni en affranchis, autant dans la syntaxe que dans la vie quotidienne. Néanmoins, lui qui aime qu'une fille de table soit stylée, il juge celle-ci trop décontractée à son goût.

Si cette dernière se ressaisissait subitement, se

sentirait-elle obligée, sous l'influence de l'écrivain, d'utiliser des mots hors du commun qui sonneraient faux dans une bouche si peu fanée? Déjà qu'elle a tendance à escamoter les diphtongues... Il l'a entendue mâchonner un hiatus. Une langue molle, encore une langue molle! Gilles, lui, louvoie entre les verbes impersonnels et le vouvoiement susurré. Il devrait employer le tu. N'est-ce pas ce qu'elle désire? Pourtant ce sera vous, ce grand vous romanesque qu'il affectionne tout particulièrement. Qu'il renonce au moins à lui parler de la pluie et du beau temps.

Son vernis à ongles est de la même couleur que les olives qu'elle a déposées au milieu de la table. Elle ne sourit pas vraiment; elle garde les lèvres légèrement entrouvertes — afin, pour reprendre l'expression de la publicité, afin de faire voir cette toute petite ligne qui éclate de blancheur. La serveuse de samedi découvrait les dents, elle aussi.

— Vous vous appelez comment?

Dufresne n'a quand même pas fait le vœu de rester allusif la journée entière.

— Pardon?

J'ai beau vitupérer intérieurement contre la jouvencelle, ma diction n'est pas meilleure que la sienne. Bien penser au cours de l'entrevue avec la Lussier, bien penser à détacher les syllabes.

— Comment vous appelez-vous?

— Dominique.

— C'est un prénom qui ne vous convient pas.

— Vous trouvez?

— Changez-le avant qu'il ne soit trop tard.

Elle coule un regard à droite, un regard à gauche. Elle semble chercher quelqu'un pour lui souffler ses répliques. Elle s'enfonce l'index dans la joue, roule des yeux, soupire. On la hèle. Un client, là-bas, au fond.

— Vaquez, vaquez, lui lance Dufresne, dont on sait qu'il ne déteste pas succomber à la préciosité.

Il fait un mouvement de la main évoquant le gros poisson d'eau douce qui se déplace parmi les algues. S'esclaffera-t-il en même temps que la serveuse? Ce projet, notre protagoniste l'a conçu il y a environ dix ans — celui d'un recueil composé en alexandrins de mirliton et consacré à la place occupée jusqu'à ce jour par les restaurants dans son existence exclusivement sédentaire. Moitié psychanalyse (Gilles y mêlerait enfances et morts, maîtresses et défunts), moitié physiologie du goût (en toute humilité, bien sûr: pour gourmet qu'on soit, on n'est pas *ipso facto* Brillat-Savarin), le texte serait imprimé sur papier vélin (ou l'équivalent, rien de moins). La première strophe se terminerait par les deux vers suivants: «Les midis nuageux où le monde m'ennuie / Je mange en tête-à-tête avec mon parapluie.» Vous opteriez ici pour la rhétorique du cocasse, y empruntant vos figures de prédilection. Ce serait par conséquent un court, très court recueil, le cocasse étant un style qui lasse vite. Rien ne vous interdirait, entre vos bouffonneries, de tenter d'émouvoir le lecteur. Vous pourriez, en l'occurrence, exposer les raisons qui vous poussent depuis quelque temps à vous soûler deux fois par semaine. C'est simple: vous buvez parce que, comme il est écrit dans les vieux manuels, à dose faible, l'alcool a des propriétés analgésiques. Formulons ça d'une autre façon. L'alcool est un solvant. Il désagrège les soucis, les déceptions, les peines. En voyage, il décape la couleur locale, celle qui crée une si désagréable impression d'exotisme. Il infléchit le hachuré de l'éphémère. Dommage seulement que l'effet bienfaisant (salvateur?) n'en soit pas continu. Holà! il faut garder quelques désillusions. Les désillusions, rien de tel pour affiner le discernement. Logique, non? L'intelligence n'est-elle pas d'abord affaire de sensibilité aux êtres? On n'a pas le droit de s'engourdir en permanence, on n'a pas le droit.

— Je reprendrais un scotch. Double. Avec beaucoup de glaçons.

Vous voici à guetter les gargouillements de vos intestins, gargouillements que vous vous plaisez à nommer états d'âme. Le moyen le plus efficace, l'unique moyen en somme de s'immuniser contre l'angoisse est le vaccin. Les chiens vous inspirent-ils une phobie incontrôlable? Adoptez-en une demi-douzaine, bâtards de préférence. Avez-vous peur de l'obscurité? Portez vos verres fumés dès le coucher du soleil. Le vaccin, oui. À l'opposé du traitement contre les maux physiques, c'est-à-dire une quantité minime administrée avec une multitude de précautions, on suggère ici d'appliquer la posologie massive, la dose bœuf. Dufresne craint la foule et passe pourtant sa vie dans des restaurants bondés. Même qu'il n'y a pas si longtemps le spectacle des dîneurs se chamaillant le distrayait. Le comblait d'aise. Il lui est arrivé parfois de demander à un commensal de se taire pour mieux entendre ce qui se racontait juste derrière lui. Prêter l'oreille aux babillages des gens, s'introduire par effraction dans leur intimité, voilà la bonne recette pour le créateur qui souhaite se renouveler. À présent, ça le laisse perplexe. Les restaurants ne font plus tellement rire Dufresne. La plupart lui paraissent assez sinistres, tant et si bien que, lorsque ceux qui occupent la table d'à côté ont une conversation pas trop moche, il est presque tenté de se lever pour les féliciter. Bravo!

Encore faudrait-il que les clients qui l'entourent aient plus de densité (ou plus d'épaisseur, au sens strict) que les personnages peinturlurés des reproductions d'affiches *modern style* qui décorent la salle de chez

Gingras, reproductions sur lesquelles depuis un moment Gilles promène un œil rendu paresseux par les langueurs de l'expectative — et par le moelleux du whisky. Dans le meilleur des cas, les personnages de ces affiches réveillent un souvenir vacillant; dans le pire, ce sont des chromos sans signification aucune.

Avec Archambault père, samedi, ce n'était absolument pas pareil. (Le fils se défendait pas mal non plus.) Archambault père, son exquise sagacité.

Cinq minutes en tête-à-tête avec lui et on est volontiers disposé à croire que la civilisation n'est finalement pas le plus vilain rebondissement qu'ait connu l'histoire de l'humanité.

Mimodrame des mamours. Alors que Gilles se lève pour l'embrasser, Suzanne lui donne accidentellement un coup de menton sur la lèvre. Ça saigne un peu. Il étanche avec la serviette de table. L'élan vers l'autre, l'élan de tendresse: on veut se caresser et on ne réussit qu'à se heurter, se meurtrir. Comme dans les films de Godard. La femme du poussah s'est retournée pour observer la scène. Suzanne hoche la tête. Pendant une fraction de seconde, une ride oblique lui barre le front, longue ride qui va de la racine du nez à la naissance du cuir chevelu.

— Excuse-moi. Désolée. En plus, j'arrive en retard.

— Aucune importance. J'ai une interview, mais c'est à deux pas d'ici. À la radio. Puis, se tourner les pouces n'est pas si pénible.

— Dire que je fais des efforts pour être ponctuelle. Tu aurais dû commencer sans moi...

— Ah! les vertus apéritives de l'attente...

— Tu t'es levé tôt, hein? Je gage que tu t'es rasé dès le saut du lit. Tes joues piquent.

— Toi, tu as un bien joli chemisier.

Le col est orné de pierres et de broderies. Suzanne glisse une main sous la patte du boutonnage. De l'autre, elle a ouvert son menu.

— Il y a de la costarde au citron. Costarde. J'ai toujours trouvé le mot extrêmement laid.

— C'est un anglicisme.

— Es-tu sûr? Il me semble qu'en Belgique, on...

La serveuse s'est approchée d'eux. Elle fredonne à voix basse la ritournelle qu'on entendait tout à l'heure. Gilles se dispose à le lui faire remarquer. Il constate que Suzanne aussi chantonne. Tant pis, je me tais. Je ne parlerai pas non plus de la contravention que j'ai reçue. Événement pourtant capital qu'une contravention, non? Au moment de prendre la commande, la serveuse met son carnet sur le coin de la table. J'ai presque envie de l'inviter à se joindre à nous. Trois, c'est le commencement d'un groupe. Elle a maintenant une tache de sueur au milieu du dos. Elle se penche et, par l'échancrure de l'uniforme, je vois son soutien-gorge, je vois la peau un peu plus pâle à quelques centimètres de la bordure du tissu: elle n'a pas dû porter un maillot osé l'été dernier, cette Dominique. Perspicace, mon cher Dufresne, très perspicace. Continue, continue à lisser la nappe. Quel plaisir délicat que de se moquer de soi-même! Dès les premières minutes, il s'est aperçu que la serveuse arrangeait sa jupe chaque fois qu'elle sortait des cuisines (flash du nageur rajustant son slip après s'être hissé hors de la piscine), à croire qu'il s'en passe de suaves dans l'univers tout ruisselant, tout mouillé de la vaisselle sale. Le fantasme auquel Dufresne offre l'hospitalité de son imagination est celui du chef repoussant assiettes, casseroles et chaudrons empilés pêle-mêle et culbutant la Dominique dans la farine et les retailles de pâte à tartes tandis que la salle, remplie de gros mangeurs, la réclame à cor et à cri, la réclame, elle, ainsi (bien entendu) que la suite du repas. L'atmosphère des fourneaux l'excite, la stimule, l'embrase même: elle s'efforce de garder la position la plus verticale possible et, pour faciliter la tâche du chef qui s'apprête à la pénétrer, elle tient entre les dents sa jupette haut retroussée: vous devinez qu'elle a les mains occupées ailleurs...

— Gilles, tu es dans la lune... Je te disais que... Non, inutile d'insister.

— J'ai compris ta phrase. Moi, c'est avant-hier, au téléphone, que j'ai eu l'impression que ça n'allait pas...

— Avant-hier? J'étais assez pressée. Je quittais... Figure-toi que ta fille m'a invitée au cinéma pour voir la comédie de...

— Isabelle? En quel honneur?

— Comme ça. Elle m'a appelée au journal lundi midi et elle est venue à l'appartement à la fin de...

— Elle est enceinte?

— Pas été question de ça. As-tu des raisons de croire que...?

— Je ne sais pas.

— En tout cas, les études ne l'accaparent pas au point que... Merde! j'ai trop parlé.

Isabelle traite-t-elle son père avec dureté? Il n'a qu'à s'en prendre à lui-même. Elle avait dix ans et il ne lui passait rien, il ne lui concédait aucune défaillance: ainsi se comportent les parents modernes. Aujourd'hui, elle règle ses comptes. Elle compense en persécutant les hommes. On se la représenterait volontiers en amazone, les scalps de ses anciens amants (belle collection de perdants, de chiens battus) attachés à la ceinture — arrangement qui, du reste, cadrerait bien avec le bric-à-brac de son logement. Suzanne aimerait aborder ce thème avec Gilles. Il arrive en effet que nous nous servions de la conversation pour approfondir une idée, pour nous recueillir sur les réalités dites essentielles. On a noté ça chez les jeunes et les vieilles personnes. Pour les gens d'âge mûr, conversation est plutôt synonyme de doucereux bavardage, de dérobades, d'échappatoires en cascade. Éludons par conséquent le thème si périlleux de la paternité.

— Les mauvaises critiques du week-end ont dû amplement alimenter vos... L'aubaine, quoi! J'aurais voulu vous entendre, toi et Isabelle. Pas plus tard que samedi, Sullivan m'a avoué que...

— Laisse Sullivan tranquille. Il écrit pour se venger de son ex. C'est son unique but. Il se soucie du public comme d'une guigne.

— Qu'est-ce qui t'incite à me...? Pourquoi penses-tu que j'allais faire allusion à...?

— D'accord, Sullivan se contente de coucher sa rage sur papier. Mais on fait la queue pour assister à ses pièces; à l'université, les thèses se multiplient sur son théâtre. Tout ça pour un exorcisme mesquin qui ne concerne au départ que la famille immédiate! Tout ça pour des scènes de ménage qu'il n'a même pas le mérite d'avoir inventées tout seul!

— Tu te trompes, ton intuition te trompe. Gabriel a tous les défauts, à une exception près: il ne fait pas dans l'autobiographie.

Au mot intuition, Suzanne a tiqué.

L'intuition, explique-t-elle, correspond à du flou, oui, mais pas toujours à de l'éphémère.

— C'est une erreur, et grossière, de croire que l'intuition a nécessairement un aspect fugitif. J'ai des intuitions tenaces, moi, très tenaces. Tu n'auras pas raison si facilement.

—Je ne te demande pas de m'approuver.

—Ajoute à ça que Sullivan appartient à une sous-espèce, celle des mâles qui adoptent un air distrait aussitôt qu'il est question de sexe... Comme si ça ne les regardait pas. Tu cherches quel est le rapport? Pourtant ça crève les...

—Bienheureux ceux qui voient, ils seront consolés!

À une époque, ces discussions le ragaillardissaient. Plus elles étaient longues, et plus il les appréciait. Hélas! il lui suffit maintenant de deux minutes dépensées à tenter de convaincre un interlocuteur récalcitrant, deux minutes et il se sent complètement épuisé. Flapi. Je dois reprendre des forces. Comment a-t-elle pu manger si vite? Elle a déjà fini son assiette. Oh! ce n'est pas un cas de divorce, sauf que... Divorce? Voilà que je raisonne comme si nous étions mariés: bonne blague!

Suzanne tape sur la table.

—Je te parle et tes yeux papillonnent au-dessus de ma tête. M'écoutes-tu, au moins?

Elle écarte les bras. Éborgnera-t-elle quelqu'un avec sa fourchette? Divorce... Ce n'est pas qu'en amour Suzanne soit masochiste, non. Mais, tout compte fait, à rompre, elle préfère encore être rompue — avec ou sans jeu de mots. Perdre pied, être rompue... La journaliste est en veine de confidence et n'a guère le goût de plaisanter. Laissons-la monologuer, s'épancher: cela ne pourra que contribuer à la détendre. Suzanne ne sait pas rompre. Elle se remémore une de ses aventures, la plus ancienne peut-être. C'était du sérieux; pourtant un matin, le gars l'a plaquée et est parti vivre seul. Au début, elle a réagi admirablement. Elle a bien pris ça, comme on dit. «Parfait. Je n'aurai pas à m'abaisser à de vaines jalousies, etc.» Ensuite, quand elle s'est mise à mieux y réfléchir, elle s'est aperçue que cette situation était la pire de toutes. Le gars l'avait plaquée, point à la ligne. Il n'avait pas filé avec quelqu'un d'autre, il l'avait remplacée par rien. Être remplacé par rien, c'est la preuve qu'on ne vaut pas grand-chose. Terrible preuve, vice rédhibitoire, au sens propre de l'expression. Suzanne ne sait pas rompre, soit. Bah! rompre, c'est comme n'importe quoi, ça s'apprend. Qu'on n'espère pas y parvenir du premier coup. On aura besoin d'un peu d'expérience. Mais, quinze ans et une dépression et demie plus tard, Suzanne en est au même point. Son regard s'embue. Elle lutte contre la montée des larmes. Elle serre les dents. La rage est parfois un recours efficace. Non, les larmes ne déborderont pas ses paupières. Attention! on risque de s'étouffer en ravalant. La tête solidement maintenue en arrière, il paraît même qu'on peut se suicider, noyé dans les pleurs. Le procédé requiert de la patience et une formidable dose d'affliction. Songez que ses collègues la surnomment la Charognarde...

Puisque nous avons fait mention de la tête, revenons à Dufresne pour montrer comment l'alcool a alourdi la sienne. S'il n'avait pas le menton niché au creux de la main et le coude appuyé sur la table, sans doute aurait-il imprimé les rides de son front dans le dessert. Aujourd'hui, il s'agit d'une mousse au chocolat tout simplement délicieuse. Il se sent las. Pas ivre, juste las. Le désarroi de Suzanne a été trop bref pour le toucher. Il jongle depuis une minute avec la notion de jalousie. Lui, jaloux? Jaloux du passé de Suzanne? Allons donc! Tant qu'à y être, pourquoi ne pas se barbouiller les joues de mousse au chocolat, pourquoi ne pas entonner cet air de l'*Otello* de Verdi, vous savez, la-la-la-la-la...? Trop tard, on a desservi.

Non, non, touchez pas aux miettes, j'ai mon balai...
C'était à votre goût?

Satisfecit de Dufresne. Signalera-t-il quand même à
la serveuse que la couleur de son vernis à ongles a failli
lui couper l'appétit? Ce serait incongru, ce serait,
spécule-t-il, aussi déplacé que l'énoncé de principes
métaphysiques au dernier chapitre d'un roman policier.

— À mon goût? Oui, sauf peut-être le tableau au
fond là-bas qui n'est pas tout à fait droit, mais c'est l'effet
du vin.

— Le digestif va arranger ça, je suis certaine...

— Merci. J'y renonce. Il faut que j'aie les idées clai-
res pour l'interview. Qui sait si la Lussier n'exigera pas
que je lui récite l'alphabet à l'envers? fait-il à l'intention
de Suzanne, en lui palpant la cuisse sous la table.

Entrant dans les toilettes, Gilles a vu son image dans
la glace. Il a tiré la langue et a entendu un petit rire. Est-
ce une glace truquée, à l'usage des voyeuses — car,
derrière, ce sont les toilettes des femmes, non? Les
pointes de son col sont légèrement retroussées,
disgracieuses pointes érectiles auxquelles nous prête-
rons l'espace d'un instant des rêves de fer à repasser. À
un endroit précis, dans l'angle, à cause justement du jeu
des miroirs, on observe une prolifération de profils. On
se croirait, ma foi, dans un film de Welles. De nouveau,
Gilles tire la langue. Mon reflet multiplié par dix, multiplié par cent; mon reflet en lame, en flot; mon reflet en
stock, en cargaison. Le lavabo est derrière la porte,
juché suffisamment haut pour qu'il soit malaisé d'y
pisser, à moins d'avoir la stature d'un Louis Cyr: par

conséquent, on ne peut pas se laver les mains sans risquer de se faire emboutir par un client aux mictions urgentes, intempestives. Le verrou est brisé. Dufresne se soucie peu de protéger sa pudeur. Ce qui l'occupe, c'est d'éviter de se faire enfoncer une côte, péter une rotule... En outre, on a la musique qui joue à tue-tête, qui bastringue comme la prose de Sullivan. Suzanne a raison de ne pas l'aimer, mais elle se méprend quant aux motifs... La machine à savon vous éjacule dessus. Et il y aurait un essai à écrire sur les caprices des chasses d'eau.

«Ici a vomi Gilles Dufresne, écœuré par les critiques.» Pourquoi, à la suite de ce qui s'est passé samedi, n'y aurait-il pas au mur gris-bleu une plaque ainsi libellée? Pareille évocation le transit. Il se tâte le bas-ventre. Retour en salle. La compagne du poussah a sorti un poudrier en forme de quartier d'orange pour rectifier son maquillage. Gilles ne prend pas la peine de se rasseoir.

— Bon! maintenant que le sort du monde est réglé, on file... Hum! Cette... Cette allégation mériterait sans doute d'être étayée. A-t-on réglé le sort du monde? Oui, avec l'addition.

— À moins qu'un autre sujet bateau...

Suzanne veut sa revanche.

Les mots expriment rarement ce que nous avons à l'esprit, c'est connu depuis belle lurette. Et, à cet article, les dernières tirades de Dufresne se situent à des millions d'années-lumière du fond de sa pensée. Le fond de ma pensée, ce cul-de-basse-fosse, marmonne-t-il. Sornettes! L'humour noir tient du saut dans le vide: qu'on fasse toutes sortes de simagrées dans les airs ou qu'on se laisse tomber comme une pierre ne change rien à la portée du geste, si ce n'est que nous appelons cela le style.

— D'habitude, la taquinerie te réussit mieux.

— N'appuie pas trop sur la chanterelle.

Dufresne examine les taches de sang qui constellent la serviette de table. Il décide d'être munificent dans le pourboire, comme pour se rédimer. Ceci est mon sang. Bon! j'allais oublier mes lunettes fumées. Après la pipe l'autre jour, les lunettes... Une fois dehors, il s'aperçoit qu'il a un peu d'arthrite dans les jarrets: effet du vin, là encore, mais également espièglerie du destin. Somme toute, plutôt bon enfant, le destin. Gilles claudique.

— C'est agréable de marcher ainsi sans se presser, dit-il.

Suzanne parle de la proposition qu'elle a eue de collaborer au mensuel touristique *Québec en couleurs.* Ce magazine est-il digne de sa prose?

— Tu réserves ton jugement, à ce que je vois...

— Quand on travaille à *Samedi Montréal,* est-ce opportun de faire la fine bouche sur...?

— Je blaguais. J'ai accepté. Ma chronique reviendra tous les deux mois.

— Six fois par année? Comme fréquence des apparitions, toi et la Vierge de Fatima, c'est kif-kif, même combat.

Suzanne réprime un bâillement. Picard et Lafleur me l'ont rendu méchant, soupire-t-elle, je ne le reconnais plus. Bardés de sangles jaunes, des déménageurs traversent la rue avec une armoire normande. Économie, précision; mouvements synchronisés, mesurés au cordeau. Cinq secondes: ils ont à peine gêné la circulation. On entend un klaxon. Un des colosses sursaute plus qu'il n'est normal, porte la main à sa poitrine, feint d'avoir des vapeurs. Il se moque de l'automobiliste impatient, impossible d'en douter. Le voici d'ailleurs tout sémillant. Ses compagnons s'esclaffent. Suzanne Keppens ne se sent pas fautive d'épier les autres de la sorte. Elle ne le fait que pour, à leur insu, s'imprégner de leur présence. Et parce qu'elle est journaliste, aurait-elle fort probablement la tentation d'ajouter. Dufresne aussi a enregistré la scène. De quel droit? Du droit du romancier, droit souverain, droit suprême, chuchote-t-il, bombant le torse. Et il ne lui en faut pas davantage pour débarrasser l'opération affût de ce qu'elle pourrait receler de malsain.

— Il commence à y avoir de la nervosité dans l'air.

— En général, je suis distrayant en interview. Même que j'ai la réputation d'être gentil. Les sottises susceptibles de nuire à la vente du livre, compte sur moi pour les empiler, les facéties, les...

— Élise Lussier te fournira les idées à développer. Elle a du métier, elle...

— Elle fournira les idées. Moi, les embarras, les tâtons, les oh!, les ah! Mais j'ai apporté une bouteille d'encre toxique. Elle est dans ma serviette. Si on s'ennuie trop, le technicien, le réalisateur, l'animatrice, on organisera une suicide collectif.

— Tu ne te proposes pas d'attaquer Lafleur?

— Ne crains rien.

— Je te rappelle qu'on va au concert demain, pardon, vendredi soir.

Gilles rouspète, certes, mais nous verrons qu'il a préparé son interview. Il a même noté sur des bouts de papier une dizaine de répliques amusantes, insolites.

Oxygéné tel un poumon artificiel et empestant la lavande en aérosol, l'ascenseur se met en branle avec un bruit ouaté. Une seule personne est montée en même temps que Dufresne, une grande rousse au menton carré. Elle occupe tellement de place qu'il est obligé de se tasser au fond de la cage. Elle a l'allure de la dompteuse allemande des bandes dessinées de *Tarzan*. Les portes s'ouvrent. Gilles sort, prend deux bonnes respirations, s'oriente.

Il arpente le couloir conduisant au studio. Au bout, il reconnaît la murale aluminium et polyéthylène qui est censée représenter une fusion de fabuleuses machines à communiquer. L'ensemble vieillit mal. Ce qu'a inspiré le psychédélisme est aujourd'hui démodé. À côté de la murale, là où la peinture commence à cloquer (ça jure un peu), une affiche vante *Québec en couleurs,* le magazine touristique auquel Suzanne a été invitée à collaborer. Drôle de coïncidence! L'horloge du studio a un retard de cinq minutes sur celle du hall, à moins qu'il n'existe ici un décalage (un mini-fuseau) entre le rez-de-chaussée et le sous-sol.

Pauline Breton n'est pas là.

Et Gilles qui avait espéré se réconcilier avec elle...

Devant la console, le technicien s'active. Il est pâle. Ses cheveux et sa barbe n'ont pas la même teinte de brun. En dessous de la cigarette fichée entre ses lèvres, diable! c'est quoi, ça? Un cure-dent? Dans le rôle du tueur, il aurait été bien. Mais normalement on ne recrute pas ses tueurs dans les stations de radio.

— Ça va...? Pas très convaincant, ce murmure, plutôt mou... C'est oui?

Adoptant le ton sentencieux de ceux qui adorent citer leurs classiques, gourmée dans son maintien, la Lussier tend une main raide et moite. Émane d'elle une odeur écœurante de lait bronzant. Elle a l'insigne délicatesse de soulever ses verres fumés pour que vous puissiez la reconnaître. Même qu'elle les enlève pour se concentrer sur votre oreille droite — qui doit être sale. Ça vous agace, vous trouble. Elle ne veut pas vous regarder dans les yeux. Vous l'intimidez.

Prendrez-vous la chaise ou le fauteuil?

Quatorze heures cinq. La Lussier a dans ses papiers le numéro de *Livres et disques* où figure la photo de Lafleur et Picard. Elle n'y fera pas allusion durant l'émission. Il y a en outre l'annuaire du téléphone, posé en évidence sur sa table — comme si elle allait en faire la critique... Elle consulte sa documentation avec une moue des plus vilaines, fronce les sourcils, plisse le nez, se mord les joues. Aussitôt qu'elle se concentre, elle devient laide. Elle a l'air en grande interrogation sur le sens profond de l'existence humaine et sa coiffure, avec les mèches grises (faussement?) rebelles sur le front, accentue l'effet créé. Dès qu'elle penche la tête, on distingue la ligne du rouge ainsi que l'intérieur de la lèvre inférieure qui est tout humide, bleui, tuméfié. Quatorze heures dix. Elle est plus primesautière qu'il n'y paraît: nous le constaterons à l'instant.

— Croyez-vous sincèrement que ça correspond à ce dont le public a envie en ce moment? demande-t-elle, désignant l'exemplaire de *Permettez que je déborde*.

Mon sang ne fait qu'un tour.

— Nous sommes en ondes? Non...? Alors, je vous répondrai de manière immodeste. Trente ans que j'écris et il se trouve encore des gens pour lire ce que j'ai publié à mes débuts. Si je m'étais soucié de l'air du temps, ce ne serait pas le cas.

— Probablement. Merci pour le test de voix. Ne vous approchez pas trop du micro.

«À mon humble avis, au risque d'être jugé immodeste, etc.» Toutes ces formules auxquelles on aura recours pour camoufler la remontée, l'envahissement du moi! Mon moi entête au point de provoquer haut-le-cœur et nausées. Voilà ce qu'il faudrait que je sois capable d'avouer sans ambages. La quarantaine écoulée, le moi devient plus embêtant que vraiment haïssable et...

—Je proteste. Les envies de la majorité ne sont pas...

— Personne ne vous force à écrire.

— Sous-entendu: nous pourrions nous passer de vos livres? Ce n'est pas ce que vous voulez dire, bien qu'en substance...

Il perd son temps ici. Et les auditeurs vont perdre le leur. Dufresne se le répète depuis cinq minutes. Maudits soient les journalistes qui s'imaginent mandatés par le public! Au nom de quel principe, Dieu du ciel? Ils considèrent que nous avons des comptes à leur rendre, sous prétexte qu'ils ont la magnanimité de nous interviewer. Je brasse ma colère, j'en savoure le suc. Je bous.

— Attention, c'est parti. Gilles Dufresne, vous venez de publier aux éditions du Kiosque *Permettez que je déborde de mon texte.* Je dois vous déclarer d'emblée que j'ai beaucoup aimé les deux derniers chapitres de votre ouvrage.

Manœuvre dilatoire? Immolation de l'arrogance sur l'autel médiatique?

—Je m'en doutais, grommelle l'invité, qui se rencogne dans son fauteuil, dépité, la mine longue comme une semaine de jeûne.

Tous les imbéciles raffolent de ce passage, pense-t-il. Il méprise la fille. Il la méprise parce que les pages qu'elle a préférées, il les tient, lui, pour indignes de son talent.

— Je m'en doutais, réitère-t-il, d'une voix sourde.

Facile comme contre-attaque: on se sent inférieur à son prochain; par conséquent, on l'humilie. Clac! le piège se referme. Certes, Gilles a le droit de riposter, il a le droit de rembourser l'offense de tout à l'heure. Mais c'est quand même lui qui les a composées, ces pages, non? Pauvre Élise Lussier. Est-ce sa faute à elle si les trois quarts du bouquin l'ont ennuyée? Pauvre, pauvre Élise...

Elle le culpabilise. De plus en plus mal à l'aise, Dufresne a la sueur aux cuisses, le pantalon qui colle à la peau. Il se pince le genou, tire sur l'étoffe. Inutile de forcer les coutures.

— Honnêtement, il n'y a pas que ces deux chapitres, notez. J'estime qu'il s'agit d'un bon livre au total, peut-être de votre meilleur, bon livre en ce sens qu'il contient de la bonté, beaucoup de bonté. Comme il se doit, vous vous évertuez à refouler cette bonté...

— Pour la refouler, il faut d'abord que j'aie pris soin de l'introduire dans...

— C'est ce que je dis. Incidemment, vous nous réconciliez avec l'adjectif. Là aussi vous faites preuve de générosité en l'employant d'abondance... Revenons à l'essentiel. Au centre de vos romans, il y a vous, toujours vous...

— *Permettez que je déborde* n'est pas un roman. Du reste, je n'accepte plus ce reproche...

— Reproche: tout de suite les grands mots!

— ... qui repose sur une mauvaise compréhension de Flaubert. C'est trop facile. Souvent, il m'arrive de mettre en scène des êtres vaniteux, je le reconnais. Parce qu'ils refusent de s'identifier à ces êtres vaniteux, les critiques les condamnent en utilisant des formules comme: «Encore Dufresne qui parle de lui.»

Éclat de rire gracile, menu.

— Me fournissant ce genre de réponses, vous ne risquez pas à votre tour de tomber dans la caricature...?

— Les préoccupations que j'ai dépassent ma petite personne, je l'ai prouvé... Dans une autre optique, j'admets avoir écrit trop d'histoires d'écrivains racontées au je. Mais là, convenez-en, nous changeons de rayon.

Sacré je! N'emploie-t-on pas le je pour retrouver un peu de ce plaisir qu'on a éprouvé enfant à taper pour la première fois son nom à la machine, à voir ainsi apparaître une à une les lettres sur la feuille de papier — plaisir très fort mais très fugace évoqué à présent avec de plus en plus de gêne et de peine?

*P*ermettez *que je déborde* est votre combientième livre? Ne haussez pas les épaules. Je n'énumérerai pas tout ce que vous avez publié...

— J'ose l'espérer.

— ... depuis une trentaine d'années.

— Ce serait fastidieux: la corvée, en somme! Songez que, moi, ces livres-là, j'ai dû les concevoir un à un. Je n'ai pas envie de vous imposer mon vieux numéro de l'auteur aux limites de l'épuisement avec ses mille z'espoirs déçus. Réellement, non.

— Citons seulement *Il était une fois pour toutes* et *la Table des matières*, deux ouvrages avec lesquels la presse n'a pas été tendre à l'époque. On ne fait que commencer à en saisir la portée.

— Vous êtes gentille. En effet, *la Table des matières* (quel mauvais titre!) n'avait pas le débraillé propre aux années soixante, l'allure fond de tiroir. D'ailleurs, je ne

140

garde pas de fonds de tiroir. La glose, je l'intègre au fur et à mesure au...

— *La Table des matières* était un roman à clés.

— Je ne garde pas de fonds de tiroir et je n'ai jamais fait de romans à clés. Je ne suis pas assez perspicace pour ça. Bref, j'aurais honte d'obliger mes lecteurs à se livrer à d'absurdes enquêtes.

La Lussier lève le doigt, la main, le bras — et exhale de la sorte de nouveaux effluves de lait bronzant.

— À propos d'histoires d'écrivains racontées au je, puisque c'est vous-même qui avez abordé le sujet...

— Allez-y!

— Écrire (au je ou à quelque autre personne que ce soit), n'est-ce pas toujours dire: «Aimez-moi»...? Vous vous renfrognez. Corrigez-moi si je me trompe.

— N'exagérons rien. Entre être conspué par la moitié des lettrés du Québec et être aimé par le redoutable critique de *Samedi Montréal,* spontanément, je...

Misère! il a flanché. Gilles a manqué à la promesse faite à Suzanne.

— Yvan Lafleur est un critique influent.

— Je ne le nie pas. Sans avoir jamais eu à se donner le mal de pondre plus de quinze feuillets de suite, Lafleur a le prestige des auteurs de grand renom. C'est dû simplement à l'extrême efficacité des médias. L'empire informationnel, le fameux quatrième pouvoir... Appelez ça comme vous voudrez.

— Donc, les critiques vous...

— Qu'on ne se méprenne pas: je leur demande juste de ne pas m'empêcher de toucher le public auquel mes ouvrages sont destinés. Qu'ils me portent aux nues, qu'ils disent de moi pis que pendre: je m'en fous. Ils ont parfaitement le droit de me détester. Quoique, ces jours-ci, je... Vais-je vous confesser une chose que...? On a disserté, péroré sur la solitude de l'écrivain devant la page blanche. Eh bien! cette solitude n'est rien comparée à celle qu'on ressent immédiatement après la sortie d'un livre, alors qu'on attend les premières réactions, les articles dans les journaux du week-end. Et cette solitude-là, comme on ne l'a pas vraiment choisie, on l'assume couci-couça... Évidemment, dans mon cas, le malaise s'est dissipé d'un seul coup samedi quand j'ai parcouru *l'Éclaireur* et *Samedi Montréal.*

— Technicien, faites entrer les pleureuses!

Dufresne s'esclaffe. C'est nerveux. La Lussier se rengorge. Derrière la vitre, l'apprenti tueur feint d'avaler son cure-dent.

— Je plaisantais. Je ne suis pas d'accord, enchaîne-t-elle, avec les critiques qui ont attaqué *Permettez que je déborde.* Ce dénigrement systématique. Même l'analyse de Josette Boismenu...

— Josianne.

— Pardon. Josianne. Josianne Boismenu. Même son analyse dans *Libre Examen* m'a paru biaisée. Je ne suis pas d'accord. Plus précisément, je ne suis pas d'accord avec la façon dont ils ont attaqué *Permettez.* Ils se sont mal acquittés de leur tâche et je comprends votre mauvaise humeur. À votre place, je serais dix fois plus mécontente, dix fois plus furieuse que vous. *Permettez* n'est pas un livre bâclé, au contraire. C'est plein d'artifices, de petites astuces, d'entourloupes de génie.

— Une entourloupe de génie demeure une entourloupe, je le crains.

— Vous nous jetez de la poudre aux yeux, Gilles Dufresne. Vous êtes si prompt à mystifier votre public.

— «Le diamant n'est qu'une coquetterie du charbon», écrit quelque part Gabriel Sullivan. Je suis encore plus prompt à me mystifier moi-même, voyez-vous. Pas plus tard que ce matin, je me prenais pour Cocteau.

Pour Queneau, plutôt. Oh! la fausse placidité d'un poète comme Queneau...

— *Permettez* n'est pas un livre bâclé. C'est fignolé, peaufiné, et en même temps très risqué. Ça n'a cependant pas le naturel ni la spontanéité d'*Il était une fois pour toutes*. En ce qui me concerne, je...

— J'ai publié *Une fois pour toutes* à l'âge de vingt-trois, vingt-quatre ans. J'en ai le double maintenant. Si on couche avec une vieille putain, on ne s'attend pas à ce qu'elle dégage la fraîcheur d'une jeune vierge... Euh, gageons que vous couperez ce bout-là au montage. Je verrai bien.

L'espace d'une seconde, il rêve qu'il est Queneau, le Queneau des sauts de carpe et des ricochets, des gravats lancés au-dessus de la mare aux canards, le Queneau des pavés dans la grande barbotière de la prosodie classique — et ensuite, bien sûr, le Queneau du calme, du calme qui revient en moins de temps qu'il n'en faut pour faire coin-coin, calme trop rapide pour ne pas être suspect. Qu'importe! les mots ont éclaboussé l'angoisse, l'ont immergée, l'ont rendue un instant muette. Moi qui suis de la race des écrivains qui inquiètent, j'envie parfois ceux qui rassurent. Au milieu des bouchons de la circulation, je klaxonne en vrai fou. J'inquiète, j'alarme, mais je ne fais avancer personne. Tandis que, dans les moments où je me prends pour Queneau, je modère mes transports: je me gare non loin d'un parc, je collectionne alors les paysages avec étang, quenouilles, etc.

— Aimeriez-vous, par exemple, qu'on dise un jour de Cocteau: «C'est un peu le Dufresne français»?

— Ha! là, vous m'avez attrapé. Félicitations pour la galéjade.

— Blague à part, il y a du Guitry dans *Permettez que je déborde*...

— Vous me faites trop d'honneur. Mes contemporains ne m'ont pas habitué à tant d'éloges. Mes contemporains... Utilisant cette tournure, c'est surtout aux écrivains de sa génération que pense Gilles. Combien parmi ceux-là ont la tête dans les nuages? Pour les dénombrer, n'en est-on pas réduit à devoir compter les pieds qui dépassent? Mes contemporains... L'emploi de pareilles expressions signifie obligatoirement qu'on lorgne en direction de la postérité. Or, à l'instar de l'immortalité, la postérité est une valise encombrante, et pas très commode, de surcroît.

— En définitive, je n'ai qu'un reproche à vous adresser. Parce que vous tenez en suspicion vos dons les plus manifestes, vous vous refusez la satisfaction de vous montrer brillant à chaque paragraphe. Et c'est un plaisir dont vous nous privez nous aussi. Je le déplore.

Coquine, va! Et Dufresne qui croyait que, sous le prétexte futile qu'on doit à tout prix préserver la magie d'un texte, la Lussier s'apprêtait à le gourmander pour avoir révélé deux ou trois des procédés dont il se servait fréquemment... Elle remercie l'invité, prend congé des auditeurs. De nouveau, elle fixe l'oreille droite de Dufresne. Il ne se retient plus, se débonde.

— La critique écrite est devenue une fabrique à bons mots. Comme de raison, c'est au détriment de... Lafleur et Picard jugent être en possession de la vérité. Possession toute fébrile. Seule la critique parlée a su conserver, elle, l'humilité que requiert la réflexion sur les œuvres.

— L'interview sera diffusée samedi prochain, spécifie l'autre, remettant ses lunettes fumées avec une grimace insolente, ébouriffant ses mèches grises du bout des doigts.

Dufresne s'en veut. Il n'avait pas besoin de s'abîmer dans la flatterie, il n'avait pas besoin de minauder de la sorte. Élise Lussier accomplit un travail, point à la ligne. Elle a été moins sagace que versatile — ce que nous ne pouvons certes pas considérer comme une qualité. Sur trois émissions, elle en fait une tout ce qu'il y a de vache. Une sur trois. Si elle a été si fine avec Gilles, l'explication est simple, c'est qu'elle a déjà pris quelques mois d'avance côté vacherie.

— Je vous suis reconnaissante de ne pas m'avoir accablée de confidences. Les confidences, je n'apprécie plus tellement.

— Bah! ce n'est pas exactement le style de la maison.

— Je suis bien d'accord avec vous. Sauf que j'ai ce maudit air attentif, prévenant, et que je suis incapable de m'en départir. Résultat: les gens s'épanchent.

Dufresne, lui, est là qui lanterne. Il continue de composer son personnage. Le Dufresne interviewé a peu en commun avec le Dufresne penché sur sa table d'écrivain. Il joue un rôle, plastronne. N'est-ce pas d'ailleurs à son insu? Depuis quinze secondes, il fume un cigare imaginaire. Il en avale la fumée. Restera-t-il figé sur place? Dans son coin, le technicien s'impatiente. Gilles ressemble à une statue de cire. Ou, mieux, à un mime, vous savez, un de ces mimes dont le numéro consiste à s'installer aux portes des magasins les plus achalandés et, automates électriques, à simuler la panne de courant. La différence? Gilles Dufresne n'est pas effaré, lui, mais impavide. Par charité, rebranchez-le, quelqu'un, rebranchez-le...

— Ainsi, vous n'avez jamais mis les pieds au musée Grévin? s'étonne la Lussier en le raccompagnant jusqu'à l'ascenseur. Pourtant, vous avez vécu à Paris pendant nombre d'années...

Trois ou quatre bribes du discours d'Élise Lussier ont échappé à Dufresne. Et voici que son manque d'intérêt pour les musées de cire menace dans les circonstances actuelles de le faire passer pour un inculte. Ce soir, Suzanne Keppens va jubiler au récit d'une aussi gracieuse finale.

Quand les portes de l'ascenseur se sont refermées sur les deux religieuses, Gilles s'est aperçu qu'il s'était laissé monter trois étages trop haut. Les bonnes sœurs l'ont distrait, oui. Il leur donne quatre-vingts ans. Ah! ce regard fuyant sous le jaune empesé de la cornette. Sans doute la télévision prépare-t-elle une table ronde bouche-trou sur le thème des écoles ou des hôpitaux d'antan. Quelque chose de cette détrempe... Il pèse sur le bouton d'appel et en profite pour se moucher. Aucun cendrier à proximité. Pas davantage de corbeille à papier. Où dépose-t-on les kleenex? Le sien, il le chiffonne en boule et se l'introduit dans la manche. Ni vu ni connu. Les haut-parleurs diffusent une chanson dans laquelle «insaisissable» rime avec «sable» et «voyage» avec «plage». Ayons une pensée pour le patron du café Gingras, récitons à son intention une oraison jaculatoire, comme diraient les deux nonnes. Il appuie derechef sur le bouton. Une, deux, trois fois. Je n'ai rien contre le fait d'attendre un ascenseur; encore faut-il que la cabine n'ait pas grimpé jusqu'aux enfers, qu'elle ne soit pas coincée dans quelque cratère, etc. Non, en principe, les enfers, c'est en bas. Quatre, cinq, six fois. Il perd patience et se résigne à emprunter l'escalier. Dans la cage, il retrouve l'odeur de lavande en aérosol qu'il a respirée en entrant dans l'édifice. Cette odeur lui ramène le souvenir des bureaux de médecins qu'il a connus dans son enfance. Vague souvenir. Les marches métalliques résonnent comme une grosse caisse. Sous le panneau indiquant la sortie niveau rez-de-chaussée, une sculpture d'albâtre représente un homme complet en veston descendant l'escalier. Léger malaise. Dufresne pousse la porte et se dirige vers la rangée de téléphones.

En y réfléchissant, j'ai bien fait de ne pas inclure Josianne Boismenu dans le contrat. Quoique je ne sois pas au courant des prix, je suis sûr de réaliser une économie appréciable. Puis, je ne souhaite pas sa mort. Évidemment, si j'essayais de passer avec elle vingt-quatre heures d'affilée, nul doute que je l'aurais assassinée avant la tombée de la nuit. Je ne souhaite pas vraiment sa mort, non. Mais j'ai les meilleures raisons du monde de vouloir éliminer Picard et Lafleur. Ce sont des êtres bornés, malfaisants. Quand on songe que même Élise Lussier a aimé *Permettez que je déborde...*

Dufresne glisse une pièce de vingt-cinq cents dans l'appareil et compose un des numéros notés lundi dans son carnet.

— Allô!

On entend clairement les chiens qui jappent en arrière.

— Robert Masson, s'il vous plaît. Ah! c'est vous...? Je suis venu hier à votre école de dressage et...

— N'en dites pas plus, j'ai reconnu votre voix.

— Je vous appelle pour vous remercier de m'avoir consacré de précieuses minutes de votre temps. Vous m'avez aidé à prendre la seule décision qui s'imposait dans mon cas et je...

— Franchement, vous allez me rendre furieux. Vous avez perdu la tête? Vous vous rendez compte du risque que vous nous faites courir? Vous m'êtes sympathique. Très sympathique. De grâce, soyez plus prudent. Je vous en supplie, je vous en conjure. Achetez-vous un saint-bernard, un colley, je ne sais pas, moi...

Il a raccroché. Et Dufresne reste là, hagard, le combiné à la main. Lui qui croyait bien faire, quel idiot il est! Déprimant, ça!

Retour à la case départ. Il est assis derrière le volant de sa voiture, portière entrouverte, hésitant à démarrer, tergiversant avec lui-même. Pourquoi en effet ne s'accorderait-il une pause? Il le mérite. Le coup de fil au dompteur a été une fausse manœuvre. Une bourde, une ineptie. J'aurais dû prévoir la réaction de Masson. Je ne peux plus me payer le luxe de m'élancer à l'étourdie. Il faut que je décompresse, c'est urgent. Malgré tout, j'ai une excuse: j'étais si heureux de l'attitude d'Élise Lussier! Ainsi, les critiques ne se ligueront pas en bloc contre moi. Détendons-nous. Profitons-en pour faire le bilan de l'interview.

Dufresne sort de sa serviette un crayon — de même qu'un bout de papier. Ceux qui se reconnaissent en tel ou tel de ses personnages l'agacent au suprême degré. Il ne compose pas de romans à clés, il l'a redit à Élise Lussier. Pourtant, il devrait se sentir flatté, puisque ces gens lui accordent un pouvoir d'évocation que les spécialistes lui dénient... Oh! il lui arrive de se sentir flatté, touché, mais entre cette émotion et une volée de bois vert, il ne voit pas la différence.

L'avantage de la littérature est qu'on y croise des spécimens qu'on n'oserait pas approcher dans la vie réelle, des spécimens dont, par quelque aspect, on est le semblable, le frère. L'avantage de la littérature est que, pendant quelques instants, elle nous réconcilie, nous, lecteurs, avec ce que nous portons en nous d'abject, d'odieux. Nous ne nous attendons pas à rencontrer dans la rue les personnages du roman que nous sommes en train de lire. Nous n'en demandons pas tant, nous ne sommes pas à ce point maniaques. Nous tenons toutefois à ce que les créatures de fiction acquièrent une autre existence que celle qui est la leur sur ces pages couvertes de caractères d'imprimerie. Si les créatures disparaissent de notre esprit dès le livre fermé, nous nous dépêchons d'en blâmer l'auteur. Et nous ne nous trompons guère, car l'auteur a failli. Il ne faut surtout pas que les personnages demeurent prisonniers des deux morceaux de carton qui servent de couverture au bouquin.

Moi aussi, je me suis réconcilié avec ce que je portais en moi de vil, d'abject, d'odieux. J'ai soigné le serpent pelotonné au creux de mon ventre, le serpent rouge confondu à mes viscères. Je l'ai nourri de lait et de miel, je l'ai charmé avec les mots les plus sonores que je connaissais. Je. Je. Je. Le je du narrateur, ce je dont les critiques se plaisent à dire qu'il ne les leurre pas, dissimulant celui-là même qui a signé l'ouvrage de son nom de famille (ou de guerre), ce je qui, par conséquent et de l'avis des exégètes, dissimule mal l'auteur (il s'agirait, au mieux, d'éclipses partielles, fort brèves), le je du narrateur a toujours plongé Dufresne dans des abîmes de perplexité. Je parle de son propre je. Je parle également du je de plusieurs de ses collègues. L'hiver dernier, contre toute attente, Sullivan s'était subitement débondé au cours d'une conversation de bar et lui avait avoué son trouble profond: «Est-ce bien moi, ce je? Réponds à ma question, je t'en prie.» Hum! Suzanne serait contente d'apprendre ce qui s'est passé... (Gilles se souvient qu'il avait eu beaucoup de difficulté à caser le rendez-vous avec Sullivan entre deux séances du magasinage des Fêtes.) Au quatrième, au cinquième cognac et souvent non sans un brin de complaisance, les collègues vous confient leur confusion: «Est-ce moi, ce je? Qu'en penses-tu? Si je ne m'abuse, je crois l'avoir rendu antipathique, non?»

Lieux communs. À propos, un auteur est-il obligé d'aimer le je qu'il a mis en scène? Allons plus loin: un auteur est-il tenu moralement d'aimer toutes les histoires de son invention? Dispensez-nous de commenter. Dufresne estime avoir eu raison d'écrire les livres qu'il a écrits. Sinon, il aurait cessé depuis longtemps de pratiquer ce jeu de camouflages et d'escarmouches. C'est le cas pour la majorité des artistes dont les débuts ont eu quelque éclat: à mesure que les années s'écoulent, nous leur reprochons avec une mauvaise humeur croissante d'avoir renoncé à prendre leur retraite. Certains critiques blâment même Gilles d'être encore en vie. Ceux-là cherchent sérieusement comment la bêtise dont ils le jugent maintenant affligé a pu sortir de la si magnifique folie affichée dans la jeunesse. «Sa manie de collectionner les potins relève de la cavale mentale», a écrit Yvan Lafleur dans *Samedi Montréal. Permettez* n'était pas sitôt en librairie qu'il était déjà mort. Ayant été lancé et baptisé selon les usages, soit au champagne, par chance l'ouvrage n'ira pas dans les limbes. Plutôt au purgatoire: toujours ça de pris dans un pays où il est désormais honteux de publier autre chose que des best-sellers.

N'empêche qu'il aurait été préférable que vous changiez d'éditeur. Au cours des négociations que vous avez eues avec lui, jamais Bilodeau n'a semblé emballé par le manuscrit. Vous aimez le personnel du Kiosque, vous vous êtes attaché à madame *G*, à Manon, à Linda. Sauf que... Dans l'idéal, ne devrait-on pas tâcher de faire paraître ses livres chez des éditeurs débordants d'enthousiasme? Vous avez eu de mauvais papiers, vous vous êtes fait éreinter. Il est quand même rassurant de savoir que Bilodeau ne vous poursuivra pas pour atteinte à sa réputation. «À cause de toi, je passe pour un promoteur de torchons!» Rien à craindre de ce côté. L'horizon est bouché, mais on n'en fera pas un drame.

Permettez est donc mort avant même d'avoir vécu. Presque tous les livres de Dufresne sont morts dans des circonstances analogues. Et deux ou trois se trouvent dans un coma qui n'augure rien de bon. Dufresne ne s'en plaint pas. Il constate la chose, voilà tout. Deux ou trois autres pètent de santé. Imprévisible destinée des livres: ceux dont on avait cru qu'ils feraient scandale se sont aplatis dans l'indifférence un mois après la campagne de publicité; en revanche, les malingres, les chétifs, les fragiles ont parfois fait leur chemin comme des grands.

Bref, ce n'est pas sans peine que Gilles a réussi à faire accepter ses derniers manuscrits. Par un phénomène bizarre dont les arcanes s'ancrent dans nos mœurs administratives bien plus creux que l'orthographe, si vague soit-elle, des secrétaires, les lettres de refus sont immanquablement truffées de fautes. On le lui avait souvent répété: depuis cinq ou six ans, il s'en est rendu compte par lui-même. Quant aux autres lettres, il n'a jamais remarqué si elles étaient rédigées en français correct — ce qui est assez compréhensible. Bien que quelques-uns de ses titres aient remporté jadis de jolis succès de librairie, les éditeurs préfèrent à présent miser sur de jeunes auteurs mieux branchés sur les préoccupations piaffantes et trépidantes des masses. Leur principe est le suivant: il est moins compliqué de donner naissance à un enfant que de ressusciter un mort. Indiscutable. À la chasse aux fossiles, on ne s'attend pas à ce que ce soit le gibier qui fasse le premier mouvement. On pourrait néanmoins avoir des surprises...

151

Dufresne a un nom qui ne sert plus à rien. Le prochain texte, il le soumettra sous un pseudonyme. On verra si sa phrase est encore capable de se défendre toute seule. Et peut-être que certains éditeurs croiront justement avoir affaire à un de ces jeunes artistes pourris de promesses et de talent, à un de ces veaux prêts à manger à tous les râteliers. Résumons-nous: il ne reste plus grand-chose que vous puissiez accomplir en invoquant la tradition. Dieu merci, l'âge qui avance vous autorisera des audaces de plus en plus folles. Vivement vos soixante ans, mon cher Dufresne, vivement vos soixante-dix ans! Chez vous, bien pire que l'ennui est la crainte de ne plus parvenir à vous distraire. Plutôt que de ruminer vos pensées dans la voiture, allez marcher dans le parc. À cette heure, ce serait étonnant qu'il y ait foule.

Susceptible, très facile à vexer mais trop timoré pour le montrer, Dufresne est un doux. Impossible que la vengeance qu'il prépare contre Lafleur et son émule, l'effronté, le petit voyou de Picard, soit son projet à lui. Sa vengeance relève des desseins d'un autre Dufresne, c'est sûr. Je suis un doux, pas un violent, bredouille-t-il, l'œil flou, ponctuant sa phrase d'un hochement de tête. Assis sur un des rares bancs verts du square, il s'absorbe dans la pause en forme de rêverie qu'il s'est offerte en ce milieu du jour. Il respire à fond. Dans sa poitrine, les poumons gonflent leur feuillage, ce qui compense pour les arbres qui sont tout nus. Gilles se veut résolument du genre mélancolique, mélancolique d'automne à l'affût des moments frisquets de l'après-midi. Et, blotti dans son chandail de laine, notre homme rallume sa pipe afin de donner libre cours aux fantaisies paresseuses du spleen, spleen qu'il assaisonne d'un brin de délire. Que je sache, soliloque et solipsisme demeurent au moins de bons voisins de dictionnaire.

La plupart des jouisseurs sont enclins à la mélancolie. C'est normal. Apprécier la vie requiert une sensibilité à fleur de peau, ce qui signifie qu'on reste à la merci des contrariétés et des déplaisirs, partant en proie aux moindres chagrins. Gilles se veut mélancolique d'automne, c'est-à-dire inquiet, tourmenté, ténébreux. Avec un soupçon de désespoir. Oh! il prend garde de confondre désespoir et désenchantement. Car, par rapport au désespoir, le désenchantement fait figure de parent pauvre. Pas besoin d'une âme de qualité pour éprouver le désenchantement; c'est à la portée du premier imbécile venu, et c'est vraiment une passion de tout repos. Tandis que le désespoir...

Au fait, l'après-midi n'a rien de frisquet: Gilles devra cesser de se jouer la comédie de l'emmitouflage. La météo annonce que les prochains jours seront humides. Bref, il se peut que nous ayons ce week-end-ci un second été des Indiens. Moi qui déjà supporte mal de languir de chaleur pendant les grandes vacances... Si maintenant l'Éternel s'amuse à déménager en novembre les étuves de juillet, je vais attraper la crève! Dufresne se gratte le dos de la main en se servant des caractères en relief de sa carte de crédit. Je me doutais que je ne l'avais pas remise à sa place après avoir payé l'addition chez Gingras... Un brin de laine dépasse de sa manche. Il se fait violence et renonce à tirer dessus.

Il appert que nous, Québécois, nous y connaissons en électricité. À une époque moins calamiteuse, alors que les Beatles chantaient *Lucy in the Sky* et que nous nous demandions si le nirvana ne deviendrait pas bientôt le cinquante et unième État américain, nous nous réunissions dans les arrière-cuisines pour casser du sucre sur le dos des... Non, l'énergie contestataire des années soixante ne s'est pas perdue, elle ne s'est pas dissipée dans l'espace. Elle est allée remplir les accus de l'hédonisme. Ceux qui militaient avec le plus de vaillance se sont convertis en maniaques du jogging. Tels sont les actuels rites de la tribu. À preuve ces coureurs qui défilent devant le banc occupé par Dufresne. Dans certains pays, quand les choses tournent mal, les intellectuels se suicident. Ici, ils se contentent d'être moroses. Je songe à Josianne Boismenu et je suis convaincu qu'elle fait des exercices de gymnastique, celle-là... Si je ne m'abuse, l'écureuil échappe aux lois de la physique traditonnelle? Celui que Gilles observe (un albinos, l'anomalie existant aussi chez les rongeurs) batifole entre les grosses branches, puis va se reposer sur un tas de feuilles mortes. Notre raisonneur se recueille. La désolation des arbres du parc exige en effet qu'on fasse silence. Et pourquoi, dans mon esprit, n'associerais-je pas le cortège des flâneurs à la gravité du moment? À quelques exceptions près, le spectacle offert par l'humanité ne m'a jamais comblé d'aise. Misanthropie. Misogynie, disent plutôt les femmes de mon âge. Peu de clochards hantent les lieux: déjà, ils sont entrés en hibernation — beaucoup trop tôt, si je tiens compte de la vague de chaleur. Dufresne déploie son journal, fait semblant de lire. Lui, solitaire? Certes, il déteste la société; mais il incorpore à son aversion une forte dose de complaisance. Par exemple, il aime quand les autres, si haïssables pourtant, le félicitent de sa misanthropie. Qu'ils le fassent le plus souvent possible, j'apprécie... J'adore me noircir et qu'on me complimente à ce propos. Ce ne sera pas de sitôt que j'adopterai la stupeur comme position philosophique.

Une camionnette s'arrête. Une femme descend, en fait le tour, vient embrasser le conducteur. Il y a dans ce baiser une telle intensité que l'écrivain se met à évoquer les départs précipités pour le Pakistan, l'Australie ou Madagascar (tant pis si la fille n'a pour bagage qu'un minuscule sac en cuir noir de mauvaise qualité), voire les permissions de sortie d'une demi-journée accordées aux prisonnières modèles. Elle s'éloigne en faisant un signe de la main. Elle a mille fois raison: les étreintes à l'intérieur des voitures, c'est juste bon à embuer les vitres. Gilles aura le temps d'apercevoir une photo encadrée suspendue au rétroviseur — sans doute une photo de la même fille en maillot de bain deux-pièces. Il est chaque fois surpris de découvrir (ou de deviner) jusqu'à quel point les êtres frustes sont aussi capables d'affectivité — comme s'il fallait de la culture pour ressentir des émotions un tant soit peu subtiles!

Petites effusions, douces rapines... Les joies quotidiennes constituent le meilleur de l'existence. J'ai prêté au baiser de la fille trop de... Erreur de ma part. Ce baiser n'est qu'une petite joie. Voilà en quoi il est si précieux. Les grandes liesses épuisent le corps et usent le système nerveux. Cultivons les petites joies, cultivons le trivial. En vérité, la passagère de la camionnette me fait penser à ma fille. Même stature, même démarche. Pas beaucoup plus vieille qu'elle... On n'entre pas automatiquement dans l'âge adulte, vous savez. Il faut d'abord en prendre la résolution. De plus en plus, les jeunes hésitent, tardent à le faire. C'est pourquoi ils n'atteignent la maturité que passé la trentaine — et encore! Alors que nous, à leur âge... Pour Isabelle, ce n'est pas demain la veille.

À cinq pas de là, un adolescent maigre trompe l'ennui en martyrisant son frère cadet, sous prétexte que l'autre a chipé le poste transistor. À chacun ses divertissements. Il lui tord les poignets, lui tire les oreilles, lui flanque des taloches. Le petit (qui a l'air du blond Jean-Baptiste des défilés frisottés de naguère) se frotte la nuque, braille à chaudes larmes. Ah! torturer plus faible, plus veule, faire rendre gorge à plus mauviette que soi... Il y a longtemps que Dufresne n'avait éprouvé cette sorte de délectation: sirupeuse volupté, proche de la commisération, qui consiste à chérir tout son soûl ce que rien qu'une seconde avant on tenait en sainte horreur. Ce plaisir est comparable à celui qu'on a en voyant des documentaires qui montrent comment les araignées attrapent les mouches. Gilles sent une fine morsure au cœur.

Passe une voiture qui file un tantinet trop vite pour sa vieille carcasse. Elle va son chemin, poussive, bringuebalante. Un clown femelle traverse l'allée à vélo. Plus loin, un chien errant est en quête d'un endroit original pour laisser une carte de visite. Derrière cet arbre? Non, il connaît le coin. Sous le banc, là-bas? Et pourquoi pas directement dans la pelle à étrons que trimballe la maîtresse dame aux deux caniches blancs? Écouteurs sur les oreilles, un cycliste quitte brusquement le trottoir, grille le feu rouge, s'engage en sens interdit. Bruits de freinage. Même s'il le voulait, Dufresne ne pourrait pas se concentrer sur la lecture des pages sportives. L'enfant battu hurle à fendre l'âme. Vous cherchez l'explication des guerres, des cataclysmes, de la souffrance dans le monde? C'est simple: Dieu a le tempérament d'un correcteur de manuscrits: à force de trouver des fautes par centaines, et ce à chaque révision, il perd tout discernement, entre en crise et se met à biffer n'importe quoi. Pleure, ô blond Jean-Baptiste, pleure...

Serviette de vinyle sous le bras, le bonhomme a cette allure d'aumônier scout que finissent par adopter les professeurs qui enseignent aux adolescents. Arrivé à ma hauteur, il décide de profiter d'un répit, ouvre sa serviette, en sort un sac brun fripé qui contient un napperon, un récipient de salade de chou, un sandwich à la mortadelle. Il dévore le sandwich en trois bouchées, s'humecte l'index pour ramasser les miettes tombées sur le napperon. Avec les pellicules qui paillettent son blouson, pareil geste est hardi. Je n'insisterai pas sur le cheveu que j'ai vu choir dans la salade de chou. Hilare tout d'un coup (et sans motif), il se donne des pichenettes sous le menton. Je n'avais pas remarqué la croix noire pendue à son cou. L'hurluberlu a un macaron à l'emblème du Vatican. Encore un fan du pape! Quoique je sois trop loin pour les distinguer avec précision, il a probablement des chiures de mouches dans les lunettes. Ah! la tentation que j'ai de rabattre la visière de sa casquette, de la lui coller là, contre l'arête du nez. Le crapaud de bénitier commence à se masser l'entre-jambes. Doux Jésus! va-t-il se masturber devant nous? Ses doigts noueux, son sperme rance... Non, il se relève pour consoler l'enfant battu. S'il est pédophile, l'expression croquer le marmot prendra ici son sens premier. À un certain niveau, la grossièreté acquiert une espèce de grâce. Peut-être suffit-il pour cela qu'elle frôle le pathétique. J'ai l'impression d'être le spectateur d'une comédie de slapstick se déroulant au ralenti — slapstick ontologique, si je me permets cet emploi qui... Par chance, le crapaud s'est contenté de tapoter la joue du bambin pour, aussitôt après, se perdre dans la nature. Quant au gringalet, il a beau s'être lassé de martyriser son frère, ses activités n'en continuent pas moins d'être ludiques. Il essaie à présent de frapper les écureuils avec un bâton de base-ball. Il est plus têtu qu'un troupeau de mulets.

Toujours assis dans le square, Gilles lève les yeux de son journal chaque fois que passe une jouvencelle. En ce mercredi, la chair l'attire davantage que les mots. Moelleuse tyrannie de la concupiscence. Oppression caressante. Tendre et souple force occulte. Qu'on nous attribue le droit de qualifier d'épicurienne cette manière de pimenter l'ordinaire de la vie. Dufresne s'aperçoit-il qu'il bande? Il en éprouve de la honte. «Le Seigneur vous a donné la vocation», avait déclaré son directeur de conscience au plus aigu de la crise de puberté. «Quel grand honneur Il vous a accordé là! Et pourquoi, dans ce cas, ne vous a-t-Il pas castré dès le berceau? Encore une énigme pour nous, une des innombrables énigmes divines. C'eût été si simple: accident mineur, chute dans un escalier... Au lieu de ça, vous voici aux prises avec un problème de taille, mon fils. Priez la Vierge Marie afin qu'elle vous aide. Priez, priez, c'est primordial.» Gilles avait acquiescé aux paroles du confesseur. C'est seulement plus tard qu'intrigué, il avait pensé chercher le verbe castrer au dictionnaire. Maudit curé! D'un coup sec, il avait perdu la vocation. (Sans doute ne l'avait-il pas entretenue très puissante en son âme...) Lui sont toutefois restés les relents de fausse pudeur.

Celle-là vous tourne le dos, absente, sibylline, plongée dans la contemplation des érables dégarnis. Vous aimeriez admirer son visage. Le mystère nourrit la curiosité: la face cachée de Janus inspire les fidèles et les pèlerins plus que l'autre, qui est offerte à la vue de tous...

Un gilet de mohair rose confère à la fille un charme félin. Comme il arrive fréquemment, l'étiquette du fabricant dépasse du col. Laver à l'eau tiède, sécher à plat. Lui signalerez-vous cette fausse note? S'offusquera-t-elle de tant d'intrépidité? Si vous vous concentrez sur sa nuque, elle sentira que vous l'observez, elle se retournera pour vous vitrioler du regard. Vous ne voulez surtout pas la désobliger. Sa jupe bouffe à tel point qu'on jurerait qu'elle porte un vertugadin. La mode féminine n'intéresse pas particulièrement Dufresne. Pourtant, la semaine dernière, il s'est surpris à patienter jusqu'au bout d'un défilé de haute couture présenté à la télévision. La structure dramatique du spectacle avait quelque chose d'élémentaire et d'irrésistible: à mesure que se succédaient sur l'estrade les toilettes en lamé, les mannequins (seins minuscules mais charnus, peau d'abricot) apparaissaient de plus en plus déshabillés. Les années s'additionnent, s'amoncellent: Gilles juge les femmes de plus en plus belles. Que sa vue baisse n'explique pas tout. Il n'est pas si difficile de bander pour un quinquagénaire: cela demande un peu plus d'inventivité d'une occasion à l'autre, voilà tout.

Vêtue de blanc presque au complet, une femme s'approche avec un enfant dans une poussette. S'agit-il des mêmes qu'au début de la semaine? Si j'osais, je m'avancerais pour faire guiliguili à l'enfant — dans le but, bien sûr, de flirter avec la mère. À moins que ce ne soit la nurse... Nurse, la donzelle? Même si, à mon âge, les grandes manœuvres exigent de l'effort, je consentirais volontiers à ce qu'une heure durant mes mains ne fussent plus qu'au service de sa volupté — d'autant que la fidélité que je voue à Suzanne s'accommode aisément d'incartades... Bébé dans sa poussette, pépé dans son fauteuil roulant: derrière, la nounou et l'infirmière font la conversation en attendant que le feu vire au vert.

L'enfant et le vieillard se toisent, soupçonneux. Puis, croyant avoir trouvé un compagnon de jeu, l'enfant se livre à mille facéties. Je devrais compatir: le vieillard sourit: mon apitoiement aura été bref. Le feu devient vert et les deux promeneuses continuent à bavarder. Resteront-elles debout à l'intersection jusqu'à la majorité du petit? Le monsieur bougonne, rouspète, s'énerve. Il part tout seul dans son fauteuil à une vitesse avoisinant les cinq mètres à la minute. L'infirmière le rattrape avant qu'il ne soit parvenu au milieu de la rue. Quelles jolies jambes elle a, la gourgandine! s'entend murmurer notre héros.

Ainsi bouillonne-t-il encore d'une foule de désirs. En somme, sa libido demeure en excellent état. Ses désirs, Gilles a toujours eu énormément d'embarras à en imposer à autrui la fougue, l'ardeur. Là, la mécanique a tendance à se détraquer. Faire connaître ses désirs (ne parlons pas d'en dicter la virulence, ne parlons même pas de les faire accepter, juste de pouvoir les exprimer en confiance, point à la ligne): sempiternel écueil où il achoppe. Décence astreignante et gauche, attribuable aux longues années d'éducation religieuse. Car, en général, Dufresne répugne à sonder son cœur et ses reins comme il l'a fait à la faveur de la pause méridienne. Il préfère se dire qu'en ce qui concerne le sexe, il est empoté. Fieffé empoté, va. Il se lève, effectue quelques pas en direction de l'auto. C'est à ce moment qu'il frôle la fille au mohair rose. Il considère les gestes comme celui-ci, dus au hasard, vingt fois plus sévèrement que ceux posés par frivolité. Il a tort. Le hasard est un principe noble. Fatalement, le joueur en lui devrait être au courant de cela... Gilles croit peu en la réalité des choses. Il n'est pas pour autant utopiste. Que voulez-vous, il a la moquerie facile. Trop facile. Les hymnes s'accordent mal avec l'ironie. Les actions de grâces ne

sont pas son fort. Heureusement lui arrive-t-il encore
d'être bouleversé.

Son regard s'embrouille. Il hausse les sourcils,
exhale un long soupir. Mais, en cet instant, nous détaillons. Nous brodons plus qu'il ne convient. En vérité, la
pirouette par laquelle il se sent précipité dans le vide de
son cerveau relève de l'anesthésie: c'est net, franc, sans
artifice, sans vertige aucun. Dufresne a bu au repas du
midi, il a sommeil. Ses membres pèsent des tonnes et
fonctionnent vaille que vaille. Accès d'hypoglycémie? Il
pose le pied sur le pare-chocs de sa voiture, s'incline
pour lacer son soulier. Ça va un peu mieux.

U n couple est attablé au fond du restaurant avec une
fillette blonde. Huit, neuf ans. On a l'impression
qu'après être allés la chercher à la porte de l'école d'en
face, les parents ont à présent entrepris de lui faire
répéter ses leçons. Eh non! le père parle italien et c'est
l'enfant qui lui donne un cours de français en se servant
de son petit livre de lecture. Gilles tend l'oreille en
suçant un morceau de sucre. Belle fin d'après-midi. Non
loin d'une grosse poubelle, un professeur feint de
corriger des copies. C'est l'alibi offert à son indolence: il
en savoure chaque instant. A-t-on reconnu Gilles Dufresne? En tout cas, il est depuis tout à l'heure l'objet d'un
lèche-vitrine éhonté. Sur le trottoir, plusieurs passants
ont cessé soudain de déambuler et, sourcils froncés, ils
paraissent scruter l'intérieur du casse-croûte. Voilà ce
que c'est que d'avoir sa trombine dans les médias. Il
fouille sa serviette, en quête des verres fumés. Il ne se
rend pas compte, l'innocent, que si les personnes s'arrê-

tent de but en blanc, c'est pour lire le menu affiché à la devanture de l'établissement. Qu'il se trouve précisément dans leur angle de vision ne lui a pas effleuré l'esprit.

Il y a une minute, il a cru voir Masson, l'ex-mercenaire, au volant d'une Ford Mustang. J'hallucine, j'ai la berlue. Vite, me frotter les yeux, me masser les tempes, mettre mes lunettes. Un autre café, s'il vous plaît. Avec trois crèmes. La serveuse est gentille mais sotte. Il y a une infinité de gens comme ça. Oh! l'adrénaline ne risque pas de la congestionner. La préféreriez-vous méchante? Sotte et méchante? Est-ce que ce serait vraiment plus drôle? Celle d'à midi avait plus de spontanéité. Comment s'appelait-elle? Dominique. N'empêche que, travaillant dans un bar discret et tranquille plutôt que dans ce vulgaire snack, celle-là, sotte et gentille, me ferait sans difficulté boire trois, quatre, cinq apéritifs.

Une vieille dame s'est installée au comptoir. Du bout des dents, elle grignote un croissant fourré à la salade de crevettes. Rien d'étonnant à ce qu'elle chipote: quelle que soit leur condition sociale, c'est toujours ainsi que les vieilles dames mangent leurs sandwichs. Le professeur ferme les yeux et dorlote sa paresse. Il y a de la cannelle dans les danoises aux raisins. Sur ma lèvre fendue, ça chauffe, ça picote. Suzanne m'a collé un fameux coup de menton. Il faudra que je pense à lui en reparler.

Maintenant, l'écolière s'est légèrement écartée de la table qu'occupent ses parents. Leur conversation a pris une vilaine tournure. La mère essaie de sangloter sans attirer l'attention. Sauf que ses hoquets la trahissent. Le nez dans les illustrations de son livre de lecture, les doigts croisés, la fillette sait bien, elle, comment effacer sa présence. Elle distingue parfaitement ce qu'il est plus prudent, plus poli, ce qu'il est indiqué de faire semblant d'ignorer: c'est le signe qu'elle s'apprête à quitter le monde de l'enfance. Plus près, une femme feuillette *l'Éclaireur*. Nécrologie. Dufresne croit apercevoir en haut d'une page la photo d'un de ses collègues. Alexandre Zimmer. Il s'étire le cou pour lire par-dessus l'épaule de la femme. Non, ce n'est pas Zimmer. Le mort lui ressemble assez peu, d'ailleurs. La cliente se retourne, lui tend une section de son quotidien.

— Merci, je ne veux pas vous l'emprunter. C'est juste que...

— Prenez-le. Ce journal me déprime.

— Pourquoi l'acheter alors?

— Je travaille à *l'Éclaireur*, figurez-vous. Mon métier de pigiste me déprime... Oh! vous êtes Gilles Dufresne. Je m'appelle Ginette Laflamme. C'est bête, je ne vous avais pas reconnu. Je suis une amie de Suzanne. Nous nous sommes rencontrés l'an dernier à l'occasion de la remise du Prix des libraires... Vous vous souvenez?

— Excusez-moi, j'allais partir.

Il se lève, lui serre la main.

— J'espère que vous ne vous faites pas de bile avec le papier de Ghislain Picard.

— Allons donc!

Il s'aide de son genou pour repousser la chaise contre la table. L'espace d'un souffle, le professeur se soustrait à sa langueur pour lui adresser un signe. Il agite une copie au-dessus de sa tête. Dufresne a franchi la porte.

Vous avez dit Yvon? Y a pas d'Yvon ici.

— On m'a spécifié que...

— Attendez. Je fais le tour de la place. Je vous reviens.

Dufresne a compris que son Yvon ne s'appelait pas réellement Yvon. Normal. Élémentaire précaution.

— Je l'ai trouvé. Il se pratiquait aux fléchettes pour le tournoi du groupe des anciens de... Euh! je vous le passe.

Le faux Yvon a tôt fait de signifier à Gilles qu'il ne traite plus ce genre de cas. Traiter: c'est le mot qu'il emploie. Compliqué de faire assassiner son prochain! Même l'annuaire des pages jaunes n'est d'aucun secours. Il connaît cependant quelqu'un qui est resté actif dans le domaine. À la bonne heure!

— Je vais vous donner un numéro. Allez dans une cabine. Appelez dans une trentaine de... Comptez plutôt quarante-cinq minutes. Appelez d'une cabine, j'insiste. Il faut absolument que vous sortiez de chez vous.

— C'est ce que je fais. D'où croyez-vous que je vous...?

— D'une cabine. J'entends la circulation derrière. Parfait, ça!

Et les deux raccrochent, après s'être congratulés pour leur prudence respective.

Winnipeg? Je ne connais personne à Winnipeg. Pourtant le cachet de la poste... Ah! ce doit avoir un rapport avec ce cousin qui s'est fait sauter le cervelle la semaine dernière au cours d'une excursion de chasse. Gilles ouvre l'enveloppe. Il ne s'était pas trompé. Sur le faire-part de décès, comme il est d'usage, on a une croix, mais le graphisme est tellement stylisé qu'on dirait un x, une biffure pleine de colère — ce qui correspondrait, ma foi, assez bien à la façon dont ce pauvre Kenneth a été rayé de l'existence. Je songe aussi à Alexandre Zimmer que j'ai imaginé mort.

D'habitude, la première chose que fait Gilles en rentrant, avant même de dépouiller son courrier, c'est de mettre en marche le répondeur afin, vaquant au train-train, d'écouter la bande dévider son blablabla. Mais aujourd'hui il y avait la lettre de Winnipeg... Isabelle a appelé. Sa voix des mauvais jours. Demain, je ferai un saut à son appartement. À part ça, rien d'important. Pauline Breton a laissé un message pour confirmer l'heure de mon rendez-vous à la radio. Or, l'émission est déjà en boîte...

Il s'asperge la figure d'eau froide. La salle de bains contient d'énormes réserves de shampooing, de lames de rasoir, de savon. Les armoires en débordent. Peut-être Dufresne veut-il se montrer à lui-même qu'il a confiance en l'avenir, qu'il est sûr de vivre longtemps. Il ne manquera de rien. Dieu a d'abord fabriqué la machine à univers, c'est évident. L'ayant fait démarrer, Il S'en est ensuite désintéressé. Puis, Il est mort. Fou. Gilles se plaît à penser que le Créateur est mort fou. S'Il est encore vivant, Il n'est pas réviseur de manuscrits, ça, non. Plutôt mécanicien — un mécanicien lunatique, pataud.

Sa respiration devient sifflante. Gilles se mouche avec fureur.

X de la croix sur le faire-part de décès... Cousin Kenneth, cousine Rachel... Zimmer, Sullivan, Picard, Lafleur... Shampooings, dentifrices, désodorisants en extravagantes quantités... Pourtant Gilles n'amasse ni bibelots, ni photos, ni colifichets. Que le strict minimum. Il considère que ce serait s'encombrer. Il se fie à sa sensibilité, à son intelligence pour garder intacts en lui les êtres, les sites, les atmosphères, bref ce qui a compté à ses yeux. Mais il se trompe: à mesure que les années passent, lentement, très lentement il inculque à sa mémoire cette conduite et cette discipline qui dans le concret ont toujours été les siennes, si bien que sa tête se remplit de ratures dédaigneuses. Devenu vieux, il n'aura pas en sa possession les quelques objets chers, les babioles qui permettent en moins de deux secondes de gommer un peu de ce temps noir carbone qui salit tout. Parions qu'il ne retrouvera même pas les premières lettres du mot nostalgie.

En attendant, le rêveur qu'il est ne se prive pas de puiser à même le stock d'images recueillies au fil de ses pérégrinations. Ainsi, chaque ville a son odeur, qui n'a aucun rapport avec la propreté ou la malpropreté des ruelles, ni avec l'hygiène corporelle des populations aborigènes. Il y a là un mystère. Si le dépaysement n'est pas rien qu'une illusion, c'est principalement grâce aux odeurs. Et Gilles évoque ce voyage en solitaire — ou presque: car rapidement s'est estompé le souvenir des copains qui l'accompagnaient — à la fin de l'adolescence, voyage en autocar à travers l'Amérique latine entrepris pour découvrir son identité, autrement dit ses couilles. Au collège, il avait pratiqué tous les sports d'équipe — sans y exceller, quelle importance! Aussi en connaissait-il un bout sur les supports athlétiques. Les couilles, on les protège trop et un jour on se demande si elles sont encore là. (Déjà, il était de la race de ceux qui prennent plaisir à douter d'eux-mêmes.) Gilles évoque à présent ce voyage où, abruti par le soleil, la chaleur et les horaires fantaisistes à respecter, il confondait l'hébétement dans lequel il macérait avec une quelconque épreuve initiatique, épreuve jumelée à je ne sais trop quel généreux idéal laïque et chevaleresque.

Il se rappelle aussi un repas du premier de l'an à New York dans une taverne grecque, encore seul (après un an de mariage, Céline avait décidé d'aller faire le lézard en Haïti pendant la période des Fêtes, avec sa mère, sa marraine et une tante à moitié impotente: coup classique de la fugue féminine en bande disparate), repas composé en tout et pour tout d'une lasagne mangée au son d'un orchestre de Noirs jouant de la musique des Andes. Ambiance fausse, frelatée. Or, allez comprendre pourquoi, cette soirée était restée inscrite en lui comme une des plus belles de sa vie. L'obscurité était tombée sur la ville par vagues successives et, plus tard dans le taxi, entendant une vieille chanson de Guétary, il en avait eu les larmes aux paupières. (Il hésite. Le film de Bergman sous-titré en espagnol, était-ce cette fois?) Le lendemain, dans Greenwich Village, il avait rencontré une connaissance du Québec, ancien camarade de collège alors au seuil d'une brillante carrière d'avocat, et les deux s'étaient mis à échanger en anglais des propos sur la météo. En revanche... Non, au même chapitre, l'autre jour, dans un café de l'est de la métropole, parcourant les titres d'un journal américain, Dufresne a eu la surprise de s'adresser au garçon en anglais. Pure distraction, bien sûr.

Autre incident, moins saugrenu qu'étrange, survenu en Belgique durant une tournée de conférences. Immanquablement, Gilles Dufresne transformait les conférences en causeries et ses auditeurs étaient mi-amusés, mi-agacés... Puis, un après-midi, pour se changer les idées, Dufresne s'enferme à l'hôtel afin de travailler à une nouvelle commencée à Montréal. De temps en temps, disons deux ou trois fois par heure, il entend, distinctement prononcés, quelques-uns des mots qu'il a écrits sur sa feuille. Papier à lettres à en-tête de l'hôtel. Il a tôt fait de constater que ça vient d'un appareil de radio qui fonctionne à côté, dans la chambre de gauche. Mais n'est-ce pas plutôt la femme de ménage qui fredonne un air de...? Vous entendez des bribes de chansons et ces bribes correspondent à des phrases précises dans votre texte. Euh... On vous cite. Le son est étouffé, tellement étouffé que vous finissez par vous dire que c'est vous qui inventez tout ça, la voix, la mélodie, les silences. Vous rangez vos fiches et vos crayons, vous désertez la chambre. Dehors, vous serez contraint d'entrer dans un bureau de poste pour vous abriter de la pluie.

Yvon? Dois-je vous appeler Yvon comme l'autre à qui j'ai parlé? Aucune relation, j'imagine...?

— Yvon, c'est un nom qui convient bien. Donnez pas le vôtre. Question de sécurité. Autant pour vous que pour moi.

Si on en juge par la voix, le gars a du coffre. Mais un maringouin lui a piqué le bout de la langue. Il suce un bonbon dur. Le téléphone décuple le bruit du bonbon heurtant les dents, vraie crépitation de rocaille. Le Mario d'hier suçait des bonbons, lui aussi. Une manie chez ces gens!

— Êtes-vous un autre intermédiaire?

— Je suis votre homme. Reste à s'entendre sur les termes du contrat.

Enfin, Dufresne a réussi à entrer en contact avec son tueur. L'espace de quelques secondes, il se sent intimidé. C'est la première fois qu'il... L'atmosphère de la cabine téléphonique lui renvoie le décor, la touffeur des confessionnaux de sa jeunesse. Il se demande si, à l'instar d'un certain nombre de choses la première fois qu'on les fait, celle-là ne risque pas de lui donner des boutons. Il chasse immédiatement cette pensée farfelue.

— Avant qu'on commence à discuter, expliquez-moi donc comment ça se fait que vous avez pas essayé de faire le travail vous-même. Si ça s'explique, comme de raison...

— Je ne suis pas doué pour les tâches qui exigent de l'habileté manuelle.

— Bonne blague. Excellent. J'apprécie un gars qui sait placer une blague. J'ai le sens de l'humour, moi, malgré le métier que...

— Tant mieux.

— Assez plaisanté, comme ils disent dans les programmes comiques de la télévision. Pour revenir à notre transaction, si vous voulez de la besogne propre, bien exécutée, comptez quinze mille bâtons. Payables en un versement...

— Pas trop vite, pas trop vite. D'abord, j'ai deux personnes à...

— Calculez le double. Trente mille.

— Trop cher.

— Je vous réduis ça à vingt-cinq mille mais, à ce prix-là, je me charge pas des...

— Encore au-dessus de mes moyens.

— Triste. Dans ce cas, on oublie qu'on...

— Ne raccrochez pas. Si vous acceptez trois versements, le premier tiers avant, un deuxième tiers une semaine plus tard et...

— Deux versements: les deux tiers avant, le dernier tiers après. Puis, je suis bon prince, comme ils disent.

— Moitié, moitié. La moitié avant samedi prochain et...

— Une chance, vous, que mon docteur m'a recommandé de me distraire. Je vais quasiment être obligé de prendre ça comme des vacances.

— Les deux individus appartiennent au même milieu, fréquentent les mêmes endroits, ne sont pas des célébrités...

— J'espère!

— ... ce qui simplifie le travail. C'est pourquoi je vous offre la somme de, attendez, quinze mille dollars.

— En tout? Quinze mille en tout? Faut pas confondre: j'ai le sens de l'humour, mais je suis pas un marchand de tapis. On est pas dans un souk au Maroc. Ni en Tunisie. On est à Montréal.

— Seize mille. Je suis incapable de faire mieux.

170

— Voyons, voyons! Je suis certain que vous pouvez retirer vingt-quelques mille piastres de votre banque sans que ça paraisse suspect. On est pas en crise. N'importe qui de nos jours... Je gage que vous faites affaire avec plusieurs succursales. Empruntez. Racontez au gérant que vous rénovez votre maison...

— Dix-huit mille.

— Vingt mille.

— Allons-y pour vingt mille, moitié avant, moitié après.

— O.K.

Gilles est en fonds. Il a touché ses droits de photocopie, un chèque de plus de deux mille six cents dollars. Quant à la compensation pour le prêt en bibliothèque, le chèque ne saurait beaucoup tarder. Et il dispose de l'argent qu'il a mis de côté en prévision de sa contribution annuelle au régime d'épargne-retraite. Le mois de février est encore loin. Même s'il entamait l'héritage du père, ce père qu'il a tellement calomnié dans ses livres et qui lui a pourtant laissé un total de...

— Demain, vous mettrez dix mille dans un sac brun...

— En petites coupures?

— S'il y a cinq, six billets de cent, j'en ferai pas une maladie... Vous allez déposer le sac sur le banc d'autobus qui est situé à l'intersection des rues...

— Comme pour une rançon?

De sa voix de baryton basse, le tueur lui communique les détails de l'arrangement. Il a un drôle de timbre, fruste et délicat à la fois. Peut-être est-il né à Pointe-aux-Trembles et a-t-il tout simplement roulé sa bosse. Forcément, quand on est mercenaire...

— Rappelez dans trois semaines pour que je vous explique comment procéder pour l'autre versement. Cinquante-deux, soixante-quatre. Les trois premiers chiffres sont les mêmes qu'ici. Choisissez une cabine différente de celle que...

— Cinquante-quatre, soixante-deux... Non, cinquante-deux...

— Cinquante-deux, soixante-quatre. Cinq, deux, six, quatre.

— Excusez-moi.

— Ensuite, vous effacerez ce numéro-là de votre mémoire.

— Très bien.

— Puis, avisez-vous pas de me pigeonner, comme ils disent. Vous avez pas intérêt à me jouer entre les pattes. Vous vous êtes pas identifié, mais je peux vous retracer en moins de temps qu'il en faut à un chat pour...

— Je vous crois sur parole.

— Il y a quelque chose dans votre voix qui me dit que je peux avoir confiance, que vous me prenez pas pour un niaiseux.

Emploi du mot niaiseux: référence à Pointe-aux-Trembles (Lachine, Ville-Émard, Dorval, etc.) davantage qu'à quelque canton aux antipodes. Nous sommes de la même famille, cet Yvon et moi. Froissement de papier cellophane. Il se prend un bonbon.

— D'habitude, je travaille à partir de photos. Ça évite les erreurs plates... Les bévues irréparables... Dans le sac brun, vous me glisserez une photo de chacun des...

— Malheureusement, je... Oh! ce serait plus facile si... Vous connaissez *Livres et disques*? Non...? C'est un magazine. Dans le numéro qui se trouve en kiosque ce mois-ci, il y a une photo de mes deux amis. Page cinq. J'en ai un exemplaire dans ma serviette. Un moment, je vérifie. Oui, page cinq. Ils ont l'air pas mal éméchés et le bas de vignette signale que...

— Pas de noms!

— Enfin, vous verrez vous-même...

Résumons-nous. Les deux critiques à abattre apparaissent ensemble dans *Livres et disques*, publication offerte gratuitement en librairie. Qui sait si Yvon ne profitera pas de sa visite pour s'acheter un roman, un recueil de nouvelles, un essai littéraire? Vous planez, vous exultez... Vous aurez fait acheter un livre à un tueur à gages: votre b.a. de la semaine! Vous auriez quand même pu avoir la gentillesse de lui expédier une copie de la fameuse page cinq. Hélas! à cause des extravagances de Linda, la machine de Bilodeau est détraquée. (Vous avez négligé de lui envoyer une carte, à cette Mimi Pinson. A-t-elle terminé sa convalescence?) Inutile donc de repasser par les bureaux de l'éditeur pour réaliser une photocopie. Certes, joindre le document aux liasses de billets du premier versement aurait été dans les normes, mais... Et puis, ces reproductions sont rarement très nettes. Quant à adresser au tueur un exemplaire du magazine sans autre forme de cérémonie, vous n'y avez pas songé, semble-t-il. Pour aller d'un point à l'autre, vous n'êtes guère de ceux qui adoptent la ligne droite. En outre, faire connaître en dehors des cercles de l'intelligentsia une publication comme *Livres et disques* constitue un acte hautement méritoire. Réflexion faite, oui, c'est préférable qu'Yvon se la procure en librairie, cette revue... Et il entend les exécuter quand, au juste, les deux macaques...? C'est que vous ne détesteriez pas avoir tout le loisir de vous fabriquer un alibi inattaquable.

— Eux, remonter jusqu'à vous? Complètement exclus!

— Pardon?

— Impossible! Quand ils vont voir la besogne, jamais ils vont soupçonner quelqu'un dans votre genre. Garanti!

— Alors, le plus tôt...

—Je vous ai dit tout à l'heure de compter une semaine ou deux. Peut-être moins... J'ai pas la réputation de lambiner.

Faire éliminer une douzaine de quidams et, parmi le lot, Lafleur et Picard, histoire de brouiller les pistes, d'accréditer la thèse du psychopathe, comme dans les récits anciens qui mettent en scène des personnages affamés de vengeance. Non, vaut mieux abandonner ce développement... Est-il exact que rien ne gêne plus le tueur que d'être mis en présence d'une victime consentante? On a vu ça au cinéma, le condamné tendant le cou, écartant même les bras pour ne pas entraver le geste du bourreau. Est-il exact que...? La question a trotté dans la tête de Dufresne tout le temps qu'a duré son entretien avec Yvon. Il n'a pas osé la poser. De toute façon, les deux victimes ne seront pas consentantes.

Zimmer, Sullivan, Boismenu, Lafleur, Picard... Nous voici au matin du jeudi de cette semaine que Dufresne désignera sans doute plus tard comme étant celle du contrat. Pour l'instant, il pèle une orange. Il est tellement distrait, tellement absent qu'il jette la pulpe dans la corbeille tandis que, pour faire bonne mesure, il entasse les morceaux d'écorce devant lui, près de sa tasse de café. Et il s'étonne soudain de constater que dans sa bibliothèque les livres de Morante sont placés à côté de ceux de Moravia. Extrême rigueur de l'ordre alphabétique qui oblige les couples désunis à se raccommoder. Quoique Gilles ait eu à maintes reprises l'occasion de le remarquer, chaque fois ce détail de

174

rangement s'est effacé de son esprit. Il ouvre le dictionnaire pour vérifier une étymologie, celle de chanoine, le referme aussitôt. Faute d'avoir lu l'article jusqu'au bout, il doit de nouveau chercher le mot. Chalumeau, champion, chanoine. Bah! tant que la curiosité continuera à l'aiguillonner... Il se lève pour rincer sa tasse. Peu de pression dans les robinets. Qui c'est déjà, le saint patron de l'eau courante, qu'il l'invoque au plus sacrant! Et où a-t-il mis ses quartiers d'orange?

Zimmer, Sullivan, Picard, Lafleur, Boismenu... Je viens de réviser les quelques paragraphes que j'ai composés ces jours derniers, paragraphes qui portent sur l'époque des collèges classiques. Selon moi, c'était un sujet pour un texte d'une trentaine de pages. J'ai flanché au bout de dix, avec l'impression brutale d'avoir fait le tour de la matière. Par le passé, avec un sujet pareil... Ce sujet, c'est moi-même, sujet loufoque, convenons-en. Comment se fait-il qu'avec un sujet aussi loufoque je ne puisse rien écrire de franchement rigolo? Si je retourne plusieurs années en arrière, je dois affirmer qu'avec un sujet comme celui des collèges classiques, ayant d'abord prévu noircir vingt, vingt-cinq feuillets, j'aurais aussitôt laissé filer ma plume pour me rendre d'une traite à deux ou trois cents sans même anticiper de dénouement. En d'autres termes, mon baromètre à fiction est patraque, et depuis longtemps. Je m'illusionne quand j'essaie de prétendre le contraire. Mon baromètre à fiction ne s'est pas déréglé d'un coup. La situation de jadis était d'emblée joliment plus encourageante que celle dans laquelle je...

Il s'éclaircit la gorge, poursuivant son soliloque à voix haute.

Moi aussi, j'aime les histoires avec un commencement et un début. Un commencement et une fin, veux-je dire. Et il m'arrive de juger, comme la plupart des critiques, qu'une intrigue solidement construite suffit à faire un roman. Or, l'ambiance qu'on réussit à imposer de grippe et de grappe est bien plus importante que... Pourquoi ne tenterait-il pas d'exploiter le thème de la maison de retraite? Le père Favreau et ses compagnons âgés resteraient bandés du matin au soir devant le spectacle des femmes gymnastes remuant le cul en cadence. Gilles pourrait y introduire l'histoire d'un fils à la recherche de son père — et le retrouvant après quinze ans de séparation, quinze, ce dernier tout décati, presque muet, paralysé, prisonnier des murs de l'asile. Ça émeut le public, ces histoires. Sauf qu'il se demande si, dans un de ses livres, il n'a pas traité quelque chose d'approchant.

Le temps que j'aurai passé à craindre de me répéter... (N'ai-je pas formulé cette notion de manière à peu près semblable dans un article, n'ai-je pas exposé ce point de vue ailleurs? Et ce motif? Ce titre est-il en harmonie avec les précédents, ne jurera-t-il pas dans la liste *Du même auteur*?) Je me serai comporté comme la vedette ayant un million de lecteurs à ses trousses, tous occupés à apprendre par cœur de larges extraits de sa prose dans le but d'en surveiller la qualité. En vérité, je ne me serai pas pris pour une merde.

Pianotant sur les touches du clavier de sa machine, le regard flou, Gilles se dit que ce ne sera pas sans fébrilité qu'il achètera les journaux de samedi. Ne frémira-t-il pas d'impatience en feuilletant les cahiers culturels? En effet, il se voit tout tremblant. Cette simulation lui plaît beaucoup. Elle lui plaît parce qu'il se convainc que ses plus fidèles supporters se seront portés à sa défense et que, par conséquent, il lui sera donné de lire deux ou trois répliques aux éreintements de Lafleur et de Picard. Ce sentiment de triomphe dure une minute, ce qui est amplement suffisant pour qu'on sache que Gilles ne se prend pas pour une merde aujourd'hui non plus.

Pour se sortir d'une panne (ou du fatras des idées en gestation), il pourrait écrire un roman qui serait l'adaptation d'un autre roman, d'une série noire, par exemple — dont il étofferait les personnages, dont il transposerait l'action dans les Laurentides... Ce serait une entreprise moins ardue que le rafistolage d'anecdotes auquel il se livre depuis dimanche. Il pourrait en profiter pour louer un chalet, justement dans les Laurentides, et s'atteler à son projet. Il ne dissimulerait pas ses sources, non. Et il insérerait un court dialogue dans lequel le protagoniste persuaderait l'éventuelle victime de se raser la moustache pour ressembler davantage à la photo remise au tueur à gages, photo datant malencontreusement de... Moi, je n'ai pas à me soucier de ça avec Lafleur et Picard. Mort foudroyante de l'araignée écrasée d'un coup de talon, sort enviable s'il en est. J'épargne à ces deux minables les affres d'une longue agonie. Ils n'en méritent pas tant.

Dufresne discerne mal l'intérêt que présentent les livres qui ne traitent pas des rapports que l'être humain entretient avec la mort. Oh! nous sommes loin du recueil en alexandrins que notre polygraphe désirait consacrer à la fréquentation des restaurants, œuvre intentionnellement mineure, mais... Une œuvre mineure où s'exerce un talent sûr ne vaut-elle pas mieux qu'une œuvre majeure totalement médiocre? La question se pose, figurez-vous.

L'art du roman consiste à faire voir aux lecteurs des choses communes et familières, à les leur faire voir comme jamais ils ne les ont vues avant. Cet art s'appuie sur un partage scrupuleux d'émotions imparfaites. Ainsi se fonde-t-il davantage sur la reconnaissance que sur la connaissance. «Je ne revendique pas, dit le romancier, le monopole de la jouissance des divers paysages offerts par la nature, domptée ou non. Je ne suis pas un poète, moi. Faisant fi de la solennité, mon dessein est de vous donner à admirer une foule de petits riens. Je mets dans cette tâche toute la prodigalité dont je suis capable. Et je souhaite ardemment vous combler.» Produire l'impression fugace mille fois réitérée qu'on touche l'essentiel quand en réalité on effleure à peine la frange du futile, telle est la vocation du roman. Dufresne se méfie des écrivains qui choisissent d'attribuer à leurs personnages un destin (tragique, de préférence) au lieu d'une simple destinée. Chacun son sort: de la sorte, bravaches et matamores seront bien gardés. Qu'on ferme la cour des miracles, qu'on condamne les portes du grand théâtre de la fatalité, ses tréteaux massifs, son lourd rideau rouge, ses coulisses ventrues, son espace panique. Le quotidien qui oscille sur l'axe du rêve, la routine en ballant au-dessus des chimères, voilà le support fragile auquel accrocher l'envoûtement romanesque. Autant il est difficile de s'imprégner d'une atmosphère de fiction, autant il suffit d'une vétille pour en être expulsé.

En somme, ce qui distingue le romancier doué de celui qui ne l'est guère, c'est uniquement que le premier sait où placer les digressions. Le romancier doué s'arrange à la fin pour faire exploser la charpente du récit, et cela ressemble assez à ces tournages qui se terminent par la mise à sac du décor. Personne n'aura la tentation de s'en resservir, pensez-vous. Dire qu'il y a cinq minutes vous parliez d'adapter une série noire...

Si le relevé des choses triviales se fait sur le même ton que l'énoncé de maximes, vous êtes ravi. Vous affectionnez cette philosophie plaquée sur le gros bon sens — avec exceptions et échappées ménagées exprès dans chaque chapitre, pour que l'enchaînement ne devienne pas seulement mécanique et que... Quelle signification faut-il accorder à la vie humaine? Des livres abordent le problème en formulant des sous-questions; d'autres ambitionnent d'apporter des réponses et, de propos délibéré, tournent la narration en conte ou en fable — attitude que, personnellement, vous méprisez. Mais vos ouvrages à vous, Gilles Dufresne, n'en mènent pas plus large que ceux-là. Et ce n'est pas avec *Permettez que je déborde* que vous risquez de corriger votre tir. Parfois, vous vous consolez en observant que vous avez au moins fourni de la matière pour les dictionnaires de citations.

Dufresne n'a jamais été capable d'insouciance. En général, il ne s'octroie de répit qu'à condition d'avoir trimé dur. Très dur. C'est pourquoi une panne d'inspiration l'affecte davantage qu'elle n'affecterait un créateur paresseux. Faisons des catégories, vous et moi. Il y a ce que vous avez liquidé une fois pour toutes — et certains titres de vous n'ont, ma foi, été publiés que pour rendre compte de l'allégement que vous éprouviez... Il y a ensuite ce qui vous tourmente encore et dont vous ne parviendrez à vous débarrasser que grâce aux suées consécutives à des heures et à des heures d'écriture. Suées, torticolis, lumbagos... Enfin, il y a ce qui n'est liquidé ni avant ni après le livre. Vous regardez les pages rédigées: rien à faire, il y reste trop de folie. Les temps des phrases peuvent être majestueux, les images éblouissantes, en face de cette chose, vous vous sentez comme devant un ratage. Dieu sait pourtant que les ratages, c'est plutôt quand vous êtes parvenu à témoigner de votre satisfaction qu'ils se produisent. Ne s'accumulent-ils pas dans la première catégorie? Gilles est presque soulagé de s'apercevoir que *Permettez* n'appartient pas à cette catégorie-là. Un point en sa faveur. Ce n'est que partie remise, songe-t-il, ce en quoi il n'a pas tort.

Quand on la prend comme remède au mal de vivre, la littérature a au moins la générosité de se comporter dans l'organisme comme les meilleures drogues. Contre le piteux de l'existence, elle est un réconfort efficace. Ce qui serait plus tonique encore, le véritable antidote qu'il faudrait à Dufresne, ce serait une tournée à travers les bibliothèques d'une région éloignée, autrement dit une semaine complète à se croire devenu un auteur étoile, une semaine sans l'impatience des proches. Isabelle, Suzanne, d'autres le rabrouent sans cesse: «Tu nous ennuies avec tes virgules mal placées.» Au lieu de cela, l'écoute attentive et la possibilité de radoter à sa guise...

Ajout concis (sinon absolument opportun) aux réflexions énoncées dans le chapitre précédent. Ne trouvez-vous pas excitant de réussir par l'écriture à traduire une idée qui vous trottait dans la tête depuis une journée ou deux? Pourtant, ce n'est rien comparé au plaisir que vous ressentez quand l'écriture même, plus exactement, les tâtonnements, les ratures, les surcharges, quand l'écriture fait sourdre en vous une idée que vous n'aviez jamais eue auparavant — et dont, avouez-le, vous vous seriez d'emblée jugé incapable (ou carrément indigne) si, par hasard... Vertu euphorisante du mot à mot, baume sur le moral.

Bavarde, fumant cigarette sur cigarette, le menton dévoré par l'acné juvénile, elle se redresse chaque fois qu'elle entend en provenance de la rue un cri, une pétarade, un sifflet, manifestant autant de nervosité qu'un écureuil. Le coiffeur a des yeux minuscules; ses joues flasques et couperosées lui donnent la bouille d'un maître de chai. Il travaille avec plus de désinvolture que son employée qui, entre parenthèses, est sa fille. Sa fille unique. Angela. À trois ou quatre reprises, Dufresne a également rencontré la mère, manucure elle aussi. La faconde des membres de cette famille semble inépuisable. Au-dessus du comptoir, monsieur Sanguineti a aménagé une niche pour y mettre une statue de la Vierge. De loin, on dirait que la Madone se tient la tête à deux mains, ce qui serait compréhensible, notez, vu l'état de la planète. Il y a de l'orage dans l'air. Gilles ramène lentement les bras sous la cape de plastique et s'enfonce dans le fauteuil tandis que le coiffeur lui masse le cuir chevelu. Feint-il de tomber de sommeil? S'il dormait, il ne serait pas obligé de converser avec Sanguineti. Élémentaire, mon cher Watson. Le truc pour rester éveillé quand on est trop bien assis consiste à remuer les muscles fessiers. Gilles sait ça depuis la petite école. Par conséquent, il s'exerce à faire scrupuleusement l'inverse, à se détendre, ce qui marche plus ou moins. Il sent le froid des ciseaux dans son cou et, pour chiper une image au poète François Villon, il a l'impression d'avoir la nuque becquetée par des corbeaux. Être capable de blaguer à tout propos, voilà qui est requis pour habiter ce secteur de la ville. Les gens du quartier ont tellement mauvaise réputation que, désirant compenser, ils redoublent d'efforts pour être aimables. Au moins, Gilles ne montrera pas de condescendance à l'endroit de Sanguineti. Ça lui vient si facilment de ce temps-ci, la condescendance. La condescendance et les calembours filés.

Rien de plus dangereux que d'éternuer dans le fauteuil du coiffeur, le rasoir sous la gorge. Attention! on doit formuler son vœu avant l'atchoum: après ça n'a plus d'effet.

— À vos souhaits! lance Sanguineti d'un ton impérieux, yeux écarquillés, bras en croix, mains dégoulinant de sang.

Dufresne sursaute, se tâte les côtes, voit son reflet dans la glace, fronce les sourcils. Il s'était assoupi, pas plus d'une minute, sans doute, mais suffisamment longtemps pour concocter un joli cauchemar maison.

— S'il vous plaît, Angela, passez-moi la boîte de kleenex. J'ai le nez qui pique.

Elle s'exécute. Gilles se mouche bruyamment. Ce ne serait pas un luxe, se dit-il en époussetant ses lunettes, de mettre dans les charnières un peu d'huile à machine à coudre. (On parle d'huile à machine à coudre alors qu'au Québec plus personne ne fait la couture.) Dans le miroir que tient monsieur Sanguineti, Dufresne distingue quelques éraflures laissées par les dents du peigne dans la région occiputale, là où les cheveux sont légèrement clairsemés. Il n'a pas compris la question du coiffeur, juste quelques mots: en frottant avec la serviette pour ôter les poils, l'autre lui bouche les oreilles. Il est trop las pour faire répéter.

Ça y est: il pleut à boire debout. Dufresne pourrait aller s'abriter au Harvey's; seulement, il se connaît, il sait qu'il prendrait un en-cas. Et, dès qu'il touche à cette nourriture, est-ce l'effet du monoglutamate? il passe une vilaine nuit, hantée de rêves morbides. Il s'est demandé jadis, quand sa fille avait l'âge de le harceler pour qu'il l'emmenât dans ces restaurants, si quelqu'un quelque part n'était pas en train délibérément de ruiner le sommeil de toute une génération de Nord-Américains. Et il avait envisagé d'écrire un conte qui se serait intitulé *la Vaste Conspiration des hamburgers*. De peur d'être taxé d'instinct réactionnaire, il avait renoncé au projet... De plus en plus violents, les éclairs flirtent avec l'éternité. Trempé, Gilles entre dans un café, moitié pour se mettre à couvert, moitié parce qu'il commence à avoir soif. Ses lunettes s'embuent aussitôt. Il les enlève. J'ai beau ne pas bien voir, j'aperçois toutes les têtes tournées en direction de l'apparition que je suis. Je souris, présumant qu'elles ne me sont pas hostiles, ces têtes. Ah! la confiance en l'humanité dont je fais preuve en ce moment précis! Une femme pousse la porte derrière moi, m'arrose en secouant le capuchon de son imperméable qu'elle accroche à la patère, le laissant dégoutter sur le plancher de tuiles.

— La météo annonce de la grêle! crie-t-elle à la cantonade. Va falloir récupérer nos parapluies de tôle!

Elle éclate d'un long rire pâteux, plastronne. Aucune inquiétude à me faire: elle m'a volé la vedette. Le décor pastel paraît chaleureux mais il est plein d'aspérités. Une photo noir et blanc de Marilyn lor-

LA SEMAINE DU CONTRAT

gnant le bout de son nez sert de cadran à une horloge
électrique. Marilyn a les aiguilles plantées entre les yeux.
Du meilleur goût, je vous jure! Là-bas, une autre photo
de l'actrice, celle de la robe rouge avec le faon imprimé
sur la poitrine.

— S'il vous plaît, un...

Le garçon passe en vitesse et j'ai l'impression d'être
dans un trou noir, hors de sa trajectoire. Je devrais le
plaquer par en arrière... Non, pas question: ça lui ferait
trop plaisir. Chaque fois qu'il prend une tasse pour y
verser du café, il en examine le fond attentivement. Si
dans un mois le propriétaire met à l'encan sa machine à
laver la vaisselle, qu'il ne compte pas sur moi pour faire
monter les enchères.

— Je suis à vous dans une seconde. Perdez pas
patience.

Prononçant ces mots, le garçon a adopté l'allure
minaudière des homosexuels sur le retour. Vous ne vous
étiez pas trompé à son sujet. Un homme s'avance, vêtu
d'un pull mauve, ce mauve qui naguère exprimait le
deuil dans le calendrier liturgique. Il ne fait pas très
sérieux avec sa sucette. Finira-t-on un jour par sortir du
berceau...? Il vous effleure religieusement le dos de la
main. Glissez, mortels.

— Je me présente: Jean-Louis Bellerive. Je vous dois
tout, décrète-t-il en pointant le bâtonnet de sa sucette.

Il se hisse sur le tabouret voisin du vôtre. Vous l'avez
déjà rencontré. Il est l'auteur d'un recueil d'aphorismes. Vous faites partie de la même association
d'écrivains. On y a admis des masses d'adeptes ces
derniers mois, histoire de susciter un afflux de sang
neuf. Au dix-septième siècle, de la même manière, on
baptisait à la sauvette. On a dispensé avec largesse les
cartes de membres, on a mis tout le monde en règle le
plus rapidement possible. Afflux de sang? En réalité, on

a causé une formidable congestion... Bellerive n'a ni retenue ni sobriété dans la déférence qu'il vous témoigne. N'allons pas imaginer qu'il est hypocrite. Sa modestie est ostentatoire: il l'assume telle. Ne cultive-t-il pas les paradoxes du cénobite?

— Je vous dois tout, répète-t-il. Les instants de bonheur que...

— Tu me paies un verre et nous sommes quittes.

Vous réprouvez l'excès dans l'hommage. Vous n'avez pas de disciples. Malgré vos qualités d'animateur, vous avez voulu consacrer votre vie à rédiger des livres. Aussi avez-vous préféré écrire plutôt que palabrer. Arrivé à la cinquantaine, vous êtes cependant un peu moins certain de ne pas avoir eu tort. Ne seriez-vous pas devenu un excellent conseiller littéraire? Bah! les mauvaises critiques du week-end vous troublent le jugement. De toute façon, vous n'auriez jamais pu être le maître de ce dadais. Il vous tape trop sur les nerfs. Et puis, ces choses-là ne se pratiquent guère en ce pays.

— J'ai lu le papier de Lafleur dans *Samedi Montréal*. Désolant de a jusqu'à z. J'espère que ça ne vous a pas affecté au point de...

— Tu es assez naïf pour croire qu'on risque de cesser d'écrire parce qu'on s'est fait éreinter? Tu avales ça, toi...? Tu gobes n'importe quoi, hein? Il te reste des croûtes à manger, mon petit.

— Je ne me rappelle pas vous avoir permis de me tutoyer.

— Ne prends pas la mouche, je t'en prie. Je tutoie qui je veux.

— Pas moi, rétorque l'autre, jetant le bâton de sa sucette dans le cendrier. Ce qui nous différencie, c'est le savoir-vivre. Vous ne me connaissez pas, mais...

— Si, si, je te connais. Hier, quelqu'un me disait du mal de toi.

— Qui?

— Un interrogatoire...? Après l'épreuve orale, ce sera l'épreuve écrite...?

— Je pense que...

— Une minute de silence: Jean-Luc Bellerive pense!

— Mon nom est Jean-Louis, je vous corrige... Ce quelqu'un qui vous disait du mal de moi m'accorde trop d'importance. À l'avenir, refusez d'écouter ces gens-là.

Ses doigts s'agitent dans l'espace.

— Dire du mal des autres, ajoute-t-il, est-ce plus acceptable que de ne parler que de soi? À ce propos, je vous cite un extrait d'un de vos premiers romans: «Calomnies et médisances sont...» Euh... Je vous regarde, là! Vous m'avez bien attrapé. Félicitations! J'ai vraiment cru que vous étiez en rogne.

— Je fais partie des Coléreux Anonymes. Nous nous réunissons une fois par semaine pour nous abreuver d'injures.

Le jeune homme pouffe. Vous aussi. Il n'y aura pas d'estocade. Vous deviserez le plus civilement du monde.

— J'aurais dû me méfier, explique Bellerive. C'est pourtant de vous que j'ai appris le doute, pas le doute qui harcèle, qui tenaille — au contraire, le doute qui réconforte, le doute nonchalant, presque douillet, celui qui fait de l'ombre et offre du coup l'assurance que, même si on n'en mène pas large, on a encore de l'envergure, celui qui...

Il continue sur son élan. Cette déclaration n'est pas sans flatter Gilles Dufresne. Ses livres ne sont pas si mauvais puisqu'ils inspirent les catéchumènes. Terme suranné: le pull mauve le lui a suggéré. Il lève le doigt et fait plaisamment promettre à l'autre que, la première fois qu'il remportera un prix majeur, il prononcera son discours de remerciement une sucette à la main.

Smoking et sucette, oui. Que répondre? Bellerive prend une bouchée de son muffin, la mastique. On ne parle pas la bouche pleine. Pareille diversion aurait dû lui fournir deux, trois répliques cinglantes. Rien ne vient.

— Je te trouve bien jeune pour chercher à avoir constamment le dernier mot. Tu n'as pas peur de t'essouffler?

— Je respire l'air du temps.

Pauvre lui! Il ne sait pas que l'air du temps provoque toujours le mal du siècle. Dufresne, lui, aime mieux regarder passer le train du modernisme. Les wagons en sont bondés, certes. (Aux commandes y a-t-il un conducteur?) Oh! parfois, il le prendrait, ce train. Sauf qu'il faudrait que la locomotive ralentisse pour qu'il puisse grimper à bord: il n'a plus vingt ans, quoi!

— Non, garçon, n'approchez pas, proteste l'exalté. Une araignée tisse sa toile sous mon tabouret. Je vous défends de l'écraser. Apportez l'addition à mon voisin.

Gilles vide d'un trait son bol de café, consulte l'horloge, les yeux fixes de Marilyn, la grande aiguille qui ressemble à une sécrétion nasale...

— Pardon, je suis pressé.

Et il plante là le saint François des araignées de terre et de plafond. Il a aujourd'hui des audaces qui l'étonnent.

D ans la rue, bien que l'orage ait cessé depuis dix minutes, les passants ont oublié de fermer leurs parapluies. Inattention à la nature? Insouciance serait plus exact. En fin de compte, on n'aura pas eu de grêle; la météo se sera encore trompée. Lits d'eau, liquidation des stocks, est-il placardé à la façade d'un magasin de meubles. Inattention aux mots? Gilles contemple sa silhouette réfléchie dans la vitrine. Flash: c'est après l'averse en pleine nuit et E.G. Robinson marche dans la forêt en portant un macchabée sur ses épaules; il frôle les basses branches des arbres et de grosses gouttes de pluie lui tombent sur la tête. Tel est le génie de Fritz Lang. Le film, qui date de 1945, s'intitule *la Femme au portrait*. Dufresne, lui, n'a pas de cadavre sur les épaules, pas concrètement, en tout cas — et, si on s'y arrête, même pas au sens figuré. Il se propose en rentrant de prendre un bain chaud, comme il le faisait enfant quand il revenait à la maison, trempé, fiévreux, claquant des dents. Auparavant, il lui faut toutefois passer par la banque. Il tourne le coin de la rue et, là, entre deux gratte-ciel, il a soudain cette vue étonnante sur le clocher de la cathédrale, vue désormais imprenable. Cela est d'une telle harmonie qu'il se dit que quelqu'un a dû planifier, organiser cet agencement. C'est alors qu'il aperçoit de dos madame G, la secrétaire de Bilodeau, qui se mouche. Il s'arrange pour qu'elle ne le remarque pas et change de trottoir.

La Femme au portrait, le Port de l'angoisse, les Sacrifiés, Hantise, la Rue rouge. De plus en plus souvent, il revoit de vieux films américains. Il oublie, confond les titres. Ainsi, l'autre jour, il se faisait une joie de pouvoir enfin visionner un classique avec James Cagney. *Le... Les...* Allons bon! comment s'appelle cette histoire? Bref, il loue la cassette pour constater à son retour qu'il a déjà vu le film au moins trois fois. À ce prix-là, autant renoncer au magnétoscope et élaborer ses propres scénarios. Par exemple, il imagine le tueur à gages qui, souffrant de narcolepsie, tombe brusquement endormi en faisant le guet devant l'immeuble de Lafleur. Le journaliste parvient à s'échapper. Il a une veine de pendu, ce

Lafleur. Veine de pendu. Pour Dufresne, l'expression évoque instantanément la carotide gonflée sous la pression de la corde. Et il doit faire un effort pour retrouver la notion de chance, de bonne étoile. Par conséquent, tout le monde croit que Lafleur a réussi à quitter l'appartement, mais vous, vous savez qu'aux abois, la raison en déroute, se sentant pris en souricière, il a choisi de se donner lui-même la mort et qu'il s'est pendu au pommeau de la douche. Dernier plan, générique. Vos personnages ont l'habitude de tergiverser, de se ronger les sangs. Ils se torturent les méninges à grand renfort d'introspection et ils raffolent de ça. Vous avez beau avoir fait du monologue intérieur votre spécialité, vous pourriez aisément concevoir des récits trépidants et tenir le lecteur en haleine. Vous n'ignorez pas comment on s'y prend. Or, ça ne vous intéresse pas beaucoup. Votre côté cuistre, sans doute...

En bas, à droite du tableau, en plus de sa signature, le peintre a inscrit un numéro de téléphone. Ça représente un parvis d'église de campagne. Il y a au mur plusieurs autres croûtes de la même inspiration, du même style pompier: granges vermoulues, vergers en fleurs, barques hors d'usage, ruchers à l'abandon... Voici comment ma banque encourage les arts. Gilles se demande s'il ne sortira pas son carnet pour la noter, celle-là. La nervosité fait des siennes en s'immisçant dans son jugement. Heureusement, il se ravise. Sa chaise est légèrement bancale. Bah! voici son tour.

Yvon avait raison: retirer dix mille dollars d'une traite n'est pas plus compliqué que d'acheter un ticket de métro. Le caissier, un employé blondasse embauché la veille ou l'avant-veille, s'est contenté d'aller quêter la signature du directeur adjoint, Georges-Armand Bonin, c'est écrit sur sa plaque en lettres dorées, Bonin qu'on verrait parfaitement porter de la soie du matin au soir tellement il affiche de prestance — et Gilles a obtenu son argent sur-le-champ. Pas de quoi suer des glaçons! Incidemment, quel robinet à paroles, ce nouveau caissier! Plus bavard que le père Sanguineti. Dieu sait pourtant que derrière un guichet le laconisme est de rigueur. Mais, dès qu'il a reconnu Dufresne, il s'est mis à pérorer, débitant dix, vingt phrases à toute allure: sa petite amie a étudié *Il était une fois* quand elle était au collège, lui-même a lu des passages du livre, et ainsi de suite. A-t-il été en manque depuis le début de la journée? Si quelqu'un lui tord le nez, la chantepleure va se fermer — geste charitable mais difficile à poser avec la vitre pare-balles...

Dix mille dollars en billets, ça fait tout juste un paquet de la grosseur et du poids d'un dictionnaire de poche. Ce paquet, Dufresne, le cœur battant, le dépose à l'endroit convenu. Comme il s'y attendait, personne n'est assis sur le banc d'autobus. Il jette un regard aux alentours. On l'observe, c'est évident. Il est vulnérable. Il ne s'éternisera pas sur les lieux. Le nervi n'avait pas besoin de brandir la menace à peine voilée du... Je vais effectuer le second versement. Sinon, j'aurais trop peur d'être étripé. Seigneur! dans quoi me suis-je embringué? Avec mon vieil imperméable, j'ai l'air sorti d'une mauvaise série B. Qu'est-ce qui m'a pris de me déguiser de la sorte? Ma vengeance est enclenchée. Un prêté pour un rendu. S'agit-il toujours d'une blague, d'un canular? Bien sûr, mais cette blague va me coûter une fortune. Suis-je encore persuadé de rester en mesure de tout stopper au dernier moment? Oh! je ferai le nécessaire pour ne pas perdre le contrôle de la machine. Je veux seulement vérifier si je peux mener jusqu'au bout un engin de ce calibre.

En réalité, ses pensées sont plus confuses. Il ne rentrera pas chez lui immédiatement, car il serait incapable de se concentrer sur quelque texte que ce soit — à écrire ou à lire. Il marchera à travers la ville une heure et demie durant, avec une courte pause dans un bar, le temps d'un cognac sifflé debout, coude appuyé au comptoir. Il se reprochera de ne pas avoir prévu de rendez-vous avec Suzanne. Il apprécierait de la tenir serrée, blottie contre lui pendant quelques instants. «Avec ton imper, tu t'apprêtes à poser pour la couverture d'un polar?» Ce serait elle qui prononcerait cette réplique, en le voyant se pointer au journal. Peut-être tenterait-il de la convaincre de s'absenter de la boîte jusqu'à la fin de la journée. «Autorisée à déserter...?» Ce que son corps et son esprit réclament, c'est le repos du guerrier.

Le cognac lui ayant réchauffé l'intérieur, Gilles ressent d'un coup un soulagement immense. L'animal capturé dont le piège s'ouvre subitement parce ce qu'à force de se débattre il en a cassé le ressort, cet animal doit éprouver quelque chose d'analogue. Le sang coule, les blessures sont vives, la patte est à moitié arrachée; il ne souffre pas encore, occupé qu'il est à jouir de la délivrance, à en goûter la saveur. Pourquoi ne pas assister ce soir à l'université à la conférence de Picard sur le film noir? Serait-ce exagéré? Il déambule maintenant d'un pas quasi tranquille et, par bouffées, une musique entraînante arrive à ses oreilles. Mine de rien, le voilà qui explore les environs, qui furète. Dans un sous-sol, un couple regarde *Sans toit ni loi* à la télévision, la fenêtre entrouverte. La musique vient de l'appareil. Dufresne entend mal la chanson, distingue les images couci-couça. Flou — comme avec Lang et les cinéastes américains des années quarante. L'homme et la femme fixent l'écran, pelotonnés l'un contre l'autre. Dans l'épisode en cours, Gilles interprète le promeneur faussement distrait. Il se fait croire qu'il n'est sorti audehors que dans le but de se dégourdir les jambes. Il ne s'interdit pas de dévisager les gens. Ce qu'il s'interdit, c'est de freiner indûment la cadence, de ralentir le rythme de sa randonnée. Il n'a pas le droit de s'attarder et la scène qu'il capte doit obligatoirement s'imprimer en lui à la seconde même. À partir de là, le jeu consiste à imaginer les aléas d'une histoire, exercice qui normalement s'avère excellent pour l'écrivain de fiction.

L'animateur dit: «Ne me reste qu'à espérer que je serai parmi vous la semaine prochaine pour la suite de ce long métrage.» Gilles se retourne. On a fermé la fenêtre. Il a donc inventé les salutations de l'animateur. Pourtant, il n'en est pas sûr. De là à rebrousser chemin pour s'accroupir, coller son nez à la vitre, il y a une marge. «Espérer que je serai encore parmi vous la semaine prochaine...» Qu'est-ce qu'il craint tant, celui-là? Perchés sur le rétroviseur d'une BMW blanche garée devant une borne-fontaine, deux moineaux s'égosillent en se mirant. Ils ont couvert de crottes la portière. Copieusement. Faut-il attribuer cela au ravissement qu'ils éprouvent à se voir pousser le trille ou célèbrent-ils à leur manière le retour du beau temps? Probablement sont-ils logés à cet endroit depuis plus d'une heure. C'est là qu'ils ont évité la pluie. Il y a deux semaines, le secteur offrait le spectacle navrant de citrouilles cabossées, éventrées jonchant les ruelles en attendant le passage des éboueurs. Terribles lendemains d'Halloween. Qu'a-t-on fait des succulentes recettes de compote de grand-mère? Les coudes plantés dans un gros oreiller qu'il a placé sur l'appui de la fenêtre, le menton entre les mains, le concierge observe le va-et-vient du quartier. Il accueille le retour de Dufresne avec un hochement de tête. Xanthippe frotte la rampe de l'escalier. Les loups-garous sont sortis tôt aujourd'hui! Gilles a tort de se moquer. Pour une fois qu'elle s'occupe, elle qui souvent ne fait rien de ses dix doigts... Au moins, elle ne nuit pas à son prochain en publiant des livres ennuyeux, elle!

— Monsieur Dufresne... En fouillant dans votre serviette pour trouver vos clés, vous avez laissé tomber votre livret de banque.

F roufrou des vêtements contre les couvertures. Couché dans le lit défait, Dufresne n'a pas pris la peine d'ôter son veston. Ses jambes pendouillent comme celles d'un enfant malade. Il se revoit écolier en pique-nique avec sa classe, juché sur le toit du belvédère du parc, incapable de redescendre, joues en feu. La détresse... Il se relève, légèrement flageolant. On connaît sa discrétion, sa correction quand il est sobre. Tout seul chez lui, il prend garde de soupirer fort, il met la main devant la bouche quand il bâille, il se retient de roter, etc. Il a pour sa personne les mêmes égards que pour ses proches. Pourquoi pas? Il s'assoit un moment devant la télévision et a juste le temps de lire «Pensée du jour». Les images vont trop vite. Fondu. Voici les manchettes. Comme toujours, je suis arrivé trois secondes en retard. Cette pensée du jour aurait pu être une phrase d'Arnold Bennett, qui sait? Bah! même si j'avais réussi à la lire, dans l'état où je suis, je n'en aurais pas retenu grand-chose. À l'autre chaîne, diffusion d'un documentaire sur les jeunes gorilles atteints de polio... La tête sous le jet bouillant, se rinçant la chevelure pour la troisième fois, il a l'impression que ses problèmes fondent, que plusieurs même se détachent de son cerveau, qu'ils traversent son crâne et dégringolent dans la crapaudine à ses pieds... Voilà la raison pour laquelle ses douches durent parfois jusqu'à l'épuisement de l'eau chaude du réservoir. C'est dans un nuage de vapeur qu'il exécute quelques flexions des genoux. Depuis la fin de l'été, les seuls exercices physiques auxquels il se livre sont le maniement du gratte-dos et le réglage du réveille-matin. Ne parlons pas de l'amour. Gilles aurait intérêt à ne pas surcharger son agenda. Il est à l'âge où l'infarctus se fait menaçant.

Guérira-t-il assez vite?

Assez vite par rapport à quoi?

Décidément, des bouts de phrases vous ont échappé. Qu'elle cesse de crier derrière la porte de la salle de bains et qu'elle vienne vous parler à six pouces de la face! Le petit ami d'Isabelle a reçu hier les résultats des tests passés à l'hôpital. C'est positif: il a attrapé la mononucléose. Ah! c'était ça!

— Tu ne m'avais même pas dit qu'il était malade, mon bébé. Penses-tu que...? Et toi?

— Je n'ai rien. Je pète de santé. C'est le bonheur.

— Remarque que tu ne m'avais pas dit non plus que les lundis, toi et Suzanne, vous vous organisiez en catimini des soirées au cinéma. Pas la plus infime insinuation. Zéro...

Son père est sans doute à présent l'être dont elle se

sent le plus proche. Ça n'a pas toujours été le cas. Ils ont en commun une tendance à l'autodestruction — tendance que, pour sa part, Gilles n'avoue pas facilement. Il est l'être dont elle se sent le plus proche et avec lequel, par ailleurs, elle s'entend le plus mal. Leur affection ne s'exprime que par le biais de gestes furtifs. Cette tendance à l'autodestruction, Isabelle l'a héritée de lui, il ne le sait que trop. Plus il avance en âge, plus il se reproche de lui avoir laissé ça. Grâce au ciel, il lui a aussi légué d'autres choses...

— Où tu vas?

— Dans la cuisine me chercher une tasse: j'ai surpris ton regard en direction de la théière et j'ai cru que tu voulais m'offrir une gorgée d'infusion. Non? Tant pis, je boirai de l'eau. Tu contemples le fauteuil? Je suppose que ça signifie que je resterai debout sur la carpette?

— Bouge pas, tiens-toi tranquille. Je vole à ton secours... Tu veux des biscuits? J'en ai acheté en vrac dans une épicerie fine.

— Joliment intelligente...

— Quoi?

— Je ne suis pas seul à être dur d'oreille, mon bébé...

En effet, ils sont tous plus ou moins sourds. Génération du walkman. Gilles élève la voix pour couvrir le bruit qu'elle fait en empilant la vaisselle de faïence dans le plateau de service.

— Tu es joliment intelligente.

Aucune trace de vanité sur son visage. Elle approuve son père, constatant qu'il a raison. Aucune trace de vanité, aucune biffure non plus dans la ligne droite formée par les sourcils. Elle paraît calme mais, sous le menton, les muscles sont tendus. Ainsi a-t-elle laissé tomber son petit ami. Se rabibocheront-ils? Les probabilités sont minces... Et, en passant, Gilles estime avoir a été sot de redouter que sa fille ne soit enceinte.

— Tu ne peux pas te figurer comment il était! Hargneux: c'est le mot. L'air amorphe, nonchalant... Mais, à la moindre contrariété, il réagissait avec une de ces...

— Parce que l'eau dormante se ride au premier vent...

— Si prompt à tempêter, oui!

— Essayais-tu de le comprendre? Il couvait sa mono...

— Non. Avec les détraqués, j'ai pour principe de... J'ai reçu une excellente éducation. Goûte aux losanges, là. C'est du chocolat pur.

Bien qu'Isabelle vienne à peine d'atteindre sa majorité, si elle s'avisait de réunir ses ex-amants, un restaurant ne suffirait pas à contenir tout le monde. Encore cinq ans, et il lui faudra louer une salle paroissiale. Oh! Gilles ne se félicite pas de nourrir en lui de telles pensées. Elles subsistent et...

— Au début, il était poli, spirituel, brillant. J'ai été conquise. Par exemple, lui dans le salon, moi dans la chambre, s'il arrivait que je lui pose une question, eh bien! il ne hurlait pas, il venait tout près pour me répondre. Trop beau pour durer, ça...

Clin d'œil à son père.

— C'est quelqu'un qui se cherche, poursuit-elle, mais qui ne trouvera rien d'autre que du vide. Fâcheux pour lui...

— Toi, mon bébé, il te faudrait un charmeur.

— Pardon?

— Que tu tombes amoureuse de... Les charmeurs, tu les évites?

— De quoi tu te mêles?

— Je me montre gentil...

— Gilles Dufresne, je t'en prie! Abuse pas de la situation. J'en ai jusque-là de la gentillesse. Saisis-tu que...? Y a aucun réconfort à tirer de la gentillesse, aucune espèce de...

— Le ton ancienne élève des sœurs, ça ne prend pas avec moi, Isabelle. Tu peux me mentir. Du moment que je ne m'en aperçois pas, du moment que le mensonge est plus excitant que la vérité... Si je me souviens, en Haulte-Tromperie, tous les sujets du roi s'entendaient là-dessus...

Elle ne sourit même pas. Pour le plaisir de celui avec qui elle baise, fait-elle semblant de jouir? Regarde-t-elle sa montre en guettant l'orgasme du gars? Gilles éprouve quelque remords à se prêter à de telles élucubrations: Isabelle est sa fille. Suzanne, elle, fait-elle semblant? Réfléchissez-y.

— Ta chair est ferme, mon bébé. C'est normal, tu es jeune. En réalité, tout est extra. Une exception. Ta machine à sentiments est déjà passablement abîmée. Mais ça ne se lit pas sur ton visage. Pas encore...

— Agréable comme perspective, très agréable.

Elle avait douze ans et lavait la voiture en compagnie d'un voisin. Les deux étaient en maillot. Gilles les observait de la fenêtre de son bureau. Leurs fous rires, son allure de chatte gourmande... À la même époque, elle accusait Gilles de posséder un double de la clé de son journal intime. Comme si ça intéressait un père de connaître les secrets d'une adolescente, ses émois... Les moiteurs de sa touffe avaient pour Isabelle plus d'importance que les catastrophes planétaires. Et après? C'était de son âge. Comme c'était de son âge d'apprécier des spectacles de variétés que le père jugeait vulgaires, voire franchement stupides. Il lui payait pourtant une des meilleures éducations... Ne lui a-t-elle pas rappelé ce détail tout à l'heure...? Elle se lève, attrape un coussin du sofa et le lance sur la lampe de l'entrée. Raté. Tant pis. Elle a la réputation d'être irascible et, quoique ce ne soit pas absolument conscient chez elle, elle tente en toute circonstance de tirer profit de sa réputation. Et voici qu'elle vous déballe ce qu'elle a accumulé au fond d'elle-même depuis quelques mois. Elle en a gros sur la patate. Proférées sans aucun humour, les outrances confinent à la muflerie. Mais le soulagement que procure une bonne colère (avec ensuite cinq minutes d'arythmie) vaut bien des thérapies maison.

— Je t'annonce que je suis en train de rater ma vie et toi, tu me conseilles d'enjoliver mon quotidien. Tu parles de décoration intérieure tandis que la maison pourrit sur place...

— Tu charries, mon bébé. Ce que je m'évertue à... Au contraire, je n'arrête pas de me faire du souci à ton sujet. Je suis constitué de telle façon que... Je suis du type d'homme à... Pour cesser de me faire du souci, il faudrait que je me mette à te détester.

— Des fois, ça vaudrait mieux. Ta tendresse est encombrante.

— Ne dis pas d'énormités. Chez moi, il n'y a pas de milieu. Il n'y a pas ce juste milieu si commode qu'on nomme indifférence. Rien entre aimer et mépriser. Crois-moi. Ça t'agace de savoir que je me fais du souci? Tu préférerais rester dans l'ignorance? Les gens de ta génération, ça les emmerde que...

Moue hypocrite, simagrée. Gilles continue sa tirade.

— Deviner quelle vie tu mènes, soupçonner tes appréhensions, tes inquiétudes, tes angoisses, tu ne t'imagines pas à quel point ça nuit à ma tranquillité d'esprit. Et, pour créer, j'ai besoin d'un minimum de tranquillité d'esprit.

— Sois pas odieux. Ce n'est quand même pas ma

faute si les critiques t'ont ramassé et si tu récupères mal...

— Comment as-tu découvert que je récupérais mal?

— Mon intuition. Tu n'es pas porté à surévaluer mon intuition, hein...? Avoue donc que tu écris pour être aimé.

— Pour séduire. Nuance.

Est-ce un cri du cœur? Si oui, faites-le taire, ce cœur, vite, faites-le taire! Isabelle éternue. Dieu la bénisse.

— Dieu...? Je suis athée, papa.

— Voilà autre chose! Je ne t'ai jamais interdit d'être athée. Céline non plus. Tous les parents ne peuvent pas se vanter de...

— Mais tu n'es même pas croyant!

— Ça change quoi? Il y a un côté extrêmement pratique à élever ses enfants dans la foi chrétienne. J'ai renoncé à ce côté pratique.

— Explique-toi mieux.

— Je ne t'ai pas forcée à aller dans les salons funéraires...

— En somme, ce que tu regrettes, c'est que les religieuses ne m'aient pas transformée en sainte nitouche, en vierge martyre...

— Ta mère ne...

— «L'huile de ricin giclait de ses seins.» Je cite Gilles Dufresne. Tu me fais rire, toi. Ah! les mères... Tu l'as mentionné dans la conclusion d'un de tes contes: «Le jour de la réhabilitation de la sorcière de *Blanche-Neige*, elles seront plusieurs à défiler dans les rues de la ville, les mères.» Il y a celles qui talochent, celles qui pincent, celles qui serrent les ouïes. Céline était du genre à serrer les ouïes. J'aurais préféré avoir une mère assez impulsive pour me flanquer des coups.

— Tu racontes des bêtises...

— Et ses silences, ses silences lourds, oppressants,

qui visaient à me culpabiliser: est-ce que je n'aurais pas dû me comporter comme ci plutôt que comme ça...? Le purgatoire! Où sont passés mes trois cents jours d'indulgence? Une mère comme Céline quand on commence son adolescence, c'est le purgatoire, oui. Moi qui suis Montréalaise dans l'âme, m'obliger à déménager à Laval: Laval, l'autre purgatoire! Par chance, ces conditions-là ne durent que le temps de... Après la honte, la haine est venue. Je l'ai haïe. Ah! les grands mots! Elle était ignoble. Je l'ai haïe de m'avoir manipulée. Et je me suis haïe, moi, d'avoir été si faible, si peu autonome...

Bras ballants, Gilles demeure ahuri, secoué. Épouvanté.

— Tu te tourmentes, mon bébé...

— Détrompe-toi! Pour se débarrasser d'une névrose, assassiner sa mère est plus efficace qu'une psychanalyse.

— L'assassiner dans ses rêves...? Je sais que tu plaisantes.

Parce qu'elle s'attendait à cette réplique de sa part, Isabelle a l'impression qu'elle connaît son père mieux qu'elle ne se connaît elle-même. Elle a raison, puisque sa réaction à elle sera une surprise. Affolée, elle s'affale, la tête entre les jambes, renversant le plat de biscuits. Et quand elle se relève, toute rouge, congestionnée, coule de son nez un mince filet de sang. Non, elle n'avait pas prévu ça. Elle tire la langue, lèche le sang. Petite, la moindre contrariété représentait déjà pour elle un désastre. Presque chaque fois, elle en faisait une maladie — strictement: eczéma, asthme, faux croup. Mais Gilles Dufresne a rarement vu sa fille aussi bouleversée. C'est qu'elle aussi serait capable de tuer...

Hôpital. Ralentissez. Jadis, dans cette zone, on voyait des panneaux de signalisation sur lesquels était inscrit le mot SILENCE. Ils ont disparu. Feu rouge. Gilles freine. Mollo. Se massant les tempes, il jette un regard dans le rétroviseur. Au volant de la voiture qui suit immédiatement la sienne, une femme rectifie son maquillage, se recoiffe. Il distingue mal ses traits, il l'entr'aperçoit seulement à cause du flou plus ou moins artistique causé par la buée dans la lunette arrière. Il appuie sur le bouton essuie-glace. C'est mieux. Vous êtes ravissante, madame. La conductrice a compris son manège et lui sourit. Changez de souliers, changez de bas, vous en avez le temps, madame, puisque le feu rouge se prolonge. Changez aussi de culotte tandis que vous y êtes! Ayons les mœurs barbares des... Coups de klaxon. Il démarre en faisant déraper ses pneus. Tant pis pour les malades!

La conduite de sa fille l'a déprimé, c'est incontestable. Il tentera de compenser en se payant une ceinture. Ou des gants. Ou un pull. Dufresne se méfie beaucoup des tailleurs — et davantage encore des vendeurs qui travaillent dans les boutiques.

— Vous n'avez aucune raison de vous méfier. Nous sommes là pour guider le client, pour lui conseiller le meilleur choix.

— Le meilleur choix? Je suis déjà sorti d'ici turquoise, rose et kaki. Quand mes éditeurs m'ont vu arriver à mon lancement accoutré comme ça, ils m'ont caché dans un placard.

— Matière de goût. Les gens sont trop conservateurs. En tant qu'artiste, vous devez indiquer la voie à ceux qui...

— Ne prêchez pas dans le désert, Raoul. Vous avez peu de chances d'être béatifié de votre vivant...

— Pourtant, deux de mes sœurs ont prononcé des vœux, monsieur. Je suis moi-même chevalier de l'Ordre du Saint-Sépulcre.

— Arrêtez, je perds mon sérieux.

— N'empêche que plusieurs saints avaient le pouvoir, rien qu'en les touchant du bout des doigts, de rendre les habits parfaitement seyants.

— Dans ce cas, votre patron est damné depuis une mèche...!

— Non, parce que je prie chaque jour pour son salut.

Oh! le plaisir d'acheter un vêtement et d'aussitôt prendre un billet pour le cinéma (peu importe le film), histoire d'utiliser les toilettes comme vestiaire, d'endosser le blazer bleu marine ou le tricot parme en laine d'Écosse... Dans les circonstances présentes, il s'agit d'une chemise à rayures dix pour cent lin, quatre-vingt-dix pour cent coton, suggestion de Raoul. Quel bouffon que l'être humain! Il a enfilé sa chemise neuve et fourré la vieille dans le sac de plastique à l'emblème de la boutique. Diversion opportune. Longtemps, Dufresne a considéré la superficialité comme une tare alors qu'elle est un bienfait du ciel. Car si, dans l'aléatoire de cette vie, il est encore possible, grâce à Dieu, de dénicher trois minutes de suite au cours desquelles le néant n'en mène pas large, on aurait tort de ne pas saisir l'occasion au vol...

Peu importe le film, avons-nous dit. Dans ce cas, pourquoi pas un thriller? Pendant la fameuse séquence de la douche, vous aurez peur pour la fille. C'est compréhensible. Surtout ne vous en défendez pas. Avez-vous songé à ce que supporte le pauvre diable embusqué dans la salle de bains avec son grand couteau de boucher? Chaque fois que le rideau bouge, il sursaute. Il a les nerfs à vif. La fille va et vient à travers l'appartement. Elle achève de se déshabiller. Elle dézippe lentement sa jupe, elle semble éprouver de l'embarras à dégrafer son soutien-gorge. Ça dure un siècle et deux éternités. La voici maintenant qui se décide à mettre un disque. Paderewski? Steiner? Herrmann? Elle ne trouve pas. J'ai la jambe qui commence à s'engourdir, j'ai des fourmis dans le bras droit. Pour me distraire, je fais le total des carreaux de céramique. Séance d'autohypnose. Puis le téléphone sonne. La fille en profite pour avoir une longue conversation avec son ex-amant. Moi, je m'enchifrène, la gorge pleine de sécrétions. Sans compter qu'à chaque respiration, il me faut imiter le freinage malaisé d'un camion poids lourd. Je ne néglige aucun détail. Je n'ai pas la tête à la bandaison, ça, je le jure... Ouf! elle raccroche. Elle ouvre les robinets. Je me pelotonne dans mon coin. Aïe! l'eau est trop chaude. Je suis trempé jusqu'à l'os. Pas de danger que la vapeur me dégage les voies respiratoires: les glaires que je cracherais seraient grosses comme le poing. Maudite existence que celle d'assassin de suspense, zigouilleur de jolies blondes en slip!

Trop fébrile pour s'exposer à ressentir autant d'empathie, Gilles a préféré prendre un billet pour un porno.

Ça sent la poussière. La publicité sur les murs prétend que tout a été rénové de fond en comble. À mon avis, c'est à peine si on a passé l'aspirateur. Avant d'entrer, pour clamer que j'assume mes contradictions, je sors de ma serviette une revue littéraire, *Libre Examen*. Un vieux numéro — pas celui avec l'article de Josianne Boismenu. En attendant que les lumières baissent, je lirai un peu. Mais je me trompe. Il fait toujours noir ici. Et il n'y a pas de levers de rideau. Sauf que demeurent dans l'atmosphère les reliquats du rituel auquel on s'adonnait quand ce complexe de salles en était un d'art et d'essai... Sans doute par respect pour l'espèce de religion laïque pratiquée par lui (et d'autres) dans les décennies soixante, soixante-dix, Gilles a beaucoup tardé avant de se munir d'un magnétoscope. N'a-t-il pas été à l'époque cinéphile fervent, orthodoxe (parfois enragé), idolâtre de pellicule...? Mignonnes Yougoslaves, gracieuses Polonaises, ravissantes Tchèques aux anatomies dénudées... Fesses blanches garantes d'âmes sans taches! *De l'effet du communisme sur les minois des minettes*: ainsi avait-il intitulé un des chapitres de son second recueil d'essais. Non, elles ne donnaient pas l'impression d'avoir été déflorées à la va-comme-je-te-pousse, ces naturistes du dimanche! Il a revu une de ces bandes un soir de septembre à la cinémathèque. Il y avait tellement de monde qu'il a dû se contenter d'un strapontin. Pareil succès l'a réjoui.

Demeurent dans l'atmosphère des reliquats de l'ancien rituel... Dufresne se ressaisit. La nostalgie est suspecte — qui augmente avec l'âge; et on se demande si elle n'occupera pas bientôt toute la place disponible dans le cerveau. La nostalgie est suspecte parce qu'elle a en elle quelque chose d'idiot qui s'émeut indifféremment des patins à deux lames, du rationnement du beurre ou des tresses de la première fille dont on a embrassé la poitrine. Ce qui ne reviendra plus la touche au plus haut point, la nostalgie. Elle feint d'ignorer que, dans ce qui ne reviendra plus, il existe quantité d'images de bric et de broc.

Tristounet porno! En dépit du générique prometteur (dix noms féminins contre un masculin), ça merdoie traîtreusement. L'actrice principale n'est guère convaincante, qui joue les scènes de lit du bout des lèvres, du bout des seins. Plus pâle que les draps, bouche tordue, son partenaire ricane. C'est le rôle qui l'exige. Il ricane aussi parce qu'il a conscience que personne sur le plateau n'a le moindre atome de talent. La musique accompagnant les séquences de fornication express est du genre qu'on fredonne en lavant la vaisselle. Vous toussotez. Celui qui s'empresse de faire chut!, c'est évidemment le catarrheux qui vous casse les oreilles depuis un quart d'heure. Pure malveillance de sa part. Envie de l'agonir d'invectives. Par bonheur, le chut! lui est resté coincé dans le gorgoton. Et voici le bonhomme repris d'une de ces interminables quintes. Plus près de vous, il y en a un qui se fait craquer les jointures et qui geint. Quelques-uns soupirent; d'autres crient avec la voix qu'on prend pour chuchoter — ainsi que le font les enfants qui ne veulent pas réveiller leurs parents les samedis de grasse matinée (ratée). L'air que souffle l'appareil de climatisation est aussi frais que l'haleine d'une chorale de lépreux.

Brouhaha derrière, à quatre rangées de vous. Un petit vieux se trémousse, se démène. Son stimulateur cardiaque va-t-il tomber en panne? Non, c'est son briquet qui fonctionne mal. Le patriarche réussit quand même à allumer sa cigarette. Défense de fumer. Votre voisin de droite répète deux répliques sur trois, machinalement, pour se les mettre en mémoire. Encore une chance que ces films ne soient pas plus bavards! Vous entendez le bruit d'une fermeture éclair. Il faut croire que l'érotisme agit malgré tout. Votre voisin de gauche choisit d'ailleurs le moment où vous commencez à bander pour quitter les lieux. Immanquable, ça. Eux et leurs vessies rapiécées! S'il vous dérange...? Comment donc! Vous déplacez votre carcasse pour le laisser passer. Clac-clac du siège qui se replie contre le dossier, vous rasant les cuisses. Vous écrasez des écales d'arachides. Vous marchez sur d'autres objets dont vous renoncez à définir la nature. Vous ne savez plus si vous devez rire ou garder votre flegme. Vous ne savez plus sur quel pied danser. Ni sur quelle fesse vous rasseoir. L'auditoire s'ennuie et il a votre sympathie. Peut-être vaudrait-il mieux que vous partiez... Où en est-on rendu dans l'action? Ah! l'héroïne paraît avoir enfin eu un orgasme potable. Vous allez tenter de gagner la sortie avec discrétion. Vous décroisez les jambes. Ding! ding! ding! la monnaie que vous aviez dans les poches tombe par terre, roule, roule... Et soudain déboule le générique. Sésame, ouvre-toi. Puisque c'est l'usage, l'assistance se lève d'un pet: on bouscule allégrement les rares poireaux immobiles qui attendent que les loupiotes se rallument. Autrefois, l'hymne national retentissait dans les haut-parleurs — du moins après la dernière séance. Certains se mettaient au garde-à-vous. D'autres filaient à l'anglaise, ce qui est une façon de parler. Vous étiez du nombre. Un soir, un monsieur grave et solennel vous avait flanqué un coup de parapluie. Vous aviez répliqué par une taloche et des spectateurs s'étaient interposés. Le monsieur: «J'ai été militaire. J'ai fait la guerre. Je suis fier de mon pays et je n'accepte pas que...» Descendu de sa cabine, le projectionniste avait menacé d'appeler la police. «Ne nous énervons pas!» L'engueulade avait continué à l'extérieur, sous la marquise. Après quelques minutes, la bagarre risquant d'éclater, vous vous étiez éclipsé. Comme fomentatrice et semeuse de discorde, Isabelle a de qui tenir!

Il jappe à s'érailler. Attaché au garde-corps du balcon du deuxième étage, le chien (d'une race à la Milou, obèse) jappe parce qu'en bas, appuyé contre sa bicyclette modèle char d'assaut, le livreur de l'épicerie l'agace. Le livreur croit avoir le beau rôle. «Je t'aurai à l'usure!» crie-t-il à l'animal. Je poursuis mon chemin. Chez le marchand de fruits, je prends un panier. Le commis m'accueille avec chaleur, sans cette rudesse qui accompagne si souvent la jovialité. Je m'arrête au bout d'une rangée. Il y a là un client qui remplit un sac de noix, le soupèse, chichite, branle la tête, dépose le sac par terre, en prend un autre, recommence son manège. Effet anéantissant de la mécanique plaquée sur le vivant. Dommage que je ne puisse compter que sur un contre-jour pour observer le déroulement de la scène, avec tout l'imprécis que ça implique. Contre-jour, hantise des préposés aux filatures des agences de détectives privés... Le commis laisse couler, tolère. Il n'ose pas rabrouer l'individu. On doit faire preuve de compréhension envers les idiots. Gageons que dehors, l'idiot se tapera sur les cuisses: personne ne l'aura empêché de faire son numéro, on ne l'aura pas jeté à la porte, victoire! La diversion dissipée, je continue mon marché. Rangées tellement étroites qu'on accroche au passage une foule d'articles qui tombent dans le panier. Je me retrouve avec un paquet de biscuits à l'avoine, un pied de céleri, etc. Pour inciter ses clients à la consommation, le magasin a adopté la méthode la plus simple qui soit.... À l'entrée de la ruelle, le livreur et le chien obèse en sont au même point, aussi bêtes l'un que l'autre. Je resterai sur la touche, m'abstenant d'intervenir. Je ne veux pas provoquer d'esclandre. J'ai cependant une pensée pour quelques-uns de mes voisins que j'imagine au bord de l'exaspération: «La commande d'épicerie n'est pas encore là?»

Je suis réveillé par ce que je suppose n'avoir été qu'un bruit léger. Bah! ce pourrait aussi bien avoir été une déflagration. Ou le boom atomique. Quand même, je me lève pour vérifier si j'ai verrouillé la porte, si la pile de l'avertisseur d'incendie fonctionne toujours, si le lit est à la même place qu'hier, si j'ai tiré les rideaux... Litanies ramoneuses, hérissons du cerveau. La fenêtre était mal fermée. L'automne, l'orage est si vite arrivé. Tiens! les voitures circulent. La planète n'a donc pas sauté.

C'est la troisième fois depuis le début de la semaine que Gilles se réveille au milieu de la nuit, moite, bandé dur, clignant des paupières pour chasser de son esprit l'ultime photogramme du rêve en train de... Ce photogramme itératif est celui de Xanthippe, la concierge, dansant au son des tambourins dans un décor de moyen âge en papier mâché.

Xanthippe me bombarde en érection. Je dois être malade. Cher marchand de sable, vous m'avez livré ces jours-ci des cauchemars que je n'avais pas commandés. Ils sont défectueux, démodés, de mauvais goût. Je vous retourne la marchandise. J'ai déjà suffisamment de problèmes avec les critiques négatives que m'a occasionnées la parution de mon dernier ouvrage sans que...

Bref, je vous serais reconnaissant de bien vouloir à l'avenir vous montrer plus prévenant en ce qui concerne mes désirs intimes. Je n'ai pas l'habitude de faire le difficile. D'ailleurs, en général, vous exaucez mes prières — souvent en retard, peu me chaut: quand on réside dans l'éternité, il est normal qu'on ne soit pas synchrone avec l'inconscient et les humeurs des mortels. Consentiriez-vous néanmoins à vous appliquer davantage, de manière à apaiser les particularités de ma libido? Plus de strip-tease de Xanthippe! Holà! Acceptez l'expression de mes instincts les meilleurs.

Angoissé, Gilles tient une comptabilité très serrée de ses insomnies. Dormi trois heures avant-hier, quatre la nuit d'avant, etc. Je ne vis pas avec Suzanne parce que j'aurais les mêmes attentions à son égard. Pendant des années, je me suis comporté ainsi avec mon épouse. Couché sur le dos, je faisais le mort, je retenais mon souffle pour surveiller la régularité de sa respiration à elle, rassuré au premier ronflement... Infernal.

Ne se voyait-il pas alors dans la peau du lapin de Lewis Carroll, tapi dans le noir d'une bauge abandonnée, yeux rouges à force d'être restés rivés au cadran fluorescent de l'énorme montre de poche? Il y a quelques mois, Dufresne était encore capable de s'asseoir sans crayon ni rien (par conséquent, sans possibilité de jouer avec ou sur les mots) et de passer trente minutes à réfléchir. Les contingences s'estompaient. Il était bien. Il se sentait en communion avec les courants variés de la pensée, avec les paradoxes lumineux... Oh! rien d'occulte dans cette mise en place. Les tables ne menaçaient pas de tourner. Il était bien, le tout consistant à s'oublier un moment pour devenir, en définitive, plus présent à soi — à Soi et à l'Être, n'ayons pas peur des majuscules. Terminé. Révolu. Maintenant sollicité de partout, il est trop anxieux pour réussir à méditer. Il se demande même s'il n'a pas pris le pli du public qui, on le sait, réclame des fêtes et des démonstrations toujours plus superficielles. Autoportrait. Au domaine des idées, sans cesse à la recherche de nouvelles montures à enfourcher, oui, c'est moi, ce type, meilleur dompteur que cavalier. J'ai beau me rappeler que, dans les westerns, c'est le cow-boy qui bouge le moins qui vit le plus longtemps, je multiplie les gestes superflus.

Kyrielle des cuillers contre la porcelaine des tasses. Un bol, oui. Pas très fort.

— Quasiment un café d'enfant, ajoute-t-il pour se montrer affable.

La serveuse l'a dévisagé. Il a cherché une phrase pour réparer sa bévue, n'a rien trouvé. Pendant une quinzaine de secondes, ça l'a rendu maussade. Un peu malheureux aussi.

La scène se passe, dos au comptoir, à l'unique table du snack Romulus & Remus, immédiatement après quelque vingt longueurs à la piscine du YMCA. Voilà une traite que Gilles ne s'était offert pareille détente. Pas trop rouillé, le bonhomme... Ne pas oublier de m'en vanter auprès d'Isabelle.

Même l'odeur fétide des douches ne l'a pas incommodé outre mesure. C'est qu'il se sent tellement grégaire en ce vendredi qu'il irait volontiers attendre devant une banque, comme ça, juste avant l'ouverture, avec les clients massés aux portes (faux cuivre, faux bronze, faux marbre), afin de recevoir moult coups de coudes dans les côtes et de se faire écraser les orteils... Mais à quoi bon se rendre à la banque maintenant que ses comptes sont à sec? Et puis, on est à même de le constater, la serveuse l'a plutôt refroidi dans ses ardeurs.

Il feuillette le journal.

Ça suffit, les gamineries.

Demain, nous aurons droit aux cahiers spéciaux de *Samedi Montréal* et de *l'Éclaireur* publiés à l'occasion du Salon du livre. On ne m'a pas demandé cette année de participer à ces numéros à flonflons. Après ma lecture, il me restera dans la bouche un arrière-goût qui sera long à se dissiper. Je me répéterai que j'aurais décrit les choses bien mieux que tel dramaturge, que tel poète — ou infiniment plus mal... Toujours à me comparer. Toujours. Ce serait la même chose si j'avais un papier parmi le lot, ce serait même pire. Il n'y a en réalité que lorsqu'on fait appel à mes services et que je refuse, il n'y a que dans ce cas que je peux lire les cahiers spéciaux en toute tranquillité d'esprit. Mais, si vous déclinez trop souvent les invitations des quotidiens, bientôt plus aucune boîte ne s'adresse à vous. Idem avec les magazines de luxe, les revues intellos coincées-décoincées, les périodiques cuculturels... Parlant de périodiques, il y a eu récemment un article (sans signature) du chic *Bulletin des arts* où on présentait Dufresne comme un écrivain débutant. Courte lettre du susnommé au rédacteur en chef: «J'apprécie votre feuille. Quand je la lis, il m'arrive de me sentir rajeunir de trente ans.»

Dire que mon concierge m'envie parce que je suis connu. Il me l'a avoué. Jalousie, beau prétexte. Chaque fois que, dans le but d'amasser des fonds pour des bonnes œuvres, on programme à la télévision un de ces fameux marathons de variétés charitables, le mari de Xanthippe expédie une aumône de cinquante dollars. Chez lui, à l'instant où les lettres de son nom tremblotent sur l'écran, il met le magnétoscope en marche pour enregistrer le tout. Et les soirs où l'anonymat lui pèse, il se repasse la bande à dix, vingt reprises. Ça le console, n'empêche...

Céline, l'ex-épouse de Dufresne, se plaignait du fait qu'on lui prêtait peu d'attention dans les lancements et les vernissages quand elle n'était pas accompagnée de son Gilles. «Les regards se tournent d'abord vers toi!» s'indignait-elle. Il protestait pour la forme, car elle avait raison. Si la suite des événements lui a donné tort (ce qui n'enlève rien à l'exactitude de ses analyses, ni à la pertinence de ses avis en général), en vérité, ce n'est pas sa faute à elle... Céline possédait le mélange d'intuition et de vulgarité qui constitue l'apanage des politiciens de talent. Rien d'étonnant à ce qu'elle ait entrepris une seconde carrière dans les relations publiques. Mais il n'était pas dans nos desseins de témoigner de ce retournement dans les pages de l'actuel roman. Revenons à Gilles qui, souhait mesquin ou noble aspiration, c'est selon, rêve d'être redécouvert. Il lui importe que cette redécouverte se produise de son vivant: il est si vaniteux... Il rêve donc qu'un professeur d'université publie dans une revue intello coincé-décoincée une étude pour expliquer en quoi, bien qu'il soit passé inaperçu à la parution voilà vingt, vingt-cinq ans, tel pavé de Dufresne se révèle aujourd'hui un bouquin génial. «On doit relire la *Table des matières*. C'est un *must*.» Évidemment, cela est chimérique et du même ordre que les trois vœux exaucés par la marraine fée des contes pour enfants. Ses livres sont tissés de faiblesses, Dufresne en convient. Néanmoins...

Il paraît que les bons récits se fabriquent avec beaucoup d'ineffable et très peu de phrases pleines. Dans ce cas, moi, j'en fais plus que nécessaire. Trop de mots, trop de... Mais que choisir de taire? Que passer sous silence? Le singulier, l'inopiné, le fortuit — ou, au contraire, les fondements mêmes du sortilège?

Cinquante ans. Un demi-siècle, oui, et pourtant si peu de maturité. Jeune homme, je me comportais comme un adolescent blasé. Encore une chance qu'aucun de mes titres n'ait obtenu du succès. Je n'aurais pas eu la cervelle assez solide pour encaisser un démarrage pétaradant. J'aurais été asphyxié. Je voulais composer une œuvre volumineuse et sublime, toute en fulgurances et en éclats. Tel était mon désir, mon absolue détermination. Que reste-t-il de cela? La griserie d'avoir mon nom sur une couverture plastifiée? Mon concierge le croit dur comme fer. Il me semble plutôt que j'écris pour me faire pardonner quelque chose. Quoi? Je ne le sais plus. Le fait d'exister, peut-être? D'ailleurs, je m'y prends mal.

Mon nom, mon nom... Je suis au collège classique et je me dispose à entrer dans le bureau de l'abbé Morin, alors directeur. Mentalement, je récapitule le tableau des conjugaisons passives, vieux truc mis au point pour amoindrir ma part de responsabilité dans un mauvais coup. Je m'attends à être puni sévèrement. Le directeur ne lève pas la tête, ne m'invite pas à m'asseoir. Il a devant lui la liste des élèves de ma classe. Il se contente de biffer mon nom. Message reçu dix sur dix. Demi-tour. «Tous des tarés, murmure-t-il dans mon dos. Et vous plus que les autres, Dufresne, vous et votre ami Nantel.» À notre grande surprise, nous ne serons pas renvoyés. Juju aura plusieurs heures de retenue; moi, on me coupera un congé. Qu'avions-nous fait de si répréhensible? De quoi avions-nous été coupables? Ma mémoire flanche. Cet été... Non, l'été d'avant, au cours d'un de ces week-ends d'exquise oisiveté au chalet des Laurentides, Suzanne et Isabelle ont été renversées d'apprendre qu'au pensionnat j'étais considéré comme un écolier batailleur. Mes anciens préfets de discipline (enfin, ceux qui sont toujours en vie) peuvent l'attester... À présent, je ne serais pas capable de tuer Lafleur et Picard de mes propres mains.

Je revois le frère, pardon (lui laisser son ordination ne coûtera pas plus cher), le père Morin à la chapelle, rôdant entre les rangées de bancs jaunes, sourcil froncé, œil clair, oreille tendue pour repérer ceux qui chantaient *Venez, divines vacances* au lieu de *Venez, divin messie.* Était-ce à la suite de cet incident que mon nom avait été barré de la liste? J'en doute. Délit trop insignifiant, même dans la balance d'un Gustave Morin. Tout bien pesé, le souvenir que je garde du directeur est celui d'un homme d'ordinaire posé, convaincu qu'en éducation la patience vient à bout de tout. «Le dompteur commence par fatiguer le poulain», avait-il coutume de prêcher aux surveillants des dortoirs et des cours de récréation. Et nous, d'Éléments latins à Philo II, nous apprenions à feindre la nonchalance. Règle d'or à observer: n'afficher ni diligence ni zèle. Pas d'empressement en direction du parloir quand on entend son nom, surtout pas d'empressement autour de l'abbé Morin quand il s'apprête à distribuer le courrier — et, si on a une lettre, simuler un souverain ébahissement pendant une fraction de seconde, puis l'aller quérir de son pas le plus indolent.

Mon nom, mon nom... Jamais d'empressement. Me voici à cinquante ans et la leçon s'applique encore. Ainsi, après la sortie de chaque livre, je me plie à la nécessité du bluff médiatique. «Mon ouvrage englobe ceux qui l'ont précédé, il les résume et me résume. C'est un digest. Procurez-vous-le.» Nonchalance ici aussi. À la longue, ces parties de cache-cache émoussent et pétrifient la sensibilité. Ça, j'en suis persuadé. Je m'en faisais la réflexion pas plus tard que... Oh! échafauder les plans d'un roman style innocent morceau. Revenir à la méchanceté d'écorché, à cette méchanceté qui demeure en somme ma spécialité première, revenir à la candeur originelle, cesser d'être conscient de la mécanique de mes phrases, de l'alternance entre rythme binaire et rythme ternaire — comme me l'a révélé un récent mémoire de maîtrise, fossilisant et rébarbatif... Vivement le retour à la fiction, que je puisse traiter ce que j'ai de plus intime, de plus secret!

Assis à la table du snack Romulus & Remus, penché au-dessus d'un deuxième bol de café faible, Dufresne prend la résolution de se mettre à la tâche dès le début de décembre. Il remplit même une fiche. Projet de roman style innocent morceau. Non, il n'a pas tenté d'écrire en ce vendredi matin. À quoi bon s'acharner quand tout va mal? S'acharner... En effet, vous ne seriez pas capable de tuer Lafleur et Picard de vos propres mains. Assassiner quelqu'un qu'on abomine n'est pas facile. Vaut mieux user d'un intermédiaire. En revanche, vous savez que vous pourriez très bien tuer une personne chère — par miséricorde, pour mettre fin à des mois de souffrance. Enfant, vous avez déjà achevé un chien malade à coups de pelle à charbon. C'est la même chose. Le plus pénible avait été de vous apercevoir que l'animal essayait de recouvrer ses forces pour lutter contre vous. Mais ensuite quel soulagement de vous laver les mains à l'eau tiède!

Lymphatique? Non, j'ai l'âme d'une meneuse de claque.

En rentrant, Gilles a appelé sa fille pour s'assurer qu'elle s'était calmée depuis la veille.

— Tu as saigné du nez, tu t'es évanouie sur le canapé...

— C'était pour faire l'intéressante... Fallait que je me défoule. Tu t'es pointé à ce moment-là.

Au collège, Dufresne se distinguait par son indépendance et en tirait vanité. Maintenant que toute la génération des vingt à trente ans s'affiche individualiste, on n'a plus grand génie à savoir faire le vide autour de soi. Certes, il est encore possible à Isabelle de partager ses peines avec d'autres. Mais, avec les années, il lui arrivera de plus en plus souvent de se sentir heureuse et de ne trouver personne pour se réjouir avec elle. Et, songe son père, ce sera là le pire.

— En tout cas, j'espère que tu n'attendras pas que ça aille mal pour me donner des nouvelles. Tu es faite si...

— C'est comme ça que tu m'aimes, lance-t-elle sur le ton du défi. Avoue. Oui...? Répète.

— Oui, mon bébé.

— Répète: «C'est comme ça que je t'aime.»

— Qu'est-ce qui te prend, voyons?

Silence. L'impression de gêne est si entêtante qu'Isabelle se sent contrainte de raccrocher. Réduit à quia, Gilles pousse un soupir de dépit et tente aussitôt de recomposer le numéro. Occupé.

Je n'ai même pas mentionné ma visite à la piscine.

216

Muni de la carte brune laissée en son absence par le facteur pour lui signaler qu'un colis l'attend, Dufresne entre au bureau de poste. Par chance, tous les guichets sont libres.

— Papiers d'identité, fait l'employé, pas chaleureux pour deux sous.

— Je les ai oubliés dans la voiture...

— C'est pas parce que vous avez votre photo dans le journal que je vais faire un passe-droit. On est pas autorisés à... Comprenez-vous? Le règlement stipule que...

— Si vous avez vu ma photo, vous savez que je suis Gilles Dufresne.

— Compliquez pas la situation.

Il a dû retourner à l'auto pour y chercher ses papiers. Que contenait le colis? Trois livres parus aux éditions du Kiosque. Et un mot gentil de Bilodeau... L'employé peu amène a parlé de passe-droit. Ce qui me plaît, moi, dans un passe-droit, c'est moins d'en profiter que d'épuiser les possibilités de m'en vanter par la suite — histoire de faire enrager mon prochain.

Non, je n'ai pas de raison de m'asseoir en face d'une fenêtre. Il n'y a pas de tempête dehors, les trottoirs ne sont pas glissants. Rien de passionnant à observer dans la rue. Donnez-moi une table au fond, là-bas. J'attends une personne qui ne devrait plus tarder. Vous la connaissez, c'est Suzanne, Suzanne Keppens. Quand elle arrivera, signalez-lui donc que... Justement, parlant du loup...

— De la louve! s'exclame-t-elle, avec de grandes enjambées jusqu'à lui.

— As-tu mis tes bottes de sept lieues?

Il la serre fort dans ses bras. Elle se raidit.

— L'ogre est pourtant rasé de très près, murmure-t-il.

— Excuse-moi, je me sens tendue. Dure journée. Le concert de ce soir tombe à pic... Toi aussi, tu as l'air flapi.

— Encore? Je suis allé à la piscine. Je me suis même offert une sieste au milieu de l'après-midi...

— Doit te rester du sommeil à rattraper.

Gilles se gratte la tempe. Au mur, une série de cinq tableaux avec une fillette qui s'exhibe nue sur un trapèze, le corps dans diverses positions. C'est joli — pas du tout comme les chromos d'hier à la banque. Il s'approche pour déchiffrer la signature. Suzanne se renseigne sur le prix de chaque toile. Du bout du doigt, elle trace des chiffres dans l'espace, fait des additions, se livre à des calculs complexes. À qui veut-elle bien faire croire qu'elle désire acheter un de ces tableaux?

Pour une description rapide du garçon, soulignons que le rembourrage de ses épaulettes manque de fermeté (au point de frémir en gélatine) et que ses bretelles à pois roses ont tendance à glisser. Toutes les deux minutes, il les replace d'un coup de pouce. Voici que, le front haut et le temps d'un cillement, il est totalement indifférent à l'atmosphère fébrile de la salle. Puis, après avoir passé la main dans son épaisse chevelure, il retrouve le rythme qui correspond à celui du service hôtelier.

Tandis qu'il est à ouvrir la bouteille choisie, Suzanne remarque qu'il a de nouveau les yeux dans le vague. Ce n'est rien: tout à l'heure, prenant ostensiblement garde de toucher les verres, il servira de leur vin à la table d'à côté. Désavantage de n'utiliser qu'un seul seau à glace. D'ailleurs, Gilles aurait aimé mieux boire du rouge. (Rouge commun, Château-Trousse-Caleçon, par exemple.) Il n'en fera pas un drame, n'ayez crainte. Il aurait presque envie de manger ses cailles comme si c'étaient des prunes, se les mettant tout entières dans la bouche et recrachant les noyaux dans le creux de sa main. Les noyaux...?

— Cette sauce emporte le palais...

— ... et incite à la gloutonnerie. Le chef l'a ratée. Changement de sujet: comment s'appelle cette maladie des poulets, tu sais, quand ils ont de gros os...?

— Euh... La dindose?

— Non, la maladie qui... Misère! remplis mon verre: l'alcool va au moins me permettre de saisir les quelques blagues que tu...

— Y a pas d'offense.

On tamise les lumières. C'est le personnel qui juge de l'heure et de l'intensité des tête-à-tête. Tant pis pour les couples récalcitrants. Le prurit du respect humain a ravagé la saine spontanéité. Le romantisme n'a plus cours que sur commande dans les endroits comme ici, réglé qu'il est sur l'éclairage.

Suzanne fait allusion au don de soi; sans en avoir conscience, elle désigne son bas-ventre.

Une grappe de raisins décore l'assiette de fromages.

— Ils viennent d'où, ces raisins? Tu l'ignores...? Du Chili.

— Honte à moi qui en ai déjà avalé une poignée!

— Je préfère ne pas y toucher.

— Tu es logique avec toi-même. On ne peut pas avoir milité des années durant et manger aujourd'hui des raisins du Chili. Tu es logique. Et persistante... Je ne me moque pas. Pour le prouver, je suis même prêt à renoncer aux raisins. Par sacrifice... Toi aussi, tu as dû faire des sacrifices dans ton enfance, renchérit-il, la mine mi-dubitative, mi-goguenarde. En Belgique, tes parents te parlaient sans doute souvent des valeurs de l'abnégation...

— Au risque de te décevoir, je suis obligée de... Écoute, profère-t-elle avec les inflexions d'un encanteur, je te fréquente de façon assidue depuis... N'insistons pas. Bref, j'estime que, rayon mortifications, j'ai ma dose. Amplement.

— Touché!

Suzanne ne détesterait pas qu'il s'ennuie pendant le concert. Elle en serait même ravie. Douce vengeance. Elle vide son verre d'un trait, dans un geste avide, geste d'ivrogne, exprès pour horripiler son vis-à-vis. Jeu puéril. Elle n'a pas tellement de mérite puisque, depuis samedi, tout l'irrite, celui-là.

O ccupé à récapituler les épisodes déterminants de la semaine qui est en train de s'écouler, Dufresne est peu attentif aux morceaux exécutés par l'orchestre. Autour de lui, plusieurs auditeurs ont l'air contraints, abattus, exténués. (Bambins, on les a forcés à suivre des cours de piano ou de violon, suspecte-t-il. Ah! leçons de musique, calvaire d'Isabelle à huit ans.) Discipline... Ceux qui pensent qu'un artiste est un individu qui s'amuse à répéter chaque soir les mêmes gestes doivent être comblés. Car le concert a la solennité d'une cérémonie de dégradation militaire. À en juger par la manière dont il dirige ses troupes, le chef mériterait de perdre ses galons.

Pourtant, tout le temps qu'a duré le Ravel de la première partie, Gilles a été incapable de s'empêcher de bander. Nul ne l'a remarqué, du moins le croit-il. L'exercice qui consiste à remuer les fesses n'a rien donné de concluant, sinon faire grincer le fauteuil. Comme de raison, ce n'est pas la pièce de Ravel qui fait bander Dufresne mais le marché conclu avec le tueur. Pour une des rares fois de sa vie, il se rend compte de l'excitation qu'on éprouve à se laisser charrier par l'événement. Il a un sentiment de légèreté et cela l'émerveille — le sentiment de marcher sur un nuage. Il ne sait pas que ce nuage est gris de suie et pue le soufre. Du moment que Suzanne me tiendra la main, je n'étoufferai pas. Entracte.

Au bar, il reconnaît un criminaliste avec qui il a déjà joué au poker. (Recevant de bonnes cartes, le gars se trahissait en desserrant son nœud de cravate.) Taillefer. Rodolphe Taillefer. Divorcé depuis si longtemps qu'il est probablement venu au monde dans cet état. Jadis, on appelait ça la vocation. D'autres échantillons de la basoche sont sur place, identifiables à leur allure de surveillants de dortoir. C'est peut-être un concert bénéfice. On a dû distribuer des paquets de billets dans les couloirs du palais de justice. Vais-je être obligé de montrer patte blanche comme au bureau de poste? Où est mon sauf-conduit? Taillefer nous a aperçus et il vient vers nous. Nous nous serrons la main. Il lit les articles de la Charognarde et il est fier de le lui dire illico.

— Cette année, vous allez sûrement obtenir le Jules-Fournier. Je suis prêt à vous gager un dîner au restaurant. Si je me trompe, je vous invite. Si vous gagnez, vous...

— Ne nous emballons pas.

Néanmoins, Suzanne est flattée. Elle rougit. Tandis que vous échangez des impressions sur le Ravel, un des collègues de Taillefer s'approche, hérissé comme un coq. Il ne tolérera aucune glose sur le programme, déclare-t-il avec morgue. Un farceur? Taillefer fait signe que non. Plutôt un de ces pète-sec qui estiment détenir le monopole de la mélomanie. Membre d'une chorale semi-professionnelle, Lemire a chanté en Hongrie, en Roumanie, en Bulgarie. Il parle avec la voix d'un annonceur de province soucieux de faire sentir qu'il a ses entrées dans la métropole. Il prononce ponction au lieu de fonction. À la fin de chaque tirade, il avale un poisson imaginaire — comme le font de nombreux animateurs télé. Entre une relation sexuelle et un récital, il n'y a pas de doute que notre avocat préfère le récital puisqu'au moins là il est certain d'avoir une érection. À ce chapitre, vous n'avez rien à lui envier.

— Lemire n'a pas son pareil pour compliquer les causes simples, commente Taillefer, vous entraînant vers un autre groupe. Dans chaque étude, il faut un spécimen du genre. Un tarabiscoteur. Lemire a su plier son ambition à ça. Comme associé, il rapporte au bureau beaucoup d'argent.

Les gens rassemblés ici sont jeunes. Stagiaires, pour la plupart. Vous avez immédiatement repéré cette fille silencieuse aux attaches si délicates, aux bras couverts de taches de rousseur, à la moue lascive. Dans les minutes qui suivent, vous allez mettre tout en œuvre pour qu'elle pouffe. C'est votre façon de la séduire. Vous étiez ainsi à vingt ans. Son mutisme vous apparaît comme l'expression d'un verdict posé sur votre exubérante personne — comme une condamnation. Vous vous devez de retourner la situation à votre avantage. Taillefer en ayant terminé avec les présentations, vous voici libre de fanfaronner à votre guise.

— Nous préparez-vous quelque chose d'intéressant pour le printemps? demande un boutonneux à lunettes qui pourrait bien être le cavalier de la fille.

—Je viens de publier. Quelque chose d'intéressant? En l'occurrence, c'est une autre histoire...

— Hum! vous le prenez mal... J'ai lu vos livres quand j'étais au collège. J'ai goûté votre style. Excusez la formule cliché. Je me suis régalé. Mais, ces derniers temps, j'ai peu suivi l'actualité littéraire. Belle gaffe, ajoute-t-il pour lui-même sur un ton presque touchant.

— En outre, votre question est piégée. Si je réponds que je suis en train de préparer quelque chose d'intéressant, vous me jugerez prétentieux. Si je réponds non, tout le monde sera en droit de s'interroger: pourquoi ce misérable s'obstine-t-il dans l'échec?

Pas moyen d'en sortir indemne... La fille continue de se taire. Ou fait tout comme. Remuant les lèvres, elle ne s'inquiète pas de savoir si elle parle assez fort pour être entendue, moins par embarras que parce qu'elle est à l'aise dans son douillet domicile privé et qu'elle n'a pas envie d'en ébranler murs et cloisons en élevant la voix. Il y a de l'insolence dans cette timidité à laquelle Gilles attribue beaucoup de charme et d'impudeur, lui dont les désirs sont en lame de couteau. Souple, cinglante timidité... Il se figure son rire de gorge — et, partant de là, les cris qu'elle pousse quand elle jouit, car il lui plaît d'imaginer ses talents vocaux se déployant dans le noir. Il n'a que de la concupiscence dans les capsules surrénales, lui! Derrière, on a chuchoté son...

— C'est à quel sujet? J'ai entendu mon nom. Vous bavassez dès que j'ai le dos...

— Ce n'est pas moi.

Le garçon n'aurait pas besoin d'une longue séance chez le coiffeur Sanguineti pour incarner Riquet à la houppe. Il pourrait le faire au pied levé. Il a lâché sa réplique comme un élève de maternelle pris en défaut. Au moins, cela a déridé la boudeuse.

— Procurez-vous une marionnette, exercez-vous quelques semaines, montez un spectacle. Je suis disposé à écrire des numéros pour vous. Vous allez devenir riche, mon ami, plus riche qu'en pratiquant le droit. Vous avez des talents de ventriloque...

— D'abord, je ne suis pas avocat. Ensuite, vous me tombez dessus à bras raccourcis et...

Suzanne vous attrape par la manche. Rarement vous a-t-elle vu si discourtois. C'est nouveau, ces accès de logorrhée... Hier, Jean-Louis Bellerive a fait les frais d'une attaque au café des deux Marilyn. Par bonheur, elle était absente. Maintenant, au tour de ce freluquet. Vous n'avez pas accoutumé votre maîtresse à de tels emportements. Vous tentez, ma foi, de provoquer un esclandre. Manque de chance, la journaliste vous tire du peloton des stagiaires pour vous jeter dans un essaim de fines guêpes.

— Pour ma part, s'exclame Noémie, vague consœur de Suzanne au journal, si tu permets que je te tutoie, c'est ton avant-dernier roman que... T'offusque pas, mais j'ai essayé dix fois d'en venir à bout et je me suis plantée après cent pages...

— Ce doit être un record. Vous avez examiné la possibilité de le faire homologuer?

— Tu as voulu créer une ambiance de frivolité, de badinage. Soit. Tout bêtement, ce n'est pas dans tes cordes. Les mauvaises langues l'ont dit. Mauvaise langue moi-même, je le répète.

— N'en soyez pas si convaincue.

— Tout ce qu'il trouve comme repartie! J'ai bougé trop vite? s'enquiert-elle auprès d'une copine. Thérèse, je te parle!

— Quoi?

— Bougé trop vite: comme aux échecs, comme pour le tango...

— L'avant-dernier? balbutie la copine, se frottant le nez, plissant les paupières. Oh! j'ai adoré! Vous faites partie des auteurs que j'aime sans réserves. Les livres légers, je raffole... J'ai surtout apprécié les passages avec le...

— Avec le prestidigitateur arthritique?

Elle hésite. Elle a flairé le leurre. Hoche-t-elle la tête? Le prestidigitateur arthritique n'existe évidemment pas. Pas plus que la robe de mousseline de son assistante. Parfois, votre flegme confine au stoïcisme. Bah! dans la mesure où le persiflage sied en toute circonstance (et là, ça ne fait pas problème, je suppose), on serait plutôt enclin à féliciter Noémie et Thérèse pour leur esprit d'à-propos... Auparavant, lorsque vous disiez: «La moitié de ma production ne vaut rien!», les gens y allaient d'un: «Vous êtes impitoyable!» et prenaient ça avec un grain de sel. Maintenant, non seulement ils gobent cette confession mais ils se dépêchent de la colporter aux quatre coins de la ville. Vous flanquer un sac de cendres sur le crâne, vous noircir la face, vous jucher au sommet d'un tas de fumier et, couvert d'abcès, vous accabler des tares, vous charger des péchés des douze tribus d'Israël: à quoi bon si c'est dans l'attente que les proches adouciront votre supplice? Tactique désuète, futile. Ils en profiteront, au contraire, les proches, pour vous enfoncer encore plus creux dans la merde.

— Lafleur...? Un raté — et même pas un raté authentique. Les ratés authentiques sont rares au Québec... Ç'a quelque chose d'émouvant, un raté authentique. Lafleur est un faux raté. Vous vouliez mon opinion, je vous la livre sans détours.

— Vrai ou faux raté, on s'en balance, enchaîne

Noémie. En tout cas, c'est un raté exemplaire. Il essaie de se détester plus que les autres le détestent — sans réussir. Et c'est notre revanche sur lui.

— Vous exagérez tous les deux, riposte Thérèse. C'est loin d'être un phénix et...

— Je suis la première consciente que Lafleur est un pauvre type. Sauf que...

— La première? Je ne te disputerai pas ce titre, Noémie. La première? Sache quand même que tu n'es pas la seule.

Et je te picosse, et je t'arrache une plume.

— Des phénix, reprend Suzanne, je n'en rencontre pas tous les jours...

— C'est que tu es trop sévère avec tes intimes, s'esclaffe Thérèse avec un clin d'œil à l'adresse de Gilles. Petit velours que d'entendre ça... Exquise menteuse!

— Si ce Lafleur était à côté de moi, murmure Rodolphe Taillefer revenu rôder dans les parages, je ne le reconnaîtrais pas.

— S'il était à côté de moi, braille Dufresne, je l'ignorerais avec tout le dédain dont je suis capable.

Dans un contexte différent, la réplique eût été pétillante. Là, elle est éventée.

— Reste, poursuit Suzanne, que Lafleur a le droit de ne pas aimer *Permettez que je déborde*...

— Pas plus tard qu'avant-hier à la radio, j'ai admis que...

— Il a même le droit de ne pas t'aimer, toi.

— Et j'ai le droit de lui rendre la pareille. Oh! il ne l'emportera pas en paradis.

— Peux-tu haïr sans être obnubilé par la haine...?

— Heu... J'ai beau me creuser les méninges, je n'arrive pas à deviner ce que tu cherches à me faire dire.

— Et Picard, lui? Picard est un intellectuel d'un autre calibre que Lafleur, tu me l'accordes...? Écoute, si

Picard n'est pas un intellectuel, que crois-tu être, toi?

— Picard vit avec l'impression que le jour où il va cesser de faire de la critique, la littérature québécoise va fermer ses portes. Il se prend pour un théoricien inspiré. En réalité, il n'a que trois ou quatre tiroirs où il classe ce qui lui tombe entre les pattes. Ce n'est pas un critique, c'est un meuble. Meuble de basse souche. Meuble de rangement. Chiffonnier. Pour lui, il faut qu'une œuvre soit réductible à une dizaine de lieux communs et fournisse un enseignement moral très simple, très strict — comme les fables. Sinon, il la jette par terre. Il est à l'affût du message haut et clair, de la leçon...

La cloche a sonné pour annoncer la seconde partie du concert. Dufresne se rengorge. La fille silencieuse farfouille dans son sac. Elle n'a pas pipé mot, non. Je me consolerai en observant Thérèse, peu intuitive mais gentille.

Sous prétexte qu'il commet à l'occasion de menues mesquineries (par exemple, il vous souhaitera joyeux anniversaire une semaine avant la date, juste pour guetter vos réactions — et le plus souvent, attendri par tant de sollicitude, vous n'oserez guère le démentir), il s'octroie des prétentions méphistophéliques. Il se prend pour un génie du mal, rigole *in petto*, affirme avoir l'âme slave, etc. Dites à Dufresne qu'il est craint et rien ne le flattera davantage. Encore un peu, il utiliserait un porte-voix pour signaler ses méchancetés — ce qu'on constate en particulier dans cette concentration de temps, dans ce laps s'étendant de samedi dernier à ce vendredi soir: obligé de rentrer des frustrations inavouables, il en aura affiché d'autres sans vergogne aucune. Par nature, il est cependant plus un doreur de pilules, un brasseur d'air. Un mondain, quoi! Il est partisan d'agrémenter le commerce entre humains d'un petit excédent d'aménité. En fait, même si d'emblée plusieurs prisent peu sa compagnie, le paradoxe veut qu'il laisse en général un excellent souvenir. J'en connais qui peuvent témoigner d'avoir été éblouis par ses manières affables, empressées. Mais depuis l'éreintage dont il a été victime dans *Samedi Montréal* et *l'Éclaireur*, les choses ont changé. Même l'indifférence polie est aujourd'hui au-dessus de ses forces.

Il rejoint Suzanne en conversation avec une ancienne camarade d'université — qu'il a dû rencontrer une fois à un de ses propres lancements et qui se trouve maintenant être l'épouse de Lemire, ce que Taillefer confirme du chef. Yeux de poupée gonflable et odeur *sui generis*. Son verre est rempli d'un liquide trouble.

—Pas besoin de te présenter Béatrice, susurre Suzanne.

Il l'embrasse avec la circonspection du barbu qui entame un gratin au fromage. Elle sue sous sa perruque, un plein seau de crin en équilibre sur sa tête. Gilles évoque un instant ces femmes africaines qui le fascinaient tant, écolier, dans les films des missionnaires. Elle parle faux. Par mégarde, il lui écrase le pied. Elle crie faux. Elle articule comme quand on sort de chez le dentiste, bouche engourdie. Et quelle voix désagréable! Avec ce timbre, rien à faire; mais les inflexions, ça se travaille... Là, elle se lamente. Encore une qui n'est heureuse que si elle se plaint. Blablabla. Rubato des jérémiades. Piemère en veilleuse, cerveau gadget. Béatrice est tellement ennuyeuse que j'en profite pour me démêler les cheveux du toupet en me mirant dans le médaillon qui brille sur sa volumineuse poitrine — et tant pis si elle interprète mon regard de travers, tant pis si elle croit que je lorgne ses seins. Elle porte un décolleté peu recommandable pour la pratique de l'équitation ou du cyclisme. Selon moi, elle est piètre amante, incapable de retenir en elle le moindre atome d'énergie ou de sublimer quoi que ce soit. Elle expulse à la hâte: il y a des signes qui ne trompent pas. Le contraire de ma silencieuse, de ma mouchetée... Lemire ne mérite pas mieux. Qu'il coule à pic, ce ponction-fonction!

Un spectateur passe en trombe, essayant tant bien que mal d'attacher sa veste sans interrompre sa course. Béatrice finit par reprocher à Dufresne de l'avoir cruellement caricaturée dans *Permettez que je déborde de mon texte*.

— Je me suis empressée de l'acheter aussitôt que j'ai vu la publicité dans la presse parce que je me doutais que...

— Je la connais à peine! rétorque-t-il à l'intention de Suzanne.

Elle se contente de se renfrogner. Vous pensez avoir servi de modèle pour un personnage de roman? De grâce, faites comme si de rien n'était. D'ailleurs, quand on a une once de bienséance, on ne se reconnaît pas dans les personnages inventés. C'est incorrect... Béatrice explique à Gilles qu'elle ne lui en veut pas, qu'elle est même flattée qu'il... Assez! Ce soir, être aimable une minute exige de lui un sacrifice. Être aimable une demi-heure (et il a triché) l'a mis en nage, l'a lessivé. La mâchoire endolorie à force d'avoir souri, il faudra compter trois jours de réclusion pour qu'il récupère. Deuxième sonnerie. Le public commence à rentrer dans la salle. Ces gens ont des angoisses différentes, par conséquent des humours différents. C'est ce qui fait leur intérêt. Assurément, certains parmi le lot ne sont pas drôles... Bagatelle, broutille. S'il leur chante d'étaler leur désespoir comme grégorien en carême, libre à eux: le monde actuel leur doit bien ça — et quelques chandelles de surcroît. Trop souvent, ceux que rien ne dérange se révèlent des ignares... Exhibons nos angoisses! Existe toutefois une forme d'apathie que

Gilles respecte immensément, celle du blasé. Pareille attitude requiert une somme de connaissances et une culture dont on n'a pas aisément idée. Voilà pourquoi une allusion à Archambault fils cadrerait bien avec la conclusion de ce passage.

Parking.

Dans le garage souterrain de la salle de concert, Dufresne tombe nez à nez avec Alexandre Zimmer.

— Salut, Gabriel! Excuse-moi, Gilles. Gilles, tu... Ce sont mes vieilles lunettes. J'ai cassé les autres. De près, je t'ai pris pour Sullivan. C'est fou... Superbe, le Ravel, hein? Cette espèce de sérénade... Bon, où sont mes clés?

— Du moment que tu ne me confonds pas avec Ghislain Picard. Ou Yvan Lafleur... Tes clés? Qu'est-ce que j'aperçois, là, sur le tableau de bord? Toujours aussi imprudent, toi. Et tu n'as même pas verrouillé les portières.

— Encore une chance, sinon je ne sais pas comment je ferais pour entrer dans... Ah! Suzanne est avec toi.

La Keppens, qui s'est déjà installée dans la voiture de Gilles, baisse la vitre et agite la main pour leur signifier qu'elle peut supporter qu'ils s'attardent — enfin, pas trop quand même...

— Ça va mieux?

— Je reprends du service. L'effet placebo de l'écriture... Pour l'instant, je mets la dernière main à un recueil de nouvelles.

Zimmer a fait en août un léger infarctus qui l'a tenu à l'écart des manifestations artistiques de l'automne.

— Attention à ta santé...

— Inutile de m'implorer. Avoue que tu n'aurais pas détesté assister à mes funérailles.

— Assister à tes funérailles? Oui... Disons dans cinquante ans. D'ici là, je préfère m'exempter de devoirs aussi pénibles.

Alexandre Zimmer ricane. La maladie l'a ralenti. Avant, il aurait marqué l'astuce avant que vous n'eussiez ouvert la bouche, impatient de donner l'impression de comprendre mieux et plus vite que vous — en toute cordialité, bien entendu. Le besoin qu'il éprouve d'être constamment félicité (besoin qui, on le suppose, remonte à l'enfance) n'a jamais entamé sa courtoisie.

— Toi, tu viens de faire paraître un bouquin, si je ne m'abuse? *Pas nécessaire d'insister*, un titre comme ça. Dans les grandes lignes, ça parle de quoi?

— Tu te moques... Ça s'intitule *Permettez que je déborde de mon texte* et ça parle de moi.

— En bien, j'espère? Si on censure les démonstrations de fierté jusque dans ses écrits intimes, autant se promener déguisé en sac de patates. Il faut s'aimer soi-même...

— ... en évitant de cracher sur son ombre...

— ... parce qu'elle risquerait de rapetisser.

Gilles connaît la chanson. Zimmer soutient volontiers que pendant la période de sa vie où il a été honnête, il est resté ignoré. Puis, il a commencé à omettre de citer ses sources, il a pillé les auteurs classiques, les moralistes obscurs, les voisins, les amis (et presque *in extenso*); du jour au lendemain, il s'est rendu célèbre. Célèbre est un mot bien lourd. N'empêche que ses ouvrages se vendent mieux que ceux de Dufresne. C'est incontestable. Il s'en enorgueillit. «La sagesse, avait-il confié à notre romancier à la suite d'un débat à la Bibliothèque nationale, une forme de sagesse en tout cas, c'est de ne pas se sentir obligé dès qu'on prononce une phrase d'ajouter qu'un tel a dit la même chose il y a cent ans. Moi, les tapis rouges déroulés pour les autres, j'ai cessé d'avoir des scrupules à marcher dessus!» En même temps qu'il omettait de citer ses sources, Zimmer se mettait à vanter son talent, les deux de pair. Résultat: il signait de meilleurs contrats d'édition et obtenait plusieurs prix littéraires importants. Les comités de lecture et les jurys raffolent des ripompettes du style voyez-comme-vous-avez-eu-raison-de-miser-sur-moi.

—Je suis d'accord avec toi, Gilles, je n'ai aucun talent. J'ai de l'instinct. L'instinct de communiquer. Un instinct très sûr. Essaie de trouver une réplique à ça. Mais je ne vais pas me glorifier de mon instinct, ce serait idiot. Par conséquent, je dis que j'ai du talent.

Il s'anime. Il met une certaine coquetterie à se tourner lui-même en baudruche. Dans deux minutes, il s'interrogera à savoir si ses livres vieillissent aussi mal que lui.

—En vérité, je crains qu'on ne soit devenus des minables, des quinquagénaires placides, étanches aux émotions, «quinquagénaires tétant leur quinquina», si je me rappelle correctement ce poème que j'ai composé dans les années soixante. Oui, je crains qu'on ne soit devenus des ratés, à l'instar de ce Lafleur à propos duquel tu, aide-moi donc, tu t'époumones, non, tu vocifères, vociférer, c'est le verbe qui convient, merci beaucoup, bref, ce Lafleur à propos duquel tu vocifères parce qu'il s'est déboutonné d'une mauvaise critique...

Des ratés? Il n'en croit pas un mot, du moins en ce qui le touche, lui.

—Peut-être sommes-nous des tarés, répond Dufresne, mais des tarés magnifiques, grandioses. Des ratés! La langue m'a fourché. Ça expliquerait pourquoi, quand nous ramassons une dégelée, les médiocres en font des gorges chaudes. Ils ont l'impression de prendre leur revanche, eux qui nous exècrent. Ce panache que nous avons et dont ils sont dépourvus, ça les...

— Tu es sinistre, Gilles. Ton sérieux te perdra.

À quatre ou cinq reprises, Zimmer a invité Dufresne à aller passer le week-end chez lui, à la campagne. Chaque fois, Gilles s'est fait un point d'honneur de refuser. Il refuse, l'autre le réinvite: c'est un jeu. Ainsi demeurent-ils bons amis. Peut-être auraient-ils souhaité se haïr...? Est-on maître de ces choses? Zimmer en profite pour donner sa définition d'un ami. Un ami, c'est quelqu'un qu'on visite quand il est à l'hôpital.

— En ce qui me concerne, dix personnes au total se sont dérangées. J'y songe. Sullivan est venu me voir. Ça m'a étonné. Tous les autres peuvent crever. Oh! je fais une exception pour toi, quoique tu ne sois pas précisément le modèle à imiter.

— Les troubles cardiaques dont tu souffres, Alex, c'est le syndrome du mal de terre, un mal du pays en plus généralisé.

— Où est le rapport...? Attends, j'ai déjà lu ça quelque part...

— Moi aussi.

— Est-ce que je dois deviner?

Alexandre réfléchit. Et Gilles feint de chercher avec lui. Or, la définition du mal de terre clôt un des textes les plus connus de Zimmer, un texte répandu à travers tout le réseau scolaire québécois: à une époque, Isabelle le savait par cœur. Cette passe de Dufresne ne constitue-t-elle pas une variante de l'offensive de tout à l'heure avec la pseudo-admiratrice, en l'occurrence son allusion sournoise au prestidigitateur arthritique?

— C'est de moi? demande Alexandre, qui a l'air de bonne foi. Là, tu m'apprends quelque chose.

— Tu dis ça comme si c'était impossible.

— Pardon?

— Impossible de t'apprendre quelque chose.

— Non, c'est sans doute de moi.

Je n'ai pas de leçons à donner, moi qui, une semaine après la sortie d'un roman, ai oublié le nom de mon personnage principal. Toutefois, pure malveillance de ma part, je fais exprès de prêter à Zimmer des phrases dont il n'est pas l'auteur. Je cite Dali, Cioran, Queneau... Il dodeline du bonnet, sourire aux lèvres. Il identifie chacun des aphorismes. Même que c'est trop facile...

— Je me reconnais. C'est de moi, évidemment... Là, c'est encore de moi.

Disons à sa décharge qu'il a toute une œuvre derrière lui. Il est normal que l'écrivain que je croise par hasard se souvienne de sa production moins bien que moi, normal que mon point de vue sur son monde lui semble plus original que le sien — parce que plus neuf... N'empêche que pour sa prochaine parution, je verrais bien le titre *Moulinets et autres gesticulations*, par exemple, et juste en dessous, le mot PLAGIAT pour définir le genre.

Lassée de se morfondre, Suzanne met le contact. Les deux compères l'avaient-ils oubliée? Ils la prient de patienter. Le garçon à la houppe arrive inopinément. Sa voiture est garée à côté de celle de Gilles.

— Je vous ai entendu parler de Zimmer. Je le connais.

— Ses livres. Vous connaissez ses livres, rectifie Alexandre.

— Je l'ai rencontré. On a discuté.

— Vous estimez avoir une bonne mémoire...?

— Euh... Je serais porté à le penser.

— Je vous pose la question parce que Zimmer, voyez-vous, c'est moi.

— Vous plaisantez?

— Non. Je suis désolé de vous placer dans une situation aussi embarrassante. Je ne serais même pas surpris que ce soit une...

— Vous ne m'amadouerez pas avec des ronds de jambe. Vous m'avez vomi dessus quand je n'étais rien et que je tentais de faire accepter mes poèmes par...

— Et à présent vous êtes quelque chose? intervient Dufresne.

— Te mêle pas de ça, Gilles. Ce monsieur m'a décrit tel que je suis. Vil opportuniste. Chien méchant.

Il éclate d'un rire tonitruant que les murs de béton répercutent en écho. Le garçon prend la poudre d'escampette.

— Encore un autre qui est frustré, qui est aigri, un autre qui a les dents longues comme... Les jeunes écrivains conspirent pour nous déloger, mon pauvre Alex.

— Tu as raison. Ils veulent notre peau. Ou ce qu'il en reste.

Querelle d'amoureux? Querelle de vieux complices, sans doute. Étant donné l'atmosphère qui prévaut depuis le début de la soirée, elle et lui pourront s'offrir le luxe d'une réconciliation. En descendant de l'auto, elle a par inadvertance ouvert la boîte à gants et y a trouvé la contravention de mercredi.

— T'inquiète pas, je m'en occupe...

Au bout de l'escalier, il détachera son manteau et en écartera les pans avant de se serrer contre Suzanne, pour lui voler un peu de chaleur. Elle a déjà ouvert la porte. Le chat s'est précipité à la rencontre de sa maîtresse. Gilles constate aussitôt qu'a disparu de l'entrée la grosse plante urcéolée, cadeau qui remonte au dernier séjour à Montréal de Mme Keppens mère.

— Hier matin, je me suis résignée à la jeter aux ordures. Elle allait mourir. Tu as dû remarquer dimanche: la moitié des feuilles étaient sèches. Maladie très rapide.

— Rapide? Allons! Depuis trois mois, à chacune de mes visite, j'ai observé la lente agonie de... Tu n'as jamais eu la main heureuse avec le règne végétal.

— Avec le règne animal, c'est mieux? ironise-t-elle.

Elle lui pince une fesse, lui palpe l'entrejambes. Il se recroqueville, étouffant un rire nerveux.

— Tu me chatouilles!

Il s'affale au milieu des coussins de skaï et de pilou. Elle s'approche des stores aux motifs de saules pleureurs et, telle une harpiste, fait courir ses doigts sur les lamelles. Le chat miaule.

— On en voit maintenant dans tous les téléromans.

— Quoi?

— Des stores verticaux.

Vous vous relevez. La queue en métronome, le chat se frotte contre votre pantalon. Des volumes jonchent la moquette, dans un arrangement des plus savamment réglés. Pour être précis, il y a un livre pour chaque fauteuil. Ainsi, Kundera correspond à l'une des extrémités du canapé à trois places; Ferron, à l'autre. Duras va avec la causeuse; Balzac, avec la fausse bergère du couloir. Suzanne choisit où s'asseoir selon le récit qu'elle entend poursuivre. A-t-elle commencé le John Updike? En tout cas, le roman repose sur sa table de chevet.

— Inscris dans ton agenda une soirée de lecture en tête à tête. On en faisait souvent au chalet. C'était délassant. Moi, ça me manque. Je suggère lundi de la semaine prochaine. Je serai seul dans mon coin, mais je te sentirai là. Toi aussi, tu me... Essentiel. On commettra moins d'indélicatesses que...

Elle presse son corps contre le vôtre.

— Viens pleurer sur mon épaule. Les larmes, ça désinfecte par où ça passe. Tiens! j'écarte la bretelle de mon corsage pour ne pas te marquer le front. Viens, Gilles, viens. Aïe! ta joue est rêche...

Vous réprimez encore un sanglot. Puis, cessant de lutter, vous vous laissez aller. La scène est triste comme un téléroman, triste comme les stores aux lamelles verticales et aux motifs de saules. Vous êtes aussi pitoyable que samedi dernier chez Gingras. Vous vous épanchez, vous vous débondez. Suzanne vous cajole, vous ébouriffe les cheveux. Son dos montre quelques rougeurs, résultat d'une séance au studio de bronzage qui ce matin s'est prolongée indûment.

— Je débite les pires sottises.

— Cherche pas d'excuses. Dans les circonstances, même Verlaine ferait de la prose... Qu'est-ce qui te prend, ces jours-ci, de te juger aussi durement?

— Ces jours-ci? Depuis toujours, je me juge de la sorte. Mon orgueil s'est inventé un déguisement: le persiflage.

— Inventé? Tu charries...

— D'accord, mon orgueil n'a rien déniché de mieux que...

— Autodérision.

Vous lui mordez le cou.

— J'adore quand tu me, hum... quand tu me dracules comme ça, s'exclame-t-elle. Ça m'excite, ça me transporte...

Et votre cafard s'estompe petit à petit. Vous êtes tellement peu débrouillard que vous savez à peine comment crier à l'aide... Suzanne sourit. Vous ne semblez pas tout à fait conscient de l'énormité de ce que vous venez de formuler.

— Tu te connais mal, affirme-t-elle. Ou c'est moi qui n'y suis pas du tout et qui me trompe complètement à ton sujet. Non, la première hypothèse était la plus réaliste: tu te connais mal.

Si vous avez des ennuis, elle est capable de vous écouter vous plaindre des heures durant. Elle vous réconforte. C'est un don qu'elle possède. Oh! elle n'en remercie pas le ciel tous les soirs dans ses dévotions, notez. Sauf qu'elle est forcée d'admettre que c'est grâce à ses extraordinaires qualités d'attention qu'elle réussit dans son métier d'aussi saisissantes interviews. Et, lorsque c'est à son tour d'avoir des problèmes, elle considère assez normal que vous n'ayez guère de temps à lui consacrer. Le don, ce n'est pas à vous qu'il appartient, c'est à elle, c'est son apanage à elle. Suzanne trouve néanmoins de plus en plus ardu de se montrer secourable, surtout quand elle-même traverse une passe difficile. Or, à l'instant où une crise d'angoisse risque de la distraire de vos gémissements, elle peut se fier à votre intransigeance pour être rappelée à l'ordre. Le monde est bien fait, non? Dire qu'il y en a qui la surnomment la Charognarde, elle, nantie de sollicitude au point de... Qu'ils fassent amende honorable.

— Je suis content, Suzanne, que tu sois ce que tu es... En général, les gens discrets ne tolèrent pas qu'on affiche sa déprime devant eux. Avec toi, toi qui es pourtant la discrétion incarnée, c'est le contraire. Mes impudeurs ne te gênent pas.

Travelling (très attendu) sur les vêtements éparpillés par terre. Elle s'est rasé les jambes voici peu et ça pique. Il lui caresse le clitoris. C'est comme remuer le café pour faire fondre le sucre.

— Prends-moi, chuchote-t-elle, prends-moi à la légère.

Vous lui chantez une berceuse. Elle n'est pas réellement pour enfants, votre berceuse... Suzanne mouille. Vous bandez. Vous la pénétrez tandis qu'elle entreprend de fredonner la berceuse avec vous. Elle y met de l'énergie. Immédiatement, vous plantez le coude dans le matelas, là, au-dessus de son épaule gauche, solide, pour former ni plus ni moins qu'un taquet, taquet destiné à empêcher votre partenaire de glisser graduellement jusqu'à la tête du matelas. Elle n'aura pas besoin de se plier en quatre, elle n'aura pas besoin de se ratatiner le cul pour jouir. Toujours ça de pris. Vous comptez jusqu'à cent. En chiffres romains. Ça va moins vite et ça permet d'étirer le plaisir. Mais, Suzanne réclamant plus de fougue, il vous faut piquer des deux. Elle gigote, frétille, se trémousse. Le grand ébranlement. Vous placez l'index sur sa jugulaire, vous vous assurez que les pulsations augmentent pour vrai, qu'elle ne simule pas la volupté. Sceptique que vous êtes! Vos relations n'en étaient qu'aux prémices et son exubérance vous effrayait déjà, confessez-le... Deux minutes après les ébats, l'amour ne présente plus d'intérêt pour elle. Si elle était moins démonstrative, elle ne s'épuiserait pas tant, ça va de soi. Elle ne se sent pas coupable, rien du genre, seulement blasée. Et elle n'a pas envie d'en parler. Alors, aussi bien qu'elle roupille. L'orgasme est une toxine qui laisse dans le corps beaucoup de langueur. Dans son corps à elle, en tout cas. Elle a sommeil, elle est toute molle...

— Mon rêve serait de dormir.

Suzanne bâille.

— Dors, ma douce, dors.

Espérer un coït avec l'homme et la femme atteignant simultanément le septième ciel, quelle chimère!

L'exiger, quelle sottise! L'accord parfait ne se produit qu'une fois sur cent. Les autres, c'est comme la post-synchro du cinéma. Bah! pour les mortels que nous sommes, la chose reste quand même appréciable. La jambe repliée, le pied droit à plat sur les fesses de Gilles, elle s'est assoupie dans cette pose de ballerine. Cinq secondes qui paraissent en durer trente, elle émerge de sa torpeur, prononce quelques mots. Intraduisibles. Il se dégage mais demeure couché sur le dos, à découvert. Le chat saute sur le lit, vient lui lécher le gland. Qu'est-ce que c'est que ces manières!? Gilles le chasse. L'animal a dû reconnaître là l'odeur de sa maîtresse.

— Selon le proverbe indien, c'est dans la queue que gît le venin. M'as-tu compris, matou imbécile? Tu dois avoir faim, toi.

— Miaou, miaou! fait le chat, les oreilles basses.

Dufresne se lève. Le chat le suit jusque dans la cuisine. Au frigo, il y a des restes de poulet. Gilles lui jette une aile, un bout de cuisse...

— Miaou, miaou!

— Au moins, tu es poli. La Charognarde t'a bien élevé.

Dans la corbeille à fruits, Gilles attrape une poire. Elle est talée. Qu'importe... Il se sert un verre d'eau très froide.

— À ta santé, matou imbécile.

— Miaou, miaou.

La zoologie a du bon, elle qui fournit la possibilité de diviser les êtres que nous fréquentons en diurnes et en nocturnes. Pratique, la zoologie, commode pour les catégorisations. Fécondité de la nuit qui engendre des images inédites. Nuit des poètes et des musiciens maudits — mais là, gare aux clichés! Au fond, c'est le propre des diurnes (spécialement quand ils sont en proie à l'insomnie) d'évoquer la nuit en pareils termes.

Les nocturnes, eux, se contentent de la vivre sans faire de chichis.

— Tu n'es pas de mon avis, matou imbécile?

— Miaou, miaou.

Renonçant à rivaliser avec le démon du sommeil, il choisit de laisser Suzanne tranquille, elle qui a beaucoup remué depuis tout à l'heure et qui est couchée de biais. S'il la rejoignait, il serait obligé de la déplacer — et il la réveillerait probablement en faisant son nid sous la chaleur des draps. Gilles reste donc à écouter sa respiration, avec le chat qui ronronne sur le parquet. Suzanne ronfle, sans excès. Son haleine est avinée; heureusement, elle ne le sait pas. Mercredi, au restaurant, elle a raconté comment elle s'était mise à ne plus pouvoir supporter un de ses amants d'antan, qui empestait l'alcool, comment elle s'était appliquée à le détester un peu plus d'une fois à l'autre, avivant sa haine avec soin, la bichonnant... Pourtant, ce fut lui, l'ivrogne, lui, le rustaud, qui mit un point final à leur liaison. Avait-il soupçonné quelque chose? Avait-il senti dans l'obscurité le remuement des ondes maléfiques? Son départ avait rendu Suzanne immensément triste: c'est que, malgré les discours qu'elles nous tiennent depuis plusieurs années, les femmes continuent de trouver Barbe-Bleue plus facile à vivre que Pygmalion.

De leur côté, les hommes sont-ils davantage cohérents avec eux-mêmes? Céline faisait exprès, elle, pour prendre presque tout le lit. Jusqu'à son inconscient qui s'engageait dans la partie; afin d'avoir plus d'espace, elle vous flanquait des coups de pieds en dormant. «Inutile de te fatiguer à téléphoner chaque semaine pour donner des nouvelles, avait-elle marmonné, après le prononcé du divorce, dans l'ascenseur de l'immeuble où vos avocats avaient leur bureau. S'il arrive un incident grave, je compte sur Isabelle pour m'avertir. Pour le reste, je me fierai à ce que publieront à ton sujet les magazines et les revues.» À propos, elle a sûrement lu les critiques de samedi. Pourquoi ne vous a-t-elle pas envoyé un mot de réconfort...? Vous décidez de ranger les vêtements dispersés à travers la chambre. Délicatesse et discrétion. Le dernier pull que vous a offert Suzanne était trop petit — un point au-dessous de votre taille. Après avoir déballé la boîte, vous avez pensé: «Elle commence à m'idéaliser.» Dangereux, très dangereux, en amour, d'idéaliser celui ou celle qu'on... D'ailleurs, l'aimez-vous encore, votre journaliste? Ce que vous appelez à présent aimer, n'est-ce pas simplement aspirer à un peu de calme en sa compagnie? Comme situation d'intimité, une soirée de lecture en tête à tête n'a rien d'étouffant. Vous vous faites du souci pour elle; elle se fait du souci pour vous: voilà qui entre vous a remplacé l'amour.

— Miaou, miaou!

— Tu as mangé à satiété, gros matou imbécile, fiche-moi la paix. Si tu me tapes trop sur le système, je te fais descendre. Bang! une balle entre les deux yeux. Tu te figures que je blague? Je suis sérieux. Tu n'as pas idée de ce dont je suis capable... Mieux, je t'amène à l'école de dressage Robert Masson et je te jette au milieu des chiens. Tu te débrouilleras. Ça t'en bouche un coin?

— Miaou, miaou.

— Pas si fort, tu vas réveiller ta maîtresse. Elle voudra te dorloter et... Tiens, attrape ma chaussette! Attrape, attrape!

Offensé, le chat file sur-le-champ en direction de la

cuisine... La volonté simultanément partagée de s'éva-der, de se délivrer de l'emprise de l'autre... On serait enclin à croire qu'il s'agit de la définition du divorce par consentement mutuel. Pas du tout. C'est le couple, ça. En chacun des partenaires, bien des choses ont pu changer au cours des années, mais c'est cette volonté en commun qui fait durer leur union. Nous parlons du couple social, pas du couple amoureux. Le couple amoureux est éphémère. Vous avez appris à Suzanne à s'habituer à votre absence. Elle vous a enseigné à tolérer la sienne. À la seconde où cette volonté cesse d'être partagée, si, par exemple, la femme cherche à fuir l'homme tandis qu'il souhaite rester et qu'il la retient, tout éclate. Classique. Gilles récupère sa chaussette. Suzanne dort toujours. Par un effort de concentration, il a essayé d'entrer dans le sommeil de la Charognarde. Il n'a pas réussi. Le chat fait irruption dans la pièce pour revenir l'agacer. Tant pis, il se rhabille.

Même un an après son divorce, il ne s'autorisait à convier une femme à passer la nuit chez lui que s'il savait son ex hors de la ville — de préférence, à l'étranger. Ah! s'accorder l'impression de prendre l'initiative de trom-per Céline. L'après-midi, s'acheter deux ou trois slips chers (plutôt se ruiner, plutôt priver Isabelle du nécessaire que d'avoir l'air négligent question sous-vêtements), faire un détour par chez Sanguineti pour un rasage impeccable, et ainsi de suite. Ranimant de vieilles culpabilités, Dufresne ajoutait du piquant aux aventures d'un soir. On jouit mieux la conscience à vif. Mais il n'avait pas tardé à se lasser de ce jeu — d'autant qu'il reprenait chaque fois ses habitudes d'époux fidèle, choisissant d'occuper le côté droit du lit, repoussant les tentatives de fellation, à tout le moins pendant les quinze premières minutes, jugeant cela trop dégoûtant, refusant de s'abandonner, etc.

Il ne se rend pas compte de son charme. Et les femmes le détestent à cause de ça. Voilà trente ans qu'elles répètent: «Il trouve normal de nous voir tomber à ses genoux. Ce qu'il a en lui de plus ardent, c'est le besoin de nous humilier.» Elles se trompent puisqu'il a peu conscience de... Hum! par contre, elles pourraient l'abominer d'oser montrer un tel degré d'aveuglement. À cinquante ans, pareille candeur devrait se soigner! En revanche, il n'ignore pas que (grâce à quelques reparties bien lancées) n'importe quand il parvient à donner le change en ce qui a trait à son intelligence. Il se sait pourtant peu brillant. Serge Deschamps, lui, était brillant... Refrain connu. Dufresne se plaint des critiques mais, au chapitre du dénigrement, il a de l'avance sur eux. Il prend plaisir à gratter les croûtes sur ses plaies, il encourage les autres à y mettre leur grain de sel. S'il se défaisait de cette accoutumance, l'apprécierait-on à sa juste valeur? Rien de moins sûr. Et puis, qui serait en mesure de dire quelle est sa juste valeur? Non, il ne se rend pas compte de son charme. La serveuse de chez Gingras n'aurait-elle pas souhaité qu'il s'intéressât à elle, notamment en l'invitant au hockey? Au théâtre? (Il y a de bonnes pièces en ce moment sur les scènes montréalaises. Gabriel Sullivan aurait pu lui obtenir des billets de faveur.) La serveuse de chez Gingras ou la Thérèse du concert? Même si la génération des vingt trente ans ne lit plus guère de bouquins, un écrivain de cinquante ans conserve de l'attrait pour ces jeunes, ne serait-ce que parce qu'il véhicule un certain mystère. Séduction du mystère, ultime recours.

— Es-tu célibataire, toi, gros matou imbécile?

— Miaou, miaou, répond le mistigri, la patte agile, l'empêchant de nouer les lacets de ses souliers.

Les célibataires sont plus souvent malades que les gens mariés.

— En est-il de même pour les félins de ton espèce?
Gilles a lu récemment un article là-dessus. Les célibataires sont plus souvent malades que les gens mariés,
oui. Doit-on en conclure que la solitude s'avère néfaste à
la santé? Ou qu'avoir une constitution solide est préa-
lable au mariage?

— Mon avis est qu'il faut d'abord avoir une constitution à toute épreuve. Ensuite, on peut penser au
mariage. Prends le cas des veufs, gros matou imbécile.
Des veufs ou des veuves. Ces personnes-là se portent à
merveille. Deux mois après le décès du conjoint, elles
cherchent déjà quelqu'un avec qui s'accoupler, quelqu'un à qui imposer les rares crises d'insomnie avec
lesquelles elles sont encore aux prises...

Il existe deux catégories de mâles, qui correspondent à deux générations, ni plus ni moins: ceux qui, sous
des apparences misogynes, sont d'une constante correction, d'une totale galanterie à l'endroit des femmes; les
autres qui se hérissent, impérieux, à la moindre blague
sexiste et qui, dans le privé, se comportent en mufles
achevés. Notre héros préfère se reconnaître dans les
premiers et afficher sa cinquantaine.

— Je ne te parlerai pas, gros matou, des taquins qui
espèrent séduire par leur humour insignifiant. Ils sont
en voie d'extinction.

— Miaou, miaou, de poursuivre l'animal.

Dufresne verse du lait dans un bol. Aussitôt, le chat
se met à boire goulûment.

— Tu avais soif? Fallait le dire, pauvre vieux...
J'aurais pu le deviner dès le début? Ça, je te le concède
volontiers... Je consens à te faire des excuses uniquement parce que Suzanne t'adore. Entre parenthèses, ta
maîtresse est aussi la mienne...

S'entendre ainsi prononcer le nom de Suzanne em-
plit un instant son cœur d'un douce arborescence de

fougère, de fougère toute ruisselante de pluie d'été... Les périodes de sa vie où Gilles aurait dû ne s'occuper que de son cul, où cet entraînement lui aurait suffi amplement pour être heureux (témérité guillerette, douce frivolité), eh bien! il n'a pas pu, braqué qu'il était sur l'idée que la passion folle ne dure pas. Et alors? A-t-il des regrets? Parions que non. Ivresse de l'échec, là comme en littérature, petite ivresse. Sans doute s'aperçoit-il que si dans le temps il avait couché avec toutes les filles, sa nostalgie n'aurait pas aujourd'hui le même parfum d'innocence. Et il songe à d'anciens camarades entrés en débauche comme on entre en religion. Aussi s'est-il toujours gardé de tels déménagements.

À vingt ans, j'avais en sainte horreur les dragueurs incapables d'un minimum de subtilité. Ce qui faisait bander la majorité des mâles ne m'excitait pas. Et je m'en vantais. J'aurais dû me méfier. Pour demeurer à peu près intacte, pour subsister, la concupiscence a intérêt à débusquer tout ce qui est du domaine de l'excentrique. Depuis, je suis devenu, sinon plus intelligent, disons plus ouvert d'esprit. J'ai conscience que les rustauds ont le droit de s'accoupler, eux aussi. En outre, je suis forcé de reconnaître que la plupart des femmes leur trouvent plus de charme qu'à moi, un charisme même. Ils ont une telle spontanéité! La spontanéité suppose une confiance en autrui que je n'ai pas, que je n'ai jamais eue. C'est pourquoi je truque. Je truque au lit, je truque devant ma machine à écrire. Je truque tout le temps, en somme.

Dufresne feutre le pas. Il doit quitter les lieux de façon subreptice pour laisser dormir le chat qui, pas vraiment repu, s'est pourtant assoupi. Il veille à ne pas claquer la porte. Précaution inutile: il n'a pas franchi le seuil que l'animal miaule à fendre l'âme.

— Tu mérites la punition que je t'inflige, gros matou imbécile. Débarrasse de là. Va te coucher. Tu ne penses quand même pas que je vais t'emmener faire la tournée des bars...?

Sous vide. Le barman est si peu animé qu'il a l'air d'une viande empaquetée sous vide. Vous copiez la phrase sur une fiche en prévision d'une utilisation future. Viande blême. Tournant le dos au comptoir, mollement accoté, votre voisin de gauche tient sa bouteille de bière entre ses cuisses. Il la réchauffe. Il la considère rêveusement — comme s'il examinait son propre pénis. Il a cette voix d'orgue désaccordé des frais opérés du larynx. Tout à l'heure, il a essayé d'engager la conversation avec vous. Vous l'avez ignoré. Une fois qu'on s'est aperçu que l'humanité était condamnée au banal, la grande affaire de la cinquantaine est de liquider toute la honte (votre jeunesse trahie) éprouvée ensuite. Cette honte bue, vous vivrez jusqu'à cent ans. Et dans la sérénité.

Allez-y d'une lampée de cognac. Abandonnez-vous. Respirez à fond. Arrêtez de truquer et rejoignez le clan des rustauds. Résolution numéro un: abandonnez-vous quand vous êtes au lit avec Suzanne, ne regardez plus à la dépense. Résolution numéro deux: abandonnez-vous également devant votre machine à écrire, cessez de craindre que le lecteur ne vous attrape en flagrant délit d'ignorance à propos de vos personnages, cessez d'avoir la manie de montrer que rien ne vous échappe des intrigues que vous avez inventées, laissez-nous le plaisir de la surprise, ne répugnez plus à ce que nous vous devancions et vous prenions de vitesse, ne formulez pas à notre place opinions, jugements, réflexions. Abandonnez-vous. Reléguez au dernier plan le style châtié, la phrase élégante qui fait le dos rond et tombe inerte comme une poule hypnotisée. Arrachez-lui deux ou trois plumes, celles qui sont saillantes, frottez-lui la crête, à la phrase, contraignez-la à pondre des œufs. Bref, créez du vivant.

— Barman, un autre cognac. Avec un grand verre d'eau glacée.

On ambitionne de laisser des indices, des traces de sa destinée sur terre. Par ailleurs, on n'investit jamais la totalité de sa personne dans une entreprise. On est comme la femme du film de Robert Altman (magnifiquement interprétée par Shelley Duvall), incapable de monter dans une voiture sans oublier à l'extérieur une partie d'elle-même, un bout de ceinture ou le bas de sa jupe dépassant de la portière. Imaginons une seconde, par hypothèse, que les traces de votre destinée ici-bas seront non pas tant vos livres que les corps des chroniqueurs Lafleur et Picard. Et l'article du dictionnaire des auteurs québécois se lirait comme suit: Gilles Dufresne, assassin et (accessoirement) romancier... Ça sonne bien. Si la police vous met la main au collet, vous serez condamné à la prison, probablement à une lourde peine. Mais que, pendant trente ans, vous ayez négocié de bonne foi avec les éditeurs et ayez encaissé sans regimber les attaques de la critique, voilà qui devrait inciter le juge à faire preuve de clémence. Car vous avez, il me semble, vécu à plusieurs reprises la mise au ban...

— Merci. Et mon verre d'eau?

— Oui, une minute. Vous seriez aimable de me régler tout de suite la consommation.

— Les toilettes? demande votre voisin. Où sont les toilettes? insiste-t-il, pompant l'air, battant du soufflet. Je suis désorienté.

Désorienté? Vous aussi l'êtes — à un autre niveau. Toujours vous avez été désorienté. Si la boussole à fiction avait existé, il aurait été prudent de vous en munir avant d'entrer dans les forêts du romanesque, de vous munir d'une boussole et d'un baromètre, d'un baromètre à péripéties... (Improvisez sur ce thème en savourant votre cognac.) Vous avez commencé à écrire parce que le monde, la frénésie du monde, vous blessait. Le monde vous abîmait. (En tout cas, vous l'avez répété à satiété.) Vous vous êtes donc frayé un sentier. Aujourd'hui, alors que l'irritation de jadis a disparu et qu'il ne vous reste plus qu'une sorte d'exaspération diffuse, vous continuez d'écrire, de publier. Est-ce absolument nécessaire? Vous vous posez la question, et feignant l'insouciance, évitez d'y répondre.

S'il vous plaît! Le barman lève l'index. Patience... À la littérature de l'enracinement pratiquée à grands renforts d'engrais, vous avez préféré celle du détachement. Quand on prend du recul, on se donne la chance d'entrevoir un peu de ce qui fait la vérité des êtres, à supposer que cette vérité ne soit pas qu'une chimère — et puis, qu'importe... Distance, détachement. Veut-on raconter sa vie? Eh bien! qu'on fasse la queue, comme le commun des mortels. Pas de coupe-file pour les écrivains. Votre stylo gratte le papier et le bruit en est amplifié. Vous ne parvenez plus à trier le bon grain de l'ivraie. C'est pourquoi depuis une demi-heure vous notez la plupart de vos pensées, dans l'éventualité où il ne s'agirait pas que d'élucubrations. Au tour du client de droite de lire par-dessus votre épaule. Ça, vous ne le tolérerez pas. Il a un œil fermé, l'autre en trou de tétine. Très éméché, le pépère. La bouffissure de ses joues est telle qu'il ne lui est pas possible d'ouvrir les yeux davantage. Viande-sous-vide ne vous ayant pas encore apporté votre verre d'eau, vous décidez de changer de bar. Vous ne tolérez pas qu'on lise par-dessus votre épaule, non. Même dans les séances de signatures, quand le lecteur pour lequel vous êtes occupé à rédiger une dédicace essaie, cou tendu, de deviner les termes du message de pure civilité que vous lui adressez, ça vous agace. Souvenez-vous: vous aviez eu à Saint-Paul-sur-Mer une fameuse prise de bec avec de vieilles collection-neuses d'autographes. Les circonstances actuelles sont dix fois pires.

Vous videz votre verre, ramassez vos fiches et vous levez, non sans bousculer vos deux voisins. Après l'exé-cution (c'est le mot) de Picard et Lafleur, vous vous offrirez quelques jours de vacances à la campagne, peut-être une semaine, peut-être même deux, surtout pas question d'attendre les premières neiges, deux semai-nes dans les miasmes de la terre labourée depuis peu, deux semaines en étroite relation avec la nature... Demain, vous consulterez les petites annonces à la recherche d'un chalet situé dans les environs de celui que Suzanne avait loué. La relation avec la nature est parfois, vous le savez mieux que quiconque, plus in-tense, plus épuisante qu'une étreinte prolongée. Vous redites cette phrase à haute voix. Vous pouffez de rire. La campagne serait-elle plus vraie que la ville? Quelle naïveté! Les champs puent les engrais chimiques et les tuyaux d'échappement des tracteurs. Seules à présent les odeurs des cuisines ne sont pas trompeuses — et encore!

À quand l'année sabbatique, l'agenda tout propre sans gribouillis ni biffures, l'intelligence en jachère douze longs mois — et la solitude, pas celle qui mine mais celle qui enveloppe le corps et le dorlote? À quand?

Tournicotez, musardez. Flânez encore un peu.

Et ce bar au néon malade dont vous vous plaisez à penser qu'il s'appelle Ultramarine en hommage à Malcolm Lowry (il n'y a d'allumées que les lettres Ultra), vous le fréquentiez naguère, si je ne me trompe? Entrez. Offrez-vous un verre. Laissez votre esprit flotter sur son lest.

Rappelez-vous, entre autres, votre visite au petit village de Saint-Paul-sur-Mer et la réception organisée plus tard en votre honneur (n'êtes-vous pas, de par votre grand-mère maternelle, vaguement originaire du coin?) dans le sous-sol de la salle paroissiale. Vous veniez de recevoir un prix littéraire important. La nouvelle, en tout cas, n'avait pas échappé aux bénévoles de la bibliothèque qui en avaient profité pour vous inviter dans la région. Vous vous revoyez, longeant les rayons, vérifiant à la sauvette si vos livres sont empruntés souvent, quels titres en particulier, lesquels sont reliés toile, et ainsi de suite.

Le hic est qu'on fête également le pharmacien, poète à ses heures (un numéro du journal local est là pour en témoigner), et qu'on a omis de vous en avertir. Même qu'on a prévu un épisode du banquet où le pharmacien lira une page de vous, à la suite de quoi vous réciterez un sonnet dont il est l'auteur. Vous prenez connaissance du sonnet en question. Le papier sur lequel il est imprimé a l'odeur caractéristique des vieilles pilules. Sous la plume officinale, mélancolique est devenu mélancoleuse, pour rimer avec vendeuse. Charmant. Et on vous demande si vous croyez avoir le temps d'apprendre le texte par cœur. «Le pharmacien se sera préparé, lui. Vous risquez d'avoir l'air un peu, comment dire...?» Braverez-vous la balourdise ambiante? Cela vaut d'y réfléchir. Vous constatez à votre arrivée que la salle est déserte — ce qui est dur pour l'ego, mais en revanche excellent pour l'écho. Vous en faites l'observation aux notables. Rires jaunes. Vous vous installez à la table d'honneur. Quand vient votre tour de prendre la parole, vous vous contentez d'un «cher collègue» à l'adresse du pharmacien qui rougit aussitôt, après quoi vous vous lancez à fond de train dans une de ces sorties dont vous avez le secret.

— «On ne vous connaît pas, monsieur Dufresne», m'avez-vous répété depuis le début de l'après-midi. Vous me reprochez de ne pas être une vedette, ce qui vous désappointe. Pourtant, à cause de liens anciens entre ce village et ma famille, le conseil municipal a estimé que nous avions quelque chose à célébrer ensemble... J'ai vérifié tout à l'heure à la bibliothèque: presque personne ici n'a lu mes livres. Qu'on m'absolve si mes propos offensent: une bonne façon de me connaître serait de me lire, non...? Accordez-vous ce plaisir ou acceptez de prendre cette peine, c'est selon. Pour vous faciliter la tâche, je m'engage à mon retour à convaincre mon éditeur de faire un don à votre paroisse. Bilodeau aime envoyer les abîmés d'un tirage dans des asiles pour déficients mentaux, les défraîchis dans des maisons de vieux... C'est un être plein de sollicitude. Pourquoi n'inscrirait-il pas Saint-Paul-sur-Mer sur sa liste de charité?

Vous marquez une pause. Les gens vous dévisagent, médusés. Divaguer de la sorte ne vous embarrasse pas. Le fil du micro est votre fil d'Ariane. Vous le touchez, en palpez la souplesse pour finalement le garder serré entre vos doigts. Vous savez qu'il vous suffirait de tirer dessus pour être ramené aux portes du réel.

— Je ne cherche pas à vous insulter. Il s'agit d'une mise au point. Quant à disserter sur ma production globale, sur mon œuvre comme disent les imbéciles, sur les courants qui la traversent en zigzags, j'en serais capable, et c'est ce que vous espérez de moi — sauf que je n'ai pas envie ce soir de me prêter à cet exercice. Il faudrait que je m'applique... À l'image des guitaristes de jazz hantés par la crainte de jouer trop de notes, je ne réussirais qu'à faire la démonstration qu'il est possible d'être à la fois concis et ampoulé. Je renonce à tirer au clair ce qui...

À cet instant, contre toute attente, l'apothicaire se met à applaudir. Les notables en font autant. Vous sortez de votre poche le petit poème cucul et commencez à le déclamer en gesticulant. Vous en avez trouvé le mode d'emploi. Vous vous sentez ivre — et furieusement ridicule. Dans l'auditoire clairsemé, une adolescente pâle en robe rose de mousseline et de taffetas est suspendue à vos lèvres. Votre regard se porte sans cesse sur elle. Vous songez à Isabelle, votre fille, et vous êtes troublé. Vous en rêverez même à plusieurs reprises dans les semaines suivant la rencontre. Oui, justement, nous voici dans le domaine du rêve. Graduellement, l'émotion vous étreint la poitrine, vous monte à la gorge. Vous ne faites pas d'effort pour la refréner. Pourtant, vous n'ignorez pas comment procèdent les acteurs pour se contrôler, vous connaissez leurs techniques, leurs trucs. Vous ne faites pas d'effort, vous vous allouerez même une quinzaine de secondes pour la savourer, cette émotion brute, voix chevrotante, larmes au bord des cils. Puis, vous vous ressaisirez si vite que beaucoup douteront de votre sincérité. Or, le bouleversement n'était pas feint, ça, je peux le jurer... Relevez la tête, Gilles Dufresne. Ce n'est pas aux habitants de Saint-Paul que vous vous êtes offert

en spectacle, mais aux consommateurs de l'Ultramarine, c'est évident. En vérité, votre causerie à Saint-Paul
ne s'est pas déroulée comme dans l'évocation que vous
nous en avez faite. Le cognac aidant, vous brodez volontiers sur le tissu de vos souvenirs.

— Combien je vous dois?

— Vous avez déjà réglé.

— Ça y est, je perds la boule... J'ai dû en marmon-
ner un coup?

— Ça importune qui? Personne.

Ah! babillages brasse-camarades du buveur impénitent, soliloques au cours desquels Sissy Spacek et
Shelley Duvall se confondent avec les employées bénévoles chasseuses d'autographes d'une bibliothèque de
province, Picard et Lafleur avec des commissaires d'école, Zimmer avec le curé, etc. Dufresne continue d'errer
de bar en bar dans le but de secouer le ralenti des heures
et d'attacher un grelot au cul béni de la nuit... Ô sainte
nuit, ô nuit de paix... Pendant quelques minutes, une
dizaine de gouines costumées en gamines accompa-
gnent sa route, pilotées par une virago genre cheftaine
en chaleur. Elles gueulent des hymnes religieux, faisant
des moulinets avec les bras. Pour se débarrasser de la
troupe, il pénètre dans le premier boui-boui qui se présente. L'endroit n'a pas que la façade de misérable: les
murs sont lépreux; les fauteuils, râpés. *Take My Breath
Away*, entend-on dans les haut-parleurs, ce qui tombe à
pic puisque l'atmosphère est viciée, irrespirable. Le
serveur a une haleine d'ail ranci. Un cognac, garçon!
Gilles ne prend pas le temps de s'asseoir. Étonnamment,
les toilettes sont propres. Quand il regagne sa place, il
s'aperçoit qu'on a bu dans son verre.

Au Papegai, deux rues plus loin, café qui malgré ce
qu'on pourrait croire ne recrute pas sa clientèle uniquement parmi les homosexuels catholiques (ainsi qu'il

est mentionné sur chaque petit napperon, le mot dési-
gnait jadis un perroquet), la musique est plus agréable.
Mais c'est enfumé et Dufresne sent des picotements sous
les paupières. Il a le choix: ou demander qu'on tamise
les lumières, ou enfiler deux autres cognacs. Sera-ce
suffisant pour voir tout en flou? On chuchote dans son
dos, ce qui ne le dérange pas. Au contraire, ça lui suggère le moment où le succès prend forme, le je-te-passe-
le-mot, le bouche à oreille: «Tu connais ce roman?
Attends... C'est le même auteur qui a publié l'an de-
nier... Je l'ai sur le bout de la langue, c'est une histoire
de vendetta et... Bah! si tu attaques par ce roman, tu ne
peux pas te tromper parce que...» Oui, le succès prend
forme de cette façon, généralement dans les milieux
étudiants. (À propos, il semble y avoir beaucoup de
jeunes universitaires au Papegai.) Seulement, pour
Dufresne, cette chose n'est jamais arrivée. Je parle du
bouche à oreille, de ce type de bouche à oreille qui engendre le succès. Sa vie n'aurait-elle été qu'une suite
d'occasions ratées à force de tergiversations...? En tout
cas, pressante est la tentation de céder au morose de
cette hypothèse. On chuchote dans son dos. Il ne se retourne pas. Les buveurs sont en train, gageons, d'y aller
de leurs commentaires sur les critiques de *l'Éclaireur* et
de *Samedi Montréal*. Si oui, tant pis. Déjà la cinquantaine,
soupire-t-il. Quand il se revoit, pubère encore, répugnant
à embrasser les femmes dans les réunions de famille, eh
bien! il a l'impression que ça se passait la semaine dernière. La tante Colette à l'éternel chapeau à voilette
(beau sujet à sonnet pour le pharmacien de Saint-Paul)
ne se serait pas permis d'entrer à l'Ultramarine. Ni au
Papegai. Son style de vie affichait quand même trop de
salubrité pour ne pas être suspect. À son décès, on a découvert dans sa cave assez de bouteilles de gin vides pour
mettre hors de combat le vingt-deuxième régiment.

Les gens de votre âge sont rares dans ce décor: quelques ahuris, un solitaire hilare, une blondasse maigrichonne avec des lunettes noires qui narre à une amie son hospitalisation pour des problèmes d'ordre cardiaque. «Ça fait exactement quatre ans aujourd'hui. Ce que j'ai eu à endurer, ma chère...» En effet, à cette heure-ci, la plupart des gens de votre âge sont couchés — et ils ont bien raison. L'alcool vous a creusé l'appétit.

— Qu'est-ce qu'il y a à grignoter?

— Je vous fais chauffer une pizza...?

— Pas une si mauvaise idée, ça!

La barmaid s'efface derrière l'empilement symétrique des caisses de bières et, quelques minutes plus tard, revient avec votre assiette. Pourvu qu'elle ne s'arrête pas en chemin faire un brin de causette avec... Précisément! Avec ce chauve encarcanné dans une minerve crasseuse et affligé d'embonpoint: on dirait qu'il s'est roulé des boudins autour de la taille. Pendant ce temps, vous sentez votre pizza qui refroidit, vous la sentez de votre place, oui, et vous rongez votre frein. Vous auriez mieux fait de commander un œuf dur et de le manger comme une pomme, en exerçant votre patience, sans couteau ni fourchette. Quand la barmaid daigne vous apporter le plat, elle fait mine de vous glisser un mot à l'oreille. Vous tendez le cou, avancez le corps. Elle se ravise. Frustré, vous dévorez la pizza en trois bouchées. La nuit où vous avez juré de ne plus boire, vous étiez soûl comme une botte. Par conséquent, ça ne compte pas. Vous êtes relevé de votre promesse. Quelle valeur a un vœu prononcé quand on n'a plus sa tête à soi? Trinquons, tétons le lait de la vache à sept pis, rassasions-nous.

Demain matin (ce matin, voulez-vous dire), c'est décidé, vous vous remettez à la tâche. Une panne, ça ne peut pas durer indéfiniment. Faut vous secouer les puces. Et, pour susciter l'inspiration, pourquoi ne pas utiliser la technique Sullivan (du nom du camarade dramaturge) qui consiste à relire des bouts de ses anciens ouvrages et à se paraphraser? Pas de farfinage, pas question d'anticiper les réactions ni de parer aux critiques. On s'épuise, on se crève à ce manège de forçat. On ôte au texte toute spontanéité, tout pouvoir de séduction. Retour au paragraphe réconfort, à la phrase panacée. Et, à la limite, que les lecteurs l'écrivent à votre place, ce prochain livre de votre cru! Au lancement, vous vous transformerez en auruspice, éventrant un chat de gouttière, cousin germain du matou de Suzanne. «Best-seller ou rossignol, psalmodierez-vous, best-seller ou rossignol? Tripes, jolies tripes, dites-moi si ce livre deviendra best-seller. Misère! n'est-ce pas un oiseau que vous digérez là, chères tripes...? Un rossignol? Ce réseau d'entrailles est aussi inextricable que les circuits d'un ordinateur.»

Avec son maintien militaire et ses airs de vestale à gros grains, la barmaid vous tape sur les nerfs. Et royalement. Vous lui montrez votre agacement en frappant du pied, en faisant du bruit avec vos ustensiles... On recommence à murmurer dans votre dos. Vous n'êtes pas diplomate: les personnes que vous jugez intelligentes, arrangez-vous donc pour le leur révéler; et négligez d'accabler celles que vous jugez idiotes. C'est seulement à ce prix que vous pourrez ambitionner d'atteindre la réussite. Si remplir la première condition exige à l'occasion de marcher sur son orgueil, la deuxième requiert plus de réserve, d'abnégation. Vous n'avez jamais été capable de vous retenir. Vous avez la pugnacité chevillée à l'âme. Pauvre barmaid... Votre vie est ennuyeuse et l'a toujours été. À peine avez-vous eu le mérite d'en écarter ce qui risquait de vous le rappeler constamment.

— Quelque chose qui cloche? Elle vous a pas plu, la pizza...?

— Moins je fraie avec mes semblables et mieux je me porte. La solitude me rendra invincible... Évitez de me regarder, je disparais. À tout coup, ça marche. Évitez de me regarder, je me volati... Ça se prononce mal. Je me volatilise. Ouf! D'un cillement, catapultez-moi dans le néant... Je... Je déconne, j'ai trop bu.

— Tracassez-vous pas. Je vous prépare un café. Bien corsé.

— Merci, mademoiselle. Je suis confus.

En partant, il laissera un énorme pourboire.

N'empêche qu'il préfère être malheureux en chien dans son coin que de faire le crétin à japper au milieu de la meute. Car, quoique ça ait usé son fond de culotte sur les bancs de l'université, ça aboie plus que ça ne parle, ce monde-là, ça se soucie comme de l'an quarante de décence et de correction. Dufresne observe tout autour. Il y en a un qui mange du tapioca. Du tapioca dans un bar? On dirait. Il s'introduit la cuiller pleine dans la bouche, la ressort, regarde ce qui reste dedans, la lèche, la réexamine. Un autre s'arrache les yeux sur la grille des mots croisés de *l'Éclaireur* — qui est si débile... Ça glapit, ça se lamente, ça se plaint. Oui, ça s'exprime n'importe comment. Mais les maladies dont ça souffre, bénignes ou non, ça a la coquetterie de les désigner par les noms scientifiques. Et c'est tout fier de clamer que ça a juste le degré de culture nécessaire, entre la littérature de métro et la musique d'ascenseur, que ça n'a pas besoin de plus... Pourtant, ces gens sont des gagneurs; ils ont ça marqué dans le front. Et Gilles nourrit des sentiments contradictoires à leur égard. Parfois, il souhaiterait pouvoir les admirer. Se méfie-t-il assez d'eux? Des gagneurs... On doit manipuler le terme avec soin, ne serait-ce qu'à cause du féminin gagneuse qui signifie prostituée. Les gagneurs ont en effet quelque chose de putassier.

Il est découragé. Asthénie éthylico-déambulatoire, ricane-t-il, mi-jojo, mi-chagrin. Découragé. Déprimé, c'est-à-dire triste comme s'il était en deuil et dépensier comme s'il allait toucher un héritage. Déprimé. Empiffré de cafard. Alors, pourquoi ne pas payer une tournée à tous ces...? Il fait signe à la barmaid.
Plusieurs clients ont levé leur verre en sa direction. Il les toise, lugubre. Les nuits où ses cauchemars le réveilleront, la pensée que ces gens sont malheureux le réconfortera, lui permettant de se rendormir. Tais-toi. Tu es odieux. Il est sorti. Il longe la ruelle. Au mur, des affiches d'un film avec Kelly McGillis. Selon Isabelle, la McGillis est une actrice qu'aurait affectionnée le bonhomme Hitchcock. Elle n'a pas tort. Et pour ce clochard recroquevillé sous une benne à ordures, le mot sordide a-t-il le même sens que pour ta fille? Près d'une mercerie, les jambes fines d'un mannequin de vitrine dépassent d'une poubelle renversée. Furtivement, Gilles se penche, effleure l'entrecuisse, s'éloigne à grands pas. Dix, quinze, vingt foulées de marathonien. On entend le carillon d'une église, ce qui constitue moins la preuve de l'existence d'un Dieu que de celle d'un bedeau drôlement matinal. Les règlements municipaux n'interdisent-ils pas de...? Le vent est-il assez fort pour faire sonner les cloches toutes seules? Bah! je veux bien croire que Dieu existe. Ça m'étonnerait qu'Il soit très pratiquant. Qu'est-ce que je raconte...? L'Éternel existe. Il ne professe pas la même religion que moi, c'est tout. Et Il Se manifeste à moi par le truchement des engoulevents.

Urgence, envie pipi. Sa main tremble. Il a une telle difficulté à introduire la clé dans la serrure qu'il se demande pendant deux secondes s'il pourra rentrer dormir chez lui. Si nous étions dans un film hollywoodien, au même moment, pour ajouter à l'énervement, le bip-bip du téléphone retentirait derrière la porte.

Bon, ça y est, Dufresne a ouvert.

Il sort des toilettes, dézippé, soulagé, ôte sa chemise sans la déboutonner au complet, se la passant pardessus la tête comme un pull. Un geste semblable chez Masson, le dompteur, et les chiens t'auraient sauté à la gorge. Saigné sur place. Il enlève ses souliers, les pose par terre (sans badaboum cette nuit non plus), écartant les lacets des semelles pour éviter qu'ils ne se salissent. Il fait quelques pas à travers la chambre et les loups de poussière s'accrochent à ses chaussettes. «Lou-ve-teaux, sagaga, lou-ve-teaux croquignolets, l'Éternel est mon berger, sagaga, je ne manque de rien.» Assez de gamineries: demain, tu passeras l'aspirateur. À la télévision, deux chaînes montrent des pêcheurs occupés à attraper soit des poissons géants, soit des oursins. Banal. Autant courir se blottir sous les couvertures. Gilles allume la radio, le son très bas, ainsi que sa mère le faisait quand il était enfant et couvait une grippe. Orchestré de la sorte, cet air léger extrait, je crois, d'une récente comédie musicale américaine prend le poids d'une tonne de poncifs. L'avantage que nous avons sur les compositeurs, nous qui écrivons, c'est que nous ne risquons pas d'entendre nos mélodies massacrées par des zigotos. Certes, il y a des auteurs dramatiques qu'on joue de travers, mais ça n'a pas de commune mesure avec ce que les compositeurs doivent supporter. Merci, doux Jésus, de m'avoir fait naître romancier.

Sur cette oraison jaculatoire, il se couche. Le temps qu'il se cale la nuque au creux de l'oreiller, le téléphone sonne. C'est du moins l'impression qu'il a, suffoquant et cramponné au matelas. En fait, deux heures se sont écoulées. Il n'a pas la force de se lever pour répondre. La couette est trempée tellement il a eu chaud. Lentement, il se détend. À la radio, ce sont les nouvelles. Ah! oui, il se rappelle un sursaut dans son coma de deux heures. Juste avant son réveil, il rêvait qu'il tombait, la fameuse chute sans fin, serrant contre lui une femme? Quelle femme? Était-elle dévêtue? Ça ne lui revient pas. Il se souvient pourtant que la séance se déroulait devant une toile de fond sur laquelle étaient imprimées des lettres — comme pour un décor de théâtre. Il distingue maintenant des caractères, quatre ou cinq mots, un astérisque. L'astérisque figure en haut d'une page. «Le personnage est connu de nos lecteurs, peut-on y lire. Voir *Permettez que je déborde de mon texte* et *Il était une fois pour toutes.*» De quel personnage s'agit-il? De la femme étreinte qui hurle de peur? De l'auteur qui la tient dans ses bras? Peut-être même a-t-il inventé de toutes pièces l'épisode de la note liminaire: il aurait l'excuse d'être passablement ensommeillé. En tout cas, le rêve (pour l'occasion, Xanthippe en était absente) a dû comporter quelques séquences érotiques parce que Dufresne est en érection. Il paraît que, lorsqu'on éprouve trop de frustrations dans le quotidien, on génère ensuite des giclées de fantasmes — pour compenser. Laissez-moi rire. À peine si j'ai la chance de faire un rêve cochon par année, un seul, et il faut que le téléphone vienne me censurer à l'instant top où... J'exagère. N'empêche que, même si je me réveille souvent bandé, je suis obligé de reconnaître que mes machines oniriques ne sont pas programmées sur un mode très olé olé.

Voici par conséquent un autre de ces petits matins où le premier morceau du corps qu'on déménage du lit est le coude, non le pied (ni le gauche, ni le droit), un de ces matins où c'est à genoux (au sens strict, car je persiste à garder en réserve le sens figuré) qu'on sollicite le privilège de demeurer lucide jusqu'au coucher du soleil (et, autant que possible, vivant), un de ces matins où, courbé, prosterné, on se résignerait presque à servir de tapis au Très-Haut. Essuyez vos bottes sur mon postérieur, Seigneur, Dieu du ciel. Dufresne rampe en direction de la salle de bains. Et c'est le bal des objets qui se réveillent et s'animent. Comment se fait-il que les poches de mon pantalon soient retournées? Ah! l'abruti que je suis a payé une tournée aux clients du... Le carrelage est froid. Gilles se redresse péniblement. Il se racle la gorge. Ses glaires sont si grosses qu'elles boucheraient le lavabo; il les crache dans les toilettes. Le miroir lui renvoie les faces d'un Janus grimaçant. Il passe à deux doigts de confondre la brosse à dents avec le rasoir — dont il a tôt fait d'imaginer la lame lui entamant la gencive. Aïe! L'odeur du rince-bouche suffit pour lui retourner l'estomac. Dure réalité. Sans cesse attendre que le pire survienne; et quand le pire est évité, trouver là une consolation. Essayons d'être plus cohérent. Quelle était la maxime de Bennett sur le pessimisme...? Flux alvin. Je suis un homme vidé, songe-t-il, faisant allusion à ses intestins plus qu'aux tensions créatrices assoupies en lui. Je soignerai cette gastro demain. Pas le temps aujourd'hui. Et il reste assis sur la cuvette tandis qu'il actionne la chasse d'eau, afin de se rafraîchir proprement le derrière. Il a laissé la porte ouverte et, de son observatoire, il peut entrevoir les murs de la cuisine. Il s'interroge sur l'opportunité de repeindre, d'installer des tentures neuves. Comme si enjoliver le quotidien réussissait à dissiper le sentiment qu'on a raté sa vie... Cette phrase lui est familière. L'a-t-il écrite dans un de ses livres? Non, c'est Isabelle avant-hier qui... Je pique des formules à ma fille. Je devrais brancher mes écouteurs sur le presse-jus. Ça me ferait du bien aux neurones.

Le tableau suivant représente Jean-Paul Marat dans la pose qu'on lui connaît, sauf que la main droite, celle qui tient la plume dans la célèbre toile de David et qui pend flasque hors de la baignoire, cette main semble plutôt chercher à tâtons le morceau de savon qui a dû glisser sous le lavabo. Telle est l'image que le grand miroir de la salle renvoie à travers la buée. Gilles, qui s'est lavé les cheveux, a même sur la tête une serviette blanche roulée en toque. Faut que je me les rince. Facéties. La mort décoiffe, c'est prouvé. Le turban de Marat cache sa houppette. Ça y est, Gilles a récupéré le savon. Ah! se mettre plein de mousse dans les poils des aisselles — et le savon est juste assez bombé pour que ce soit plus agréable que d'habitude. Il déplore de n'avoir personne qu'il pourrait affecter à lui gratter le dos — ce qui serait mieux que ce manche. Et pour ôter le bouchon, prendra-t-il les doigts ou les orteils? Trente secondes de réflexion. Ce sera les orteils.

Plaisir de se raser quand on sue à grosses gouttes, plaisir d'étendre la crème sur les régions du visage où la barbe est plus forte, de bien frictionner la peau dans ces régions, plaisir aussi de se ramoner les oreilles pour en retirer les résidus de mousse. Qu'on refile les rasoirs électriques aux alcoolos souffrant de tremblote aiguë! Je prends le dessus sur ma gueule de bois. Le contraire m'eût étonné, remarquez... L'homme qui porte la barbe, la femme qui a renoncé à se maquiller: ces minutes qu'ils ne dépensent plus devant la glace, est-ce vraiment du temps économisé? À quoi l'occupent-ils, ce temps jadis consacré à l'étude du teint et à l'examen des rides? À d'autres exercices d'humilité, à des pénitences équivalentes? (Flash sur la maquilleuse qui, au collège, m'avait dessiné des traits de vieillard.) L'émission musicale assaisonnée de citations tire à sa fin. Suit la revue hebdomadaire des livres, table ronde au cours de laquelle des critiques raillent les dernières parutions en mugissant comme des hyènes. Pourtant, ils diront du bien de *Permettez que je déborde.* Un des collaborateurs ira jusqu'à se gausser des sentences de Picard, découpant en rondelles l'article publié samedi. Incroyable! Sans doute ai-je encore de la crème à raser dans les conduits auditifs...

Victime de qui, victime de quoi? Qu'est-ce que tu me chantes là, Gabriel? Quel éditeur? Et puis, il est quelle heure, là?

— Dix heures trente et des poussières. Je ne te réveille pas?

—Allons, allons! En revanche, toi, tu parles comme quelqu'un qui vient de se lever. Sûr que ce n'est pas toi qui as appelé aux lueurs de l'aurore! Tu veux savoir si j'ai écouté la radio? Oui, et je te garantis que je ne m'attendais pas à ce que les gens de...

— Donc, tu es au courant de la nouvelle?

— La nouvelle...? Quoi? Quelle nouvelle? Aboutis. Je n'ai pas attrapé un seul bulletin d'information. Et si je me fie au ton que tu prends, ce doit être une drôle de catastrophe.

— Bilodeau a été assassiné. Abattu d'une balle dans

la tête. La police a trouvé son auto dans le parking d'un édifice en construction. Le corps était dans la malle arrière.

Gilles Dufresne s'applique à sentir l'impact du projectile, l'explosion dans la nuque. Il se concentre sur la culbute dans le trou noir. Pour une fois, Sullivan peut faire l'économie de son sens de l'effet. Bilodeau, assassiné! Comment se comportera Mme *G*? L'adjoint? Manon, la réceptionniste? Embrassera-t-elle la croix qu'elle porte en permanence dans le cou? Linda? Ses fesses seront-elles en assez bon état pour lui permettre d'assister aux funérailles?

— Allô! Es-tu toujours au bout du fil?

— Pardon, tu me...

— Je te comprends... Moi, ça m'a scié.

— À ton avis, on n'a pas pu se tromper, confondre avec...?

— D'après ce que j'ai entendu, il a été identifié par sa famille... Selon toi, il n'aurait pas trempé récemment dans quelque affaire louche? Tu sais qu'à une certaine époque il ne détestait pas spéculer sur des terrains.

— Dans le domaine, Bilodeau n'était qu'un amateur. Oh! Je te concède que ce n'était pas exactement un parangon d'honnêteté. De là à lui supposer des relations avec le monde interlope, des accointances. Tu charries un brin. Encore une sullivannerie!

— Et ça te rend triste qu'il soit mort?

— Franchement, j'ai passé tellement d'années à me tracasser pour les autres que je n'ai que du mauvais sang dans les veines, ce qui finit forcément par durcir le coeur. Le mauvais sang ne contient pas de chagrin. Éliminé, le chagrin! Je connaissais Bilodeau trop et trop peu à la fois pour avoir envie de pleurer sa mort.

— Moi, ça m'a causé un de ces chocs! Mais, tu as raison, ce n'est pas sa mort qui me désole, c'est autre chose, quelque chose qui a plus à voir avec l'ambiance de la maison d'édition — et même avec les contrats qu'il m'a fait signer, le gros calvaire! Gilles, on est des monstres.

— Nous manquons à tel point de profondeur que nous ne sommes plus capables de haine : c'est différent. La haine exige trop d'efforts...

— Épargne-moi la leçon philosophique du samedi. N'essaie pas de me faire croire que tu as donné ton absolution à Ghislain Picard, à Yvan Lafleur, à Josianne Boismenu... Je voulais m'excuser pour l'autre après-midi, à la librairie. J'ai dû te paraître casse-pieds, non? Ces temps-ci, je prends des médicaments qui me rendent complètement gaga. Euh... Faut que je raccroche. Demain, c'est la fête de mon fils et je ne lui ai toujours pas acheté de cadeau. À la longue, ça devient affolant, tous les anniversaires à retenir...

Au tour de Suzanne maintenant.

— Ah! Charognarde de mon coeur...

— Quel terme affectueux! Charognarde...

— Tu ne devineras jamais qui vient de...

— Tu es parti au milieu de la nuit. Je ne m'en suis pas aperçue.

— Tu dormais dur. Sullivan m'a...

— Je présume que tu as donné à manger au chat. Il lève le nez sur ce que je lui sers. J'ai essayé de t'appeler il y a dix minutes et c'était occupé. J'espère que tu as entendu les commentaires élogieux sur *Permettez que je déborde.* Tu jubiles? Tu jouis de ta revanche...? N'oublie pas non plus que ton entretien avec Élise Lussier est diffusé aujourd'hui.

— Rien à craindre, je l'ai inscrit dans mon agenda. C'était Sullivan au téléphone. Il voulait m'avertir : Bilodeau a été tué.

— Bilodeau, ton éditeur? Tué comment?

— Une décharge dans le citron.

— C'est épouvantable! Quand?

— Hier après-midi ou hier soir... Tu n'as pas vu les journaux? Il y a sans doute des photos.

— Je ne suis pas sortie. Qui a fait ça? Un auteur frustré?

— On l'ignore. On a retrouvé le corps dans la malle arrière de sa voiture.

— Fiou! Dorénavant, quand on parlera de la pègre littéraire... Et comment tu réagis?

— Bilodeau est mort, vive Bilodeau! Que les anges le torchent en paradis!

— Bravo pour l'hommage recueilli! Quoique ce me semble dans les règles... C'est l'oraison funèbre que cet homme-là mérite.

— Lui qui a toujours été adepte des poignées de mains et des accolades pour amadouer l'interlocuteur, ça ne m'étonnerait pas qu'il soit déjà en train de serrer le bon saint Pierre dans ses bras.

— Je ne me prononcerai pas là-dessus.

— Le mieux serait que je descende chercher les journaux et que je recommunique avec toi d'ici deux ou trois heures.

— D'accord. Je t'embrasse.

Contrairement à la croyance populaire, les morts sont les êtres les plus disponibles qui soient. Libre à vous de leur attribuer n'importe quel sentiment, n'importe quel système de pensée. Ils ne sont plus là pour protester. Bilodeau n'est plus là pour rouspéter à tout propos. Soulagement. Vous prenez le temps de bourrer votre pipe. Succomberez-vous dans cinq ans à un cancer de la gorge? Premiers soins, derniers sacrements. «Le départ de mon père a bouleversé mon existence», dira Isabelle ultérieurement. À votre grande surprise, imaginer la scène vous est agréable. Quand il s'agit de la mort, il vaut mieux en effet évoquer l'après que l'avant. Vous voyez votre fille jeter une poignée de terre dans la fosse — à moins que ce ne soit une fleur... Rappelez-vous sa conduite au décès de sa grand-mère. «Tu essaies de me réconforter et tu ne fais que grignoter mon chagrin, vous avait-elle lancé à la figure aux abords du cimetière. Il est précieux, mon chagrin. Je me refuse, je m'oppose à ce que... Ne cherche pas à m'en déposséder.» Elle n'a pas de mauvais sang qui coule dans les veines, elle. Certes, il vaut mieux évoquer l'après que l'avant. Avant : par exemple, quand vous rentrez chez vous avec dans votre serviette les résultats des radios, deux ridicules petites taches, minuscules, insignifiantes, on les distingue à peine, six mois, un an si on a de la chance, ajoute le médecin en évitant de vous regarder dans les yeux, si on a de la chance, si le traitement réussit convenablement, inutile de vous suggérer de mettre de l'ordre dans vos affaires, de finir les textes que vous avez commencés, d'annoncer aux vôtres que la visite de routine a, comment dire? mal tourné. C'est ça, avant. Rien de pire comme situation. Tandis qu'après, c'est le calme du cercueil, le repos, l'apaisement... Isabelle, enfant : «Un jour, je t'aurai rejoint. Je t'aurai même dépassé. Un jour, je serai plus vieille que toi.» Une autre fois : «Comment ça va en ce moment entre toi et maman? Ne me cache rien. Raconte-moi ce qui... Objectivement. Je veux de la matière pour m'inquiéter à votre sujet, j'en veux pour les prochaines semaines. J'adore me torturer.» Engager tout ce qu'on est dans le moindre geste qu'on pose, quelle sottise! Ma fille est une sotte. Les saints sont des sots. Isabelle est une sotte. Or, elle est ma sauvegarde.

Dufresne secoue sa pipe dans le cendrier du bureau et en allume aussitôt une autre. Voilà des mois qu'il n'a pas fait un vrai ménage de cette pièce. Pourtant il détesterait mourir en laissant du désordre derrière lui.

Je ne suis pas comme Bilodeau. Même que ma répugnance à faire le ménage serait suffisante pour m'aider à lutter contre le mal — et ainsi me maintenir en vie plus longtemps que prévu. Ne pas mourir sans avoir épousseté, balayé, astiqué... Mais plutôt souffrir mille martyres que de sortir l'aspirateur du placard. Curieux syllogisme.

Les crayons sont éparpillés un peu partout. Sur les chaises, des volumes dorment, empilés vaille que vaille, en attente d'être classés dans la bibliothèque ou vendus aux bouquinistes. Les livres qui dépaysent le plus sont ceux qui font voyager en soi-même, murmure Gilles qui n'en est pas à un paradoxe près. Et il songe qu'il aura été sa vie durant assidu aux cliniques de la Croix-Rouge, ce malgré le peu d'estime voué à ses semblables, malgré une misanthropie affichée avec orgueil. J'espère ne pas avoir sauvé la mise à trop d'imbéciles. Mon sang, mon sang... Même si ça n'est pas explicite dans mes volontés, nul doute qu'Isabelle devinera que j'ai consenti à faire don de mes organes — enfin à ce qui pourra encore servir parmi le lot. Éliminons le foie et les reins. D'ailleurs, le foie, ça se greffe? De toute façon, quand on a le cancer, tout est superbement gaspillé...

Il souffle dans ses souliers avant de les mettre, pour en réchauffer l'intérieur, habitude prise dans les dortoirs du collège. Ce matin, le rituel consiste ni plus ni moins qu'en une fumigation. Mes pieds vont sentir le tabac. Cette idée lui arrache un sourire. Le voici sur le palier. Il décide de ne pas moisir dans l'escalier. Le téléphone risquerait de sonner et il devrait alors déverrouiller la porte pour courir répondre. Embêtant, ça. Allons vite voir les photos du meurtre de Bilodeau.

Wagnérienne est l'atmosphère. Encore dense malgré les effilochures, le brouillard n'est pas près de se dissiper. Derrière, le ciel ressemble à une tranche napolitaine. On songe aux films tournés avec des filtres colorés. Par les trous de ce voile d'eau, on distingue des fragments de cette partie de la ville encastrée dans la montagne. La rue n'accueille que des promeneurs pas pressés qui ont l'art de s'arrêter brusquement, attirés par une vitrine ou par un étalage, brisant de la sorte le rythme de vos pas. S'ils ne sont pas pressés, vous, vous l'êtes. Un chien errant vous frôle, bâtard au poil si cotonneux qu'on le dirait couvert de gratte-culs.

Vous voici enfin chez Archambault, jambes lourdes, debout devant le comptoir de journaux. À court de respir, vous vous emparez de *Samedi Montréal* et de *l'Éclaireur* que vous feuilletez précitamment. La première chose sur laquelle vous tombez, ce sont des extraits choisis de la conférence que Picard a prononcée à l'université sur le roman policier. Vous commencez à vous impatienter. Pourtant, l'assassinat de l'éditeur est bel et bien mentionné à la une. Mais, comme pour la publicité, plus les caractères sont gros, moins vous y prêtez attention — car ce qui vous appâte, vous, c'est le texte écrit petit. Déformation professionnelle. Bon! ça y est, vous avez trouvé. Il y a des photos de la banquette de la voiture tachée de sang, des photos du corps recroquevillé dans la malle, etc. Saisissant, en effet. Vous levez les yeux. Le dernier déchet politique, ministre récemment contraint de démissionner du cabinet pour une affaire de mœurs, figure sur la couverture d'au moins trois magazines. C'est un déchet de noble prestance, reconnaissons-le. À côté du présentoir, la porte du cagibi est entrouverte. On y voit des classeurs, un ordinateur poussiéreux à l'écran nictitant et glauque, des accordéons de papier... Archambault fils tapote sur un clavier aux dimensions plus qu'appréciables. Il se retourne et, vous ayant aperçu, vient vous serrer la main.

— Excusez-moi, mon cher Dufresne, je faisais un brin de comptabilité. Prendriez-vous du café? Le percolateur est... Vous paraissez tout chamboulé.

Les débats de conscience ne le passionnent pas, celui-là. Les grandes causes ne l'intéressent guère. Sa façon de parler en détachant chaque syllabe n'exprime pas autre chose. Et les petites causes? Et les apologues? Nous allons le vérifier à l'instant.

— Vous n'avez pas lu les journaux?

— Je n'ai pas eu le temps, fait le libraire.

— Bilodeau, mon éditeur... Il est mort.

— Seigneur! Qu'est-ce qui est arrivé? Je veux dire: comment ça s'est produit?

Vous portez l'index à vos lèvres. Ce que l'autre comprend, c'est silence, discrétion, motus et bouche cousue. Entre gens du monde, n'est-ce pas...? Puis, Archambault réalise que vous mimez le canon d'une arme pointé contre le palais. Ou plutôt l'arcade sourcilière.

— Suicide?

— Assassinat. Une balle tirée à bout portant. C'est dans le journal. Euh... Excellent, le café.

Archambault fils parcourt avec dédain les deux pages de photos. Sur le comptoir, en évidence, il y a une pile de *Permettez que je déborde*. Une pile? Enfin, trois exemplaires. Bah! trois exemplaires, c'est déjà une petite pile. Les autres auraient-ils tous été vendus? Malheureusement pas. La vraie pile est plus loin, à côté

271

d'un album de luxe portant sur le si curieusement nommé cap de Bonne-Espérance. (Existe-t-il une mauvaise espérance...?) Et vous devez faire un effort de volonté pour vous retenir de compter combien il reste de *Permettez* dans la vraie pile. Vous retenir ce matin, vous retenir dans quatre jours, dans une semaine. Torture de l'auteur qui vient de lancer un livre...

Jean-Louis Bellerive entre à son tour acheter les journaux, lippe goguenarde, dents serrées. «Eh oui! encore moi», semble-t-il annoncer à la cantonade. Sa sucette lui fait une bosse dans la joue. Juju Nantel, le camarade de collège aujourd'hui six pieds sous terre, aimait beaucoup entamer la conversation par ces mots-là. Après un an sans nouvelles, il pouvait vous appeler et s'exclamer: «Eh oui! encore moi.» Sacré Juju! Immédiatement, Bellerive est frappé par la une de *l'Éclaireur*. Bilodeau mort? Il se redresse, quête un soupir, une moue, un jeu de physionomie, n'importe quoi qui confirmerait la manchette. Vous hochez la tête. Bellerive paie sans dévisser les mâchoires et sort, visiblement ébranlé. Avouez que vous vous êtes senti flatté, hier, quand il a déclaré qu'il vous devait sa vocation d'écrivain. Mais peut-être voulait-il signifier par là qu'adolescent il lisait vos ouvrages en se répétant: «C'est tellement tarte que plus tard je vais facilement pouvoir faire mieux.» Vous n'avez pas le temps de jongler avec cette pensée. Ginette Laflamme, vague copine de Suzanne et journaliste elle aussi, vous aborde en catastrophe.

— Le hasard joue en ma faveur. Quarante-huit heures que j'essaie de vous mettre le grappin dessus, quarante-huit heures...

— Quarante-huit heures de taponnage... Signe qu'il serait préférable que vous vous adressiez à quelqu'un d'autre, non?

Votre réplique la laisse à quia. Elle pourtant si

volubile d'habitude, vous l'avez désarçonnée. Subitement, votre attention est attirée ailleurs.

— C'est quoi, ça? demandez-vous à la caissière, désignant une des publications étalées au bout du comptoir.

— *Livres et disques*, répond-elle, troublée. Et elle coule un regard en direction de son patron qui fronce les sourcils.

— Je vois bien que c'est *Livres et disques!*

Elle se gratte le front, plisse le nez, fait passer de l'épaule droite à l'épaule gauche la natte de ses cheveux châtains.

— Le tout dernier numéro, monsieur. Prenez-en un. C'est gratuit.

«Le tout dernier numéro, monsieur.» La petite phrase a jailli, implacable.

— Et vous l'avez reçu quand, ce numéro?

— Mercredi ou jeudi, je crois... Pourquoi ces questions? Vous faites partie de l'équipe des rédacteurs?

Elle parle en mettant des accents sur les e muets, à la manière des écoliers quand ils veulent divertir les adultes. Ginette Laflamme s'approche en espionne. À votre insu, un nouveau numéro de *Livres et disques* a été distribué dans les kiosques. Qu'est-ce que vous découvrez en page cinq à la place de la photo de Lafleur et de Picard trinquant «à la santé de la littérature québécoise»? Une photo de votre éditeur et de vous-même, Gilles Dufresne. La photo, prise lors du lancement de *Permettez que je déborde de mon texte*, occupe presque la moitié de l'espace. Bilodeau a l'air épuisé. Sur les photos, il a toujours les traits fatigués. Avait. Il avait toujours les traits... Minute! vous demandez à comprendre. Le tueur que vous avez payé, ce qu'il a entre les mains, c'est probablement ce numéro — avec la photo du lancement. Il a descendu Bilodeau parce

273

que... Ça signifie que vous êtes le prochain et que... Ça n'a aucun sens, c'est une blague.

Gilles Dufresne recule, s'adosse au mur. Lui qui croyait son esprit trop encombré de provisoire (anecdotes gigognes, souvenirs empruntés, citations approximatives) pour être capable d'éprouver de la peur, le voici détrompé. Il ressent une décharge électrique dans la région du pylore. Une terreur sourde l'envahit. Assommé, il courbe l'échine, l'instinct de conservation évacué d'un coup sec. Il s'enfonce le menton derrière la clavicule, mordille la pointe de son col. Et l'assaille une immense envie de dormir. Je vais me coucher par terre, oui, je vais me coucher au fond de la librairie dans la section des jeunes, là où il y a l'épais tapis bleu poudre...

— Je vous ressers un peu de café? chantonne Archambault. Avec une goutte de cognac peut-être? Je ne vous cacherai pas que je suis surpris que la disparition de Bilodeau vous affecte à un tel degré. Étiez-vous donc si proches l'un de l'autre?

Le sourire qu'on apprend à faire bambin pour rassurer les parents, certes, on a de la fièvre mais, au fond, ce n'est pas si grave, ce sourire sainte Thérèse de l'Enfant-Jésus, eh bien! vous l'aurez sans doute encore sur les lèvres à votre mort — aussi bien accroché que maintenant.

— Suzanne est en forme? s'enquiert Ginette.

Il n'a pas entendu, occupé qu'il était à se dédoubler. Dufresne examine, étudie Gilles — et note mentalement sa réaction (sans la retoucher) dans le but de l'utiliser demain, après-demain, dans un mois, dans un an, en l'appliquant à un personnage de fiction. Dans un mois? Dans un an? Le dédoublement dure quelques secondes à peine: le cœur cogne si fort que la mise en scène doit absolument cesser là. Vous frissonnez. Vous évoquez la fois où, au chalet, vous et Suzanne aviez fait l'amour en claquant des dents, tellement le froid piquait — et votre plaisir avait été d'une rare intensité. Non, qu'on soit tranquille, votre vie entière ne va pas se mettre à défiler tandis que vous...

— Je suis obligé de vous quitter, Archambault. Transmettez mes salutations à votre père.

— On jurerait un adieu. Vous vous sentez bien? Vous m'avez tout de même pas l'intention d'attenter à vos jours?

Il glousse. Dieu merci, le ton est ironique. À l'employée qui lui signale qu'il a déjà payé les journaux, Dufresne répond que sa vie durant il lui sera reconnaissant de cette marque d'intégrité. Ma vie durant: décidément, ça ne m'engage pas à grand-chose. Tant pis! Je n'en suis pas à une redondance près. Poussant la porte, il déclenche la sonnerie du dispositif antivol.

— Il est détraqué depuis hier, crie Archambault. Détraqué. Le détecteur est détraqué.

La caissière fait signe à Dufresne de ne pas s'inquiéter de la sonnerie, de continuer son chemin. Ginette Laflamme déplie son mouchoir et l'agite comme un drapeau blanc. Pacte tacite. Moi aussi, je capitule.

Vieille Jouvence? N'exagérons rien. Jouvence enchantée? Comment s'appelle cette sacrée maison de retraite? Gilles ne s'en souvient plus — ce qui est le comble. Il consulte l'annuaire du téléphone. Mal de ventre. Finalement, il trouve le numéro griffonné à la hâte dans son carnet.

— Hector Favreau, s'il vous plaît?

— Attendez un instant... Il est à la chapelle.

— Un samedi?

— On célèbre les offices religieux tous les jours de la semaine.

— Pourriez-vous envoyer quelqu'un le chercher? C'est assez urgent et je...

— Laissez votre nom, monsieur. J'ai pas le droit de déranger les bénéficiaires à propos de tout et de rien.

Dufresne raccroche. Il tente ensuite de rejoindre Robert Masson, le dompteur de chiens. Le répondeur automatique de l'école de dressage débite un message enregistré qu'il n'écoute même pas jusqu'au bip. Il essaie le numéro se terminant par cinquante-deux, soixante-trois, à moins que ce ne soit l'inverse, bref le numéro devant servir à fixer le rendez-vous ainsi que les modalités du second versement. L'exiguïté de la cabine accentue l'anxiété de Gilles. Vite, ordonner à Yvon de tout stopper. Annuler de vive voix ce contrat criminel, ce contrat absurde et stupide. Soixante-trois, cinquante-deux. Cinquante-trois, soixante-deux. Il épuisera sa réserve de monnaie et n'aboutira à rien.

Si j'ai un conseil à te donner, rentre dans ta carapace. Tu n'es pas armé et tu ne sais pas comment te procurer un revolver. Avant de devenir un héros, tu as des croûtes à manger. Rentre dans ta carapace, fais la tortue. Fais la tortue, fais le lièvre. En tout cas, fais quelque chose de tes membres.

Il pénètre dans le brouillard. Il en sent la fraîche palpitation contre ses tempes, sur sa nuque, dans son dos. Momentanément, ça lui fait du bien. Il a la même impression qu'à l'âge de cinq ou six ans, quand il s'ébrouait, barbotait et batifolait, s'amusant à avaler les plus gros flocons, souhaitant avec ardeur se noyer dans la neige — ou mieux, être digéré par ce blanc-manger venu du firmament. File, file, déguerpis.

Vous vous mettez à courir. Vous aviez oublié ce qu'on peut percevoir de bizarre quand on court avec la cravate qui flotte au vent. Accélérez la cadence. En somme, il n'y a plus de place pour vous dans votre propre tête. Les cratères de votre cerveau sont pleins de nuages compacts et sucrés. Après quelques foulées, vous

vous appuyez contre un arbre solitaire qui semble n'avoir été planté là, à même le trottoir, que pour vous permettre de reprendre votre souffle, grand feuillu dégarni dont les racines obstinées ont craquelé et fendu le ciment.

Typographie et mise en pages sur ordinateur: MacGRAPH, Montréal.

Achevé d'imprimer en octobre 1988,
par les Ateliers graphiques Marc Veilleux,
à Cap-Saint-Ignace, Québec.